EX LIBRIS

大星

瓦尔登湖

[美] 亨利·戴维·梭罗 著

王家新 李昕 译

中信出版集团 | 北京

作家榜推荐词

我们应该如何感激梭罗？就像聂鲁达要感激的那些短暂易逝的丰硕的云朵？那些童话般的云朵？

在我看来，所有的好诗人都是童话的一部分，而所有童话都是这样开始的——

从前，有一个叫梭罗的诗人，带着一把斧子，住进了马萨诸塞州康科德镇附近的一片叫瓦尔登的森林里，以星空当锦被，与野兽为邻居，两年后，他离开了这片森林，带回了一个笔记本。作为对宇宙万物好奇与对生命意义探险的证据，这个笔记本让圣雄甘地叹服，让托尔斯泰狂喜，让整个世界震惊。

一百年后，一个叫徐迟的诗人，受费正清先生的邀请，翻译了这本笔记，大受震撼，他感慨：字字闪光，语语惊人。仿佛见识了钻石的光辉。但接踵而来的乱世又让这颗钻石埋没在了尘埃里。

真正让它重见天日，得到五十年后的 1989 年，一个叫海子的诗人去山海关卧轨，他随身携带的就有梭罗的这个笔记本。

于是，一夜之间，千千万万的读书人被一面湖水惊醒了。

认识一本好书，需要付出这么惨烈漫长的代价吗？是的，智慧和美，都需要伟大的好奇心。

1999 年，一个世纪行将结束，美国大学生投票选举青年偶像人物。结果，高居榜首的就是这位诗人。

　　因为，他留给世界的真理和智慧比你想象的要多。

　　过去的一百年，哈佛学者们探讨《瓦尔登湖》究竟有多少种读法，基于对爱默生"世界将其自身缩小为一滴露水"的信赖，我推测，只要人类活着，它的读法就会万万千千，就会接近无穷。

　　我甚至怀疑，即便有一天人类消失了，机器人也会拜读它。

　　它是《天方夜谭》中的那块魔毯，会带你远离现实的灰尘，会让你联想起辛波丝卡的说法：一切都是非凡的奇迹，任何一块石头及其上方的任何一朵流云，任何一个白天以及任何一个夜晚，甚至，这世上，任何一个尚在呼吸的人。

　　"时间是供我垂钓的河。我从中汲水，却同时发现了河底的淤沙，意识到它是如何清浅。它涓细的脉流漫过，但留下了永恒。我愿意啜饮更深的溪水；那就在天空中垂钓吧，天空的河底都是星辰做成的卵石。"——这是梭罗的天梯，带你升上天空，把尘世的忧伤抚平。

　　一本安静的书，它来到世间，一直寻找它安静的读者。

　　而这一次，经由诗人王家新先生富有生命质感的出色译笔，你会遇见一位"多么孤绝而又富有历史洞见的诗人"。

何三坡

于作家榜

目录

时间是供我垂钓的河。我从中汲水，却同时发现了河底的淤沙，意识到它是如何清浅。它涓细的脉流漫过，但留下了永恒。

有多少人因为阅读一本书而开始了人生新的阶段。书籍为我们而存在，或许，它可以解释我们的奇迹，并揭示新的奇迹。

一天就是一年的缩影。夜晚是冬天,清晨和黄昏是春天和秋天,正午是夏天。

我住到林间，是想过设想中的生活，只面对生活中的基本事实，看能否学到生活所要教给我的，而不希望到临死之际才意识到我尚未真正生活过。

不论你的生命多么卑微，与之相遇，活在其中；不要逃避它，并且恶言相向。
它并不比你更糟糕。

作家榜

★经典文库★

经典是天上的星光，照亮你我每个良辰

大星 × 大方 sight

来自作家榜®的礼物

"读经典名著,认准作家榜经典文库"
—— 闭着眼睛买,本本都经典 ——

亲爱的读者,感谢您选择大星®文化出品的作家榜经典文库。

火遍全国的"作家榜经典文库®",精选经典中的经典,全部由诗人、作家倾心译注,以父母之心,专注为您和您的孩子,提供值得反复阅读和激发心灵成长的全球经典。

作家榜经典文库自诞生以来,在高端读者群中口碑相传,创造了一本又一本的畅销奇迹,赢得无数家长、老师、读者赞誉"读经典名著,认准作家榜经典文库,闭着眼睛买,本本都经典!"越来越多有经验的爱书人,书架常备作家榜经典;越来越多的孩子们,因为作家榜经典爱上阅读名著。

为给您提供更好的增值服务,作家榜母公司大星文化重磅推出互联网阅读品牌"作家榜阅读 APP",作家榜经典文库所有已出版作品,您均可下载抢先阅读电子书。

下载作家榜APP
百部经典随时读

天猫作家榜旗舰店
扫码关注就送5元

中信出版 · 大方

如您有任何建议或希望与我们合作,欢迎致电作家榜: 021-60839180

生活本身成为我的乐趣，在它之中从来不缺少新奇的体验。它是一出多幕
剧，从不落幕。

湖是自然风光中最美丽、最富于表现力的所在。它是大地之眼；观者凝望着湖水，也是在量度自身秉性的深度。

人们赞美且认为成功的生活，只不过是生活的一种。为什么我们要夸大一
种而贬低其他的生活方式呢？

向梭罗致敬

交完译稿后查看资料时才发现，到今年 7 月 12 日，我们翻译的这位奇人已诞生 200 周年了。而我仿佛刚刚从他在瓦尔登湖畔的木头小屋归来，岂止有一种时空穿越之感！

亨利·戴维·梭罗（Henry David Thoreau），1817 年 7 月 12 日生于马萨诸塞州康科德，1837 年毕业于名校哈佛大学，但按爱默生（Ralph Waldo Emerson，1803—1882）的说法，他"在文学上是一个打破偶像崇拜的人，他难得感谢大学给他的益处，也很看不起大学"（爱默生《梭罗》①）。毕业后梭罗在家乡一个私立学校教书，并受到同住在康科德的爱默生的激发和影响，几年后便完全转向写作。他给爱默生主编的评论季刊《日晷》撰稿，并协助编辑该刊。写作之外，也到处演讲，主张回归自我和自然。1845 年，梭罗为践行他的生活观念，在距康科德两英里的瓦尔登湖畔建造了一个小木屋，靠双手劳动养活自

---

① 《爱默生文选》第四篇，张爱玲译，三联书店1986版，本文所引爱默生的话均出自该篇。

己，体验独立、简朴和接近自然的生活。他的散文集《瓦尔登湖》（1854 年出版）详细记载了他在那里两年零两个月又两天的生活。1847 年 9 月 6 日，梭罗因爱默生一家需要，离开瓦尔登湖，重新回到康科德城。1862 年 5 月 6 日，因肺病医治无效逝世，时年仅 44 岁。

在同时代人眼中，梭罗不过是一个爱默生的追随者，一个偏执而怪异的人，直到十九世纪末期才被广泛认识和推崇。梭罗一生创作了二十多种散文作品，尤其是他的《瓦尔登湖》，不仅被视为自然随笔的经典，而且"变成了处于迷惘状态的人们的生活指南"。其他有影响的作品首推政论《论公民的不服从义务》（又译为《消极抵抗》《论公民抗命》《公民不服从论》），面对政府、法律的强权和不义，为公民拒绝服从提出辩护。梭罗所主张的这种依靠个人力量的"非暴力抵抗"，后来对列夫·托尔斯泰、圣雄甘地、美国黑人领袖马丁·路德·金和美国民主主义、民权运动都产生了很大影响。在有的《瓦尔登湖》版本中，最后也收有这篇《论公民的不服从义务》，它和《瓦尔登湖》其实也有直接联系：在瓦尔登湖生活期间，梭罗因为拒交"人头税"而被捕，虽然他只在狱中蹲了一宿就被友人在未经他本人同意的情况下保释出狱。为解释他的抗命行为，后来他做了这个著名的演讲。

同我的许多同代人一样，我在早年上大学期间读的也是徐迟的译本（现在据说已有数十种译本了）。徐迟先生不仅首次将《瓦尔登湖》译介到中国（1948 年），其译本在"文革"结束后重版，也吸引了广大读者，像苇岸、海子这样的作家和诗人就深受其影响。徐迟先生舒展自如、优雅而富有韵味的译文风格在那时也颇为人所称道。

但是，如同历史上的一些经典，《瓦尔登湖》也正是一部需要反复阅读，需要不断重新认识和发现的作品。

而对我来说，最好的阅读方式就是翻译。我自己的工作虽然主要在诗歌领域，但是，因为接受了作家榜的邀请，因为有这个机缘"以翻译的方式"来重读，我还是深感激动：一个众说纷纭的梭罗更真切地出现在我的面前。我不仅通过翻译真正抵达他的"在场"，而且对一个繁茂而深奥的文学世界、自然世界和灵魂世界，有了更多也更能给我带来喜悦的发现。

比如说《瓦尔登湖》的第一章"Economy"，有的中译本译为"简朴生活"，我认为这样译就有些问题，问题可能来自人们对梭罗的某种惯有的简单化读解，也来自对"诗意地栖居"这类当下愿景的迎合。《瓦尔登湖》记载了梭罗在湖畔林间的独居生活，梭罗的口头禅也是"Simplify, simplify, simplify"（简单，简单，简单），但梭罗并不是人们所想象的那种避世隐士。与其说《瓦尔登湖》是一曲田园牧歌，不如说它是英雄诗篇，是对那个时代和社会的挑战，而这在爱默生看来也带有一种"英雄"和"先知"的气质："这时候他是一个强壮健康的青年，刚从大学里出来，他所有的友伴都在选择他们的职业……惟其完全正直，他要自己绝对自主，也要每一个人都绝对自主，所以他的处境只有更艰难。但是梭罗从来没有踌躇。他是一个天生的倡异议者。……他的目标是一种更广博的使命，一种艺术，能使我们好好地生活。"

爱默生的描述，真实地表露了梭罗的精神状态和前往瓦尔登湖畔居住的社会背景和心理动因。这种我行我素、不计代价对生活理想的践行与通常的那种隐逸是有很大的差异的。实际上，梭罗渴望宁静独处，但同时又是一位很有责任感和参与精神的社会批评家，他写有许多政论，一生支持废奴运动，反对美国对墨西哥的战争，倡导公民权利和"公民的不服从"，必要时甚至甘愿为此坐牢。即使在瓦尔登湖畔期间，他也常常与人交往，并保持着对社会的关注。他只是不想循规蹈矩成为所谓"文明社会"的寄居客，而宁愿"绝对自主"，去过那种更合乎本性的生活罢了。他在瓦尔登湖的来去都合乎他性格的逻辑。他并没有想到瓦尔登湖畔日后会成为一个圣地。他也并不希望别人来追随他，他只是痛感于人们在生活中的迷失，"还包括那些貌似富有、却于所有人中极为贫瘠的人，他们积攒了些无用的财产，却不知如何使用或摆脱"，他要通过自己的实践向世人证明何为自由和人生之价值，他写下这部书，也"并非为自己，而是为人类；我身上的缺点和矛盾，并不影响我的陈述的真理性。……我下定决心，决不低声下气地做魔鬼的辩护人。我要努力为真理说话。"

触动我的，就是梭罗的这种坦率和真实。他并不想充当一个圣人。他来到瓦尔登湖畔探索生活的意义，但他绝不自欺，也不给他的乡邻和读者提供任何廉价的、靠不住的承诺。他正是我所赞赏的那种"彻底的思想家"（radical thinkers）。如"第十一章 更高的法则"的这个开头，就使我深感惊异：

"当我提着一串鱼，用鱼竿探路穿过树林回家的时候，天色已经相当昏暗了。那时，我突然瞥见路上有一只土拔鼠悄然横穿而过。一种野性的快感使我不自觉地战栗，并使我强烈地想要捉住他，将他生吞活剥；并不是因为我那时饿了，只是为了他表现出来的那种野性。……我曾发现在我的内心，和大多数人一样有一种追求更高的或者称之为精神生活的本能，至今也还是如此。但同时，我又有另一种本能朝着原始的队列和野性走去。我对这两种本能都心存敬畏，对野性的狂热也并不亚于善良。……我有时候喜欢粗劣地对待生活，更愿意像动物一样过日子。"

　　由此可见，梭罗来到瓦尔登湖畔并拿他自己做"实验品"，如用诗人勒内·夏尔的一个说法，既是"对顶峰的寻找"，也是对"基础"的重新勘探（夏尔的一部诗集即是"对顶峰和基础的寻找"）。即使是"诗意地栖居"，首先也要把它建立在一个真实可信的基础上。

　　正是基于这种"总体"上的了解，我们把第一章"Economy"按其本意译为"经济学"。这个看似不那么"诗意"的开场白，却更能还原梭罗生活和思想的出发点。当然，随着阅读的深入，我们会发现梭罗的"经济学"，远远超出了一般层面，而具有了人生和伦理的意义。

　　《瓦尔登湖》一开始就充满了争辩之声，自辩，与邻人和社会的对话和爱默生所说的"异议"。人首先是一种肉体的物质存在，是社会和经济生活的一员，而且人人都得独立谋生。争辩就是从这种常识开始的。十九世纪中期，随着工业革命对社会生产力的高速推进，传统的生活方式受到冲击，人们对物质文明的追求也相应递增，人们不是忙于生计，就是在追逐所谓更奢华与舒适的生活方式，但是，对于"别给我金钱，别给我名誉，给我真理吧"的梭罗来说，这一切的意义和价值何在呢？他看到的是，在表面的光鲜和富有下，"芸芸众生都过着一份平静而绝望的生活"。他以自己的切身经验向人们呼吁：

> "据我自己的经验，目前在我们国家，只需要一把刀、一柄斧头、一把铁锹和一辆手推车等少数工具就足够生活了；对于好学之人，还要再加上灯和文具，以及能读上几本书。这些东西仅次于必需品，花一点点钱就能得到。"

而为了发现生活的基本必需品都有哪些，又该如何获得，梭罗甚至在第一章中精细地列了一份份账单，比如全部造房的材料费，豆地的花销与收入等。"总之，信仰和经验使我确信，只要生活得简单而智慧，维持一个人在世间的生命并不是一件苦差，而是一种消遣。"他甚至以他富有个性的方式说："我宁愿坐在一只南瓜上，将它完全据为己有，也不愿和众人拥挤着坐在天鹅绒软垫上。"

梭罗的这种生活方式和价值观，在今天已为更多的人所认同和接受（比如在今天就有"必要的贫穷""清洁精神"等说法），但在当时的那种社会习俗下，如按爱默生的评价，却是"革命性"的。梭罗自己在《瓦尔登湖》中也讲到这样一个细节："我要定做一件款式特别的衣服，女裁缝神情严肃地告诉我说：'他们现在可都不是这么做的'……就好像她引用的是命运女神那样一位非人间的权威。""在给我量尺寸的时候，如果她不考量一下我的性格，而只是量我肩膀的宽度，就好像我是那挂衣服的钉子，那这种丈量又有什么用呢？……我有时感到绝望，在这个世界上，要借助人们的力量完成一件哪怕十分简单、朴实的事情也是不可能的。他们必须先经过一次强有力压榨机的挤压，好把旧观念挤压出去，如此一来，他们一时之间也无法站稳脚跟……"

这就是梭罗所生活的那个时代。爱默生就曾这样充满钦佩地描述："有几个人几乎崇拜他，向他坦白一切，将他奉为先知，知道他那性灵与伟大的心的深奥的价值。……他以这样一种危险性的坦白态度处世，钦佩他的人称他为'那可怕的梭罗'，仿佛他静默的时候也在说话，走开之后也还在场。我想他的理想太严格了。"

但还有一点，梭罗对自己当然是严格的，在《瓦尔登湖》中他力求证明自己，说服别人，但他并不希望别人按他的方式生活。他自己的生活，在他看来不过是天赋良知的一种昭示：

"年轻人可以搞建筑、种植或航海，只要能做他跟我提过的他喜欢做的事情，不妨碍他就好了。我们的智慧，就体现在通过计算而得到的那个精确的点，就好比水手或者逃跑的奴隶的眼睛总要盯着北极星；这种方法足以指导我们一生。或许我们不能在可预测的时间内到达预定的港口，但仍会保持正确的航向。"

可以说，梭罗的这种对世俗虚荣的抛弃，对物质文明、中产阶级生活方式和价值观的抵制，在后来对重塑"美国精神"都产生了深远的影响，从美国二十世纪六十年代的黑人民权运动、反越战运动、嬉皮士运动和"垮掉一代"那里，我们就可以明显听到其回响（纵然有些人学到的只是皮毛）。且不说"垮掉派诗人""新超现实主义"或"深度意象"诗人们也明显和梭罗有一种血缘关系，如罗伯特·勃莱的"贫穷而听着风声也是好的"、詹姆斯·赖特的"我突然感到 / 如果我能脱出自己的躯体，我就会 / 怒放如花"等。

在我喜爱和认识的诗人盖瑞·斯奈德身上，也能看到梭罗的影子。二十世纪五十年代末期，他通过翻译寒山，创造的正是一个类似于"瓦尔登湖"的新神话："他是一名山中狂人，属于古代中国衣衫褴褛的隐士中的一类。当他说'寒山'之时，不仅指他自己，也指他的住所和他的精神状态。"

重要的是，同梭罗一样，斯奈德的人生也正是"知行合一"的一生。1955 年从伯克利毕业后，他与森林公园签约，成了一名山道维修队的工人，整天在荒郊野岭户外工作。与他翻译的寒山诗同时出版的，是他自己的成名诗集《砌石》（*Riprap*），他声称这是"为了纪念双手的工作、对岩石的置放以及我开始将宇宙视为整体的那一刻……""我猜这些诗歌之所以被欣赏，不仅仅是因为其中的艺术，还因为其中的汗水。"

的确，我热爱这位诗人，他那些书写大自然和户外劳作、间或向中国古老大师致意、带着汗水闪光和靴子的吱嘎声的诗篇，不仅让我深感亲切，在我看来，还是对我们这个时代的某种必要的"纠正":"作为一个诗人,我依然把握着那最古老的价值观,它们可以追溯到旧石器时代晚期:土地的肥沃,动物的魅力,与世隔绝的孤寂中的想象力……我力图将历史与那大片荒芜的土地容纳到心里,这样,我的诗或许更可接近于事物的本色以对抗我们时代的失衡、紊乱及愚昧无知。"

多么孤绝而又富有历史洞见的诗人!正因为如此,在当今这个所谓后工业的时代,他却在完成着一种"大地神话"的重构。在这方面,梭罗就堪称一位先行者。梭罗在瓦尔登湖畔黎明即起,到冰封的湖畔取水,他所迎来的,正是那片新大陆"大地之诗"的"第一道黎明的光线"。他也仍将为未来的人们提供启示和范例。

以上主要介绍了梭罗回归自然和本性的生活实验,他所发现的人生真谛及其对后人的激励和启迪。《瓦尔登湖》引人入胜,也绝不单调,而是如大自然一样丰饶。如同书中的梭罗是一个生活实践者、修行者,也是一个诗人、哲人、预言家,是一个有责任感的社会批评家,也是大自然的勘探者、博物学家、鲁滨逊式的拓荒者、生态和环境保护主义先驱……在他这部作品中,蕴藏着巨大的复杂性、多样性和启示性。

梭罗的洞察力、感悟力和他的实践能力一样惊人,爱默生就这样描述:"有一天,他与一个陌生人一同走着,那人问他在哪里可以找到印第安箭镞,他回答,'处处都有',弯下腰去,就立刻从地下拾起一个。……他丰富的常识,再加上壮健的手,锐利的观察力与坚强的意志,依旧不能解释他简单而秘密的生活中照耀着的优越性。我必须加上这重要的事实:他具有一种优秀的智慧，一种极少数人特有的智慧，……然而在他，这却是一种永不休息的洞察力；……他永远服从那神圣的启示。"

或者说，在他的身体力行中，携带着他的生命哲学和光照。按照人们通常的说法，梭罗是一个"超验主义者"，他相信人能凭直觉和本能认识真理，能凭心灵的力量提升生活，使生活变得崇高。瓦尔登湖不仅是他在喧嚣的世界中寻得的一个去处，也是他精神的家园，这个地方不仅给他提供了豆地、冬日的篝火和思考的空间，也给他提供了认识自然和自己的各种机遇。"古代诗歌和神话至少表明，农事曾是一项神圣的艺术"，不仅是农事，他在这里感受到的一切都不能不让人称奇。他在这里观察、倾听、思考，并且梦想，如他所称，他含蕴、养育着他的珍珠，直到它完美之时，将它奉献于社会。

在《瓦尔登湖》中，有大量篇幅是关于动物、植物和自然环境的观察记录，这是全书最精彩、最吸引人的内容之一。梭罗在这里花费了大量精力观察湖水和树木的变化，鸟类、动物的习性，有时还深入地质考古学的层面，这使《瓦尔登湖》的许多篇章初看上去像是有关自然的文献。但是，梭罗展示自然的财富，是为了让它成为人性的、精神的资源。他的这种贡献，让我不禁想起阿赫玛托娃对帕斯捷尔纳克的赞颂："整个大地成为他的遗产／他要每个人与他一起分享。"

爱默生也非常看重梭罗对大自然的探索："他决定研究自然史，纯是出于天性。……他与动物接近，使人想起汤麦斯·福勒关于养蜂家柏特勒的记录，'不是他告诉蜜蜂许多话，就是蜜蜂告诉他许多话。'……很少有人像他这样深知大自然的秘密与天才；这种知识的综合，没有一个人比他更广大更严正。因为他毫不尊敬任何人任何团体的意见，而只向真理本身致敬。"的确，梭罗对自然的观察、体验和发现每每让人惊叹。他不是简单地记录下事实与感受，他笔下的种种事物也不是静态的，而是充满了活力和启示。他笔下的大自然不仅洋溢着一种原始的生命力，有一种粗犷苍郁之美，甚至还深具一种神秘性，有一种神话般的性质：

"啊，瓦尔登湖的梭鱼啊！当我看到他们躺在冰面上，或在渔夫所凿的、有一个小孔来引入活水的冰井中时，总是会惊奇于他们那罕见的美，仿佛他们是传说中的鱼类，对我们的街道来说如此陌异……他们拥有一种相当炫目而超验的美……他们不似松树的青绿，不似石头的灰褐，也不似天空的蔚蓝；但是，在我眼里，他们确有罕见的色彩，……他们，当然是全然无损的瓦尔登；在动物王国中也是小小的瓦尔登，瓦尔登教派！我惊异于他们在此处被捕获——这集金黄与祖母绿于一身的伟大鱼类……随着几下痉挛般的游转，很轻易地，他们就挣脱了自己在水中濡湿的幽灵，仿佛一个凡人在升入天堂那稀薄空气前的时刻里，挣脱了自己的肉身。"

这种对瓦尔登湖梭鱼的赞颂和神话般描述，不可能不对人们的感受力和后来的文学、诗歌产生影响。在伊丽莎白·毕肖普的名诗《鱼》的最后，我就感到了这位美国著名现代女诗人对梭罗的"致敬"："……直到那船舷上缘／直到每一种东西／都成了虹彩，虹彩，虹彩！／我把鱼放回了大海。"

　　梭罗是大自然的探索者和赞颂者，也是大自然的翻译者，在翻译中他认出宇宙的律动，也认出人与自然的"血亲"关系。如第十七章中对冬去春来之时瓦尔登湖的描述："瓦尔登湖在迅速融化……一块巨大如野的冰从其主体中破裂出来。我听见一只北美歌雀在河岸的灌木丛中歌唱——讴利，讴利，讴利——叱，叱，叱，犟，咤，——犟，微嘶，微嘶，微嘶。"这是多么动人啊。而在最后一章的结束语中，也即向他钟爱的瓦尔登湖告别之前，梭罗打通了人与自然的血肉关联，向生生不息的宇宙生命献上了这样的颂歌："我们体内的生命，就像河流中的水。它今年的水位，可能升高到前人所无法想象，并漫上焦渴的高地。"然后他的笔触竟转向了一只强壮、美丽的虫蛾：

　　"谁听了这个故事，不会强烈地感受到它对复活与不朽的信仰呢？又有谁会知道，何等美丽的、长着翅膀的生灵，它的卵已经埋葬在木头的年轮中，进入生如死灰般的人类社会好多年了，先是封存在苍翠鲜活的树木中，后来这树木渐渐变成了它枯冢的外壳——当一家人围坐在节日的餐桌旁，它持续多年的啃噬声，碰巧被这家中的人听见——会出人意料地从这社会中最不起眼、随手转卖的家具中飞出来，终于享受到它完美的盛夏！"

　　最后，我简单谈一下梭罗的艺术风格、艺术成就和我们的翻译。《瓦尔登湖》一多半内容草成于梭罗居住于瓦尔登湖畔期间，后来经过了补充、修改和重写。鉴于他的第一部书《康科德和梅里马克河上的一周》的失败，在写作和修改《瓦尔登湖》时，梭罗格外慎重，他没有仓促写就和出版，而是静下心来对经验进行过滤和提炼，一次次地对文稿进行修改，使之达到完美。

　　《瓦尔登湖》早已是美国现代文学中散文作品的典范。它是生活和精神的传记，但也是语言的艺术创作。如梭罗在日记中所说，他的写作以真实经历为依据，但"事实只是我的画像的框架""是我正在写作中的神话中的材料"①。《瓦尔登湖》的最后成书，让我感到的，也正是一种"把大地转化为神话"的卓越努力。这不仅在于他对《圣经》、古希腊、罗马神话和典籍（如古罗马加图的《农业志》）、印度和中国古老智慧的大量参照和有机引用，更在于他对平凡事物的诗性转化和神话重构，正如爱默生所指出的："他性灵的知觉上有诗的泉源。……他也善于在散文中找出同样的诗意的魅力。"这就是为什么在《瓦尔登湖》中，会处处闪耀诗性的元素和神话的光辉。

　　《瓦尔登湖》的风格独树一帜，融自叙、观察、思考、想象、批评为一体，像一部雄浑的交响乐。梭罗的文笔雄健有力，元气充沛，富有思想性和鲜明的个性。他把敏锐的感受力、精准的观察力和"观古今于须臾，抚四海于一瞬"的想象力与概括力结合为一体。在行文风格上，有人已指出过他的特点：语句直截了当（straight forward）、简约精炼（concise）、言说切题，往往一语中的（to the point），完全不像维多利亚中期散文那样散漫、堆砌和矫情，也没有那种朦胧和抽象的气息。

---

① 参见杜先菊"简介"，华东师范大学出版社，2015年版《瓦尔登湖》。

在翻译时，我们也时时感到了梭罗的语言天才，感到了他在语言上非凡的创造力。正如他自己声称，他要创造出"一个腐朽的时代所无法理解的语言"，他要抛开一切陈词滥调，"回到语言最原始的类比和衍生意义上"。正因为如此，给翻译带来了极大挑战。梭罗的语言，往往是叙述、观察、哲思、雄辩和诗性隐喻的难以拆解的综合，密度大，难度高。在翻译时我们纵然耗尽了心力，但不敢说就完全达到了满意的程度。此外，怎样在今天重建梭罗的语调和文字风格，这也是我们面对的课题。在已有大量译本的背景下，我们所做的，是尽量忠实于原文而又能在译文语言上有所刷新和创造，重要的是，要让人能听出那活生生的语调。本书的翻译除了我和李昕主译外，李海鹏、唐小祥、方邦宇也参与了部分文字的初译工作。我们从中学到了很多，感受到很多，它对我们的震动和启示，也深深抵及我们生命的深处。这一切，正如爱默生在《梭罗》一文中所引用的梭罗自己的诗句：

　　我本来只有耳朵，现在却有了听觉；
　　以前只有眼睛，现在却有了视力；
　　我只活了若干年，而现在每一刹那都生活，
　　以前只知道学问，现在却能辨别真理。

　　我们衷心希望，这不仅是我们，也是读到这部伟大作品后更多的读者所能获得的珍贵感受。

2017 年 6 月 5 日于北京

瓦尔登湖

经济学

在我写下以下文字，或其中相当多的一部分的时候，我是独自生活在林间，距任何邻居都有一英里。我自己建了一座房子，在马萨诸塞州康科德市的瓦尔登湖畔，靠双手劳动养活自己。我在那儿生活了两年零两个月。如今则又成了"文明社会"的寄居客。

我本不会贸然地跟读者讲起这么多我的私事，只是我们镇上的居民对我的生活方式总有这样那样的问题。有人说我的生活方式有点不着调，但考虑到当时的情况，我却觉得这种方式非常自然，也非常合适。还有人问我以什么为食，会不会感到孤单和害怕，诸如此类；另一些人则想知道我收入的多少被用于慈善事业；还有一些来自大家族的，则问我帮扶了多少个贫困儿童。所以，如果在本书中我试图回答了一些这样的问题，就要请那些对之并没什么特别兴趣的读者诸君包涵了。多数书对第一人称"我"字都避而不用，本书则会保留：这种"自我主义"，是本书区别于其他书的主要不同。我们常会忘了，无论说些什么，其实都是第一人称在发言。我本不该谈论这么多我自己的事，如果我对他人的了解甚于我自己。很不幸，因为经历有限，我也只能局限于这一主题了。另外，从我的角度看，任何一位作者都应该首先直接、真实地记下自己的生活，而不仅仅是他听来的别人的生活；有些这样的记述就好像是从遥远的异乡寄给亲友们似的；因为只要他认真生活，就必然居于相距遥遥的异域他乡。或者，这些篇章更是为穷学生们而写的。至于其他的读者，则会接受适用于他们的部分。我相信，没有谁会为了把衣服穿上身，硬生生拉扯衣服的缝线；因为只有合身，才能穿着舒适。

我乐于讲到的话题，并非关于远在中国或桑威奇岛①的居民，而是关于你们，本书的读者，据说是生活在新英格兰地区的人们。它们主要是关于你们的状况，尤其是你们在这镇子上，在这个世界上的情况或境遇。那是什么样的情况或境遇？一定要像现在这般糟糕吗？难道没有改进的余地了吗？我到过康科德的很多地方。无论在哪儿，商铺、官署抑或是田野，看上去居民们都在用上千种让人惊异的方式进行自我惩罚。我曾听说过婆罗门教徒的苦修之法：坐在四面火焰之中，双目直视太阳；头朝下，将身体倒悬在火焰之上；扭着头，望向苍天，"直到他们无法恢复原来的姿势，而扭着的脖子，也使除液体外的任何东西都无法进到胃里"；链锁缚身，终生捆在一株树下；像毛毛虫一般，用他们的身体丈量帝国广袤的土地；单脚站在柱石顶上——即便是这些有意为之的自我惩罚，也不比我日常所见的情形更令人难以置信和

---

① 夏威夷岛旧称。夏威夷岛的发现人詹姆斯·库克（1728—1779）于1778年以其保护人桑威奇伯爵（the Earl of Sandwich）的名字命名这片岛屿。

惊愕。与我的邻居们所承受的相比，赫拉克勒斯①的十二件苦差也算不得什么，因为那终归不过十二件而已；而我却从没看见他们杀死或捕获了什么怪兽，或完成了哪桩差事。他们也没有像伊俄拉斯②一样的伙伴，用火红的烙铁来灼烧海德拉的断颈。对于他们而言，一颗头被砍掉了，立刻就会有另外两颗头长出来。

在我看来，继承农田、房舍、谷仓、牛羊、农具是年轻人和我镇上同胞的不幸。因为这些东西得来容易，想要摆脱它们的束缚却要艰难得多。他们还不如生在空旷的草场里，由野狼喂养长大③，这样反倒眼目清明，辨得清是什么样的土地在召唤他们劳作躬耕。谁使他们成为土地的奴隶？当人命中注定只需寸土为生计，为何他们却要种植六十英亩的土地？为何自呱呱坠地他们就开始自掘坟墓？他们不得不过着人的生活，推着眼前之物前行，尽可能让一切进展顺利。我碰见了多少个可怜的、不朽的灵魂，在生活的重负之下，饱受碾压，几近窒息，只能沿着生活的道路匍匐而行，推动着面前七十五英尺长、四十英尺宽的谷仓，一个从未打扫过的奥吉亚斯的牛圈④，以及上百英亩的草场、林地和耕地，在那儿备耕、除草。而那些没有产业

---

① 赫拉克勒斯（Hercules），古希腊神话中的大力神和最伟大的英雄人物之一，曾依神谕完成国王交给他的十二项极为艰难的任务。
② 伊俄拉斯（Iolaus），赫拉克勒斯的侄子，也是其得力的助手。在与九头蛇海德拉（Hydra）的战斗中，用烙铁灼烧海德拉的断颈，使其无法如传说一样在每个断颈处再生出两颗头颅。
③ 指罗马城的创建人罗慕路斯（Romulus）和瑞摩斯（Remus）是由母狼喂养长大的典故。
④ 赫拉克勒斯十二件劳役中的第五件是清扫奥吉亚斯牛圈，他用让河流改道的方式完成了劳役。

可以继承的人，自然也就没有承继家业所带来的无端负担，却又不得不为了几立方英尺的血肉之躯，屈身劳作。

然而，人们总是于错误之中盲目劳作，人之较好的部分也很快被犁进土壤，成为肥料。一种似是而非的命运，通常我们称为“必然”的东西，支配了人们去积累财富，而正如一本古书中所说，财富或者被飞蛾和锈斑腐蚀，或者被闯入的盗贼窃取。①这是蠢人的生活，即便他们之前不曾明白，在接近生命终点的那刻则必然醒悟。据说丢卡利翁和皮拉在造人的时候，就是把石头从头顶往身后扔。②诗云：

> Inde genus durum sumus, experiensque laborum,
> Et documenta damus quâ simus origine nati.③

或者，如罗利④所曾铿锵吟咏的那样：

> “从此我们的善良之心坚硬，承受痛苦和忧戚，
> 证明我们的躯体实是源自岩石。”

---

① 参见《圣经·马太福音》6:19：“不要为自己积攒财宝在地上，地上有虫子咬，能锈坏，也有贼挖窟窿来偷。”汉语圣经协会有限公司，2005 年 6 月第 7 版《圣经——中英对照（和合本·新国际版）标准本》。
② 据希腊神话，宙斯曾以洪水清洗人间。丢卡利翁和妻子皮拉造方舟幸存，后通过把石头越过头顶扔到背后的方式创造新的人类。丢卡利翁扔的石头成为男人，皮拉扔的石头成为女人。
③ 拉丁文，意为：“从此人类成为坚硬之物，历尽苦辛，这证明着我们的起源。”
④ 沃尔特·罗利爵士（Sir Walter Raleigh, 1554—1618），英国诗人、历史学家，撰有《世界史》（The History of the world）。梭罗即是从其《世界史》中引用了这段译文。

将石头越过头顶抛到身后，根本不留心它们落到了哪里，对如此的神谕，他们竟也能盲目遵从。

即便在这个相对自由的国度，出于纯粹的无知或谬误，多数人满脑子都是人为的担忧或生活中无益的粗糙劳累，致使他们无缘摘得鲜美的生命果实。过度的劳作，使他们的手指太过粗笨，而且颤抖得厉害，已不适宜采撷。事实上，劳动者无暇持之以恒地使自己得到真正的完善，也无力维持人与人之间最人性化的关系；他的劳动一到市场就贬值。他没时间做别的，除了成为一架机器。他如此经常地滥用他的知识，又如何记得清自己的无知呢？——更何况他的成长需要无知。在对他作出评判之前，我们先要无偿地为他提供食物和衣服，用兴奋剂使他恢复精力。我们天性中的最佳品质，就如同水果外皮的粉霜，只有最为精心的呵护才使其得以留存。然而，不论对自己还是对别人，我们都不曾如此柔情。

我们都知道，你们之中有些人是贫困的，体会着生活的不易，有时可以说连气都喘不过来。我不怀疑，在本书的读者之中，有些人是付不起餐费的，也无力偿付那即将磨坏或早就磨坏了的衣服和鞋子，可你们还是从债主那里撬来了一个小时，在这些篇章中度过这借来的甚或偷来的时光。你们中的许多人过着卑微而难言的生活，这显而易见，凭生活历练的经验我一望可知。你们总是生活拮据，设法干点营生，摆脱债务。债务是古老的泥淖，拉丁文里作 aes alienum，意为"他人的铜币"，因为拉丁钱币多是铜铸的。你们在"他人的铜币"之下生活、弥留、被葬送掉；一味地承诺偿还、明天就偿还，而今天还在无力偿还中拼命挣扎；

竭力讨好，寻求关照，用尽了各种办法，只要不犯罪坐牢；你们撒谎、奉承、投票，收缩自己以挤进文明的硬壳，或者膨胀自己至稀薄大气并冒充慷慨，你们说服邻居，由你们为他们做鞋、帽、衣服或者马车，再不然就添些杂货；你们攒了些钱，搁在旧箱子里，或者装进袜子放在石灰墙的后面，或者为了安全起见存进砖瓦结构的银行，以应对不时之需，结果却累病了自己。那钱不论存在哪儿，数目如何之大，或者如何之小，但又怎样呢！

我时常疑惑，在对待黑人奴隶制这种非正义的、多少有些舶来的奴役形式时，我们竟至——我几乎可以说——如此轻率；许多机敏而娴熟的奴隶主，奴役着美国南北。南方奴隶主是严苛的，北方奴隶主更有过之无不及；然而，最为糟糕的是你成为自己的奴隶主。谈什么人之神圣！看看大路上的赶马人，夜以继日地赶往市场，他的内心激荡着什么神圣性吗？他们的最高职责无外乎给马饲草喂水！和运输的获利相比，命运又算得了什么呢？难道他不是在为名声煊赫的士绅赶马吗？他有什么神圣，谈什么不朽啊？请看他匍匐而行，一天里战战兢兢，谈不上不朽，也谈不上神圣，而是自认为奴隶和囚徒——这些名号恰与他的日常所为相配。相比于我们的自知之明，公众舆论这位暴戾的君主也显得力量薄弱。决定或者表明了一个人命运的，正是他的自我认知。甚至西印度群岛各地也在谈论心灵和想象力的自我解放——又有哪一个威尔伯福斯^①来促成此事呢？再想想那片土地上为抵御世

---

① 威廉·威尔伯福斯（William Wilberforce，1759—1833），英国国会下院议员，废奴主义者，是英帝国1833年完全废除奴隶制的关键人物。

界末日而不停地编织梳妆台坐垫的妇女，对自己的命运竟无丝毫关心！仿佛消磨度日竟能无损于永恒！

芸芸众生都过着一份平静而绝望的生活。所谓顺从天命，正是确定无疑的绝望。走出绝望的城市，你来到绝望的乡村，只能以水貂和麝鼠的勇气自我慰藉。甚至在所谓的人类游戏和消遣之下，都隐藏着一种模式化的、不易察觉的绝望。两者之中都无娱乐可言，因为娱乐产生于工作之后。然而，不陷于绝望之事，才是智慧的特征之一。

当我们用教义问答的语言，回答诸如什么是人生的主要目的、必备之需或确当手段的时候，看起来就好像人们有意选择了共同的生活方式，因为他们对这种生活方式更为青睐。其实他们知道，除此别无选择。然而，人之清醒、健康的本性则记得"太阳升，万物明"的道理。不论何时抛弃偏见，都不会太迟。任何一种想法或做法，无论多么古老，未经确证都不可信。今天人人为之附和或以为尚可默认的真理，明天就可能被证有误，有些意见，曾被视为祥云，将在他们的土地上挥洒滋养的甘霖，结果也不过是缥缈的氤氲。老人们认为你办不到的事，你做了，结果成功了。老有老做法，新有新规矩。比如，老人们或许就不太明白添加燃料能使火种长燃不熄的道理；新人们则在陶罐下放上干柴，绕着地球飞行，①速度迅疾如鸟，那架势，套用一句习语，可是"吓死老头子"了。和年轻人相比，老人不见得就更胜任当指导，甚至未必做得同样好，因为他们虽然收获了

---

① 此处喻指蒸汽引擎。

很多，失去的却更多。人们几乎有理由怀疑，最智慧的人是否在生活中学到了具有绝对价值的东西。事实上，老年人对年轻人并没有非常重要的忠告。他们自身的经验本来就有限。他们也必然相信，由于个人的原因，他们的生活本就是惨痛的失败。可能他们心中留下了些与那些经历不符的信心，只是他们已不那么年轻了。我活在世上也有三十来年，却没有从长辈们那里听到哪怕一个字的有价值的或真诚的忠告。他们什么也没告诉过我，或者他们也无法告诉我应该怎样去生活。这就是生活，其中大半我还未曾尝试；就算他们曾经尝试，对我也没什么助益。假如我有什么自认为有价值的经验，也可以肯定我的师友们并不曾就此发表过什么见解。

一个农夫对我说，"光吃蔬菜你是活不下去的，因为蔬菜提供不了骨骼所需要的养分"；所以他每天虔诚地分出一部分时间，为他的身体提供骨骼所需的原料；他在耕牛的后面边走边说。那几头牛啊，靠吃蔬菜形成的骨骼，拉着他和他的木犁，不顾障碍地向前走着。在某类人中间，比如对那些最无助的或身染疾病的人而言，某些东西确实是生活的必需品；而对另外一类人来说，只不过是奢侈品；换到别的人群中，则又成了全然的稀奇事了。

有些人以为，人类生活的全部领域，不论是高山还是低谷，已被前人踏遍，所有的一切都已被关注。据伊夫林①的说法："智慧的所罗门规定了树与树之间的那些间距；罗马执政官也曾规

---

① 约翰·伊夫林（John Evelyn，1620—1706），英国作家，著有《森林志》一书。

定隔多久你可以进一次邻家的田地，捡拾掉在地上的橡实，而不被算作乱闯私宅，并且还规定了应分给邻人的份额。"希波克拉底①甚至留下了剪指甲的方法说明：与手指平齐，不长不短。毫无疑问，乏味和倦怠耗尽了生命的丰富与愉悦，并且它们像亚当那般古老。而人的能力却从来未被量度；我们也不能根据任何先例判断人能做什么，他已经尝试的事情尚少。不论之前你有些怎样的失败，"别难过，我的孩子，谁又会将你未完成之事再交托给你呢？"②

我们可以用一千种简单的方式来检测我们所尝试的生活；这就好像同是那一轮太阳，既照熟了我的豆荚，也照亮了一组类似于我们地球的行星。如果我早就记住了这一点，就能避免不少错误。这阳光并非我为豆地锄草时所沐浴的阳光。那些星是多么神奇的三角形尖角！宇宙中各式的宅邸之内，又有多少相距遥远、迥然相异的物种在同一时刻凝神遥望着同一颗星星啊！谁能说得清生活向别人展示了怎样的前景？难道还有比两双眼睛一瞬间的凝神对视更伟大的奇迹吗？我们应该在一瞬之内经历这个世界所有的时代；是的，甚至所有时代的所有世界。历史，诗歌，神话！——据我所知，任何一种获取别人经验的阅读方式都不会像阅读历史、诗歌、神话一样令人惊异而又信息丰富。

我的邻居们大多称之为好的东西，在我灵魂深处却认为是

① 希波克拉底（Hippocrates，约前460—约前370），古希腊名医，被誉为"医学之父"。
② 引自印度经典《毗湿奴往世书》。

坏的。如果我有什么可忏悔的，则很有可能正是我善良的品行。究竟什么魔鬼掌控了我，让我的行为如此规矩？老人啊，你可以说你所能说的最智慧的话——你活了七十年，也有过某种荣耀。然而我听见一个不可抗拒的声音，引领我远离你的教诲。一代人抛却了另一代人的事业，就好像它们是些搁浅的船只。

我认为，我们可以完全信赖的东西比我们现在信赖的要多很多。我们不妨放下些对自己的在乎，诚恳地把它们投入别的地方。大自然适应我们的弱点，正如它适应我们的力量。有些人一味地紧张焦虑，几乎成了不治之症。我们生来就愿意夸大我们工作的重要性；可我们没做的又有多少啊！如果我们病倒了，会有怎样的后果？我们多么谨慎啊！下定决心只要能避免，就不依靠"信仰"生活；我们终日保持警惕，晚上则不情愿地祷告，把自己交付给无常的命运。我们被迫生活得如此周到、真诚，敬畏我们的生活，拒绝变化的可能。我们说，只能这样生活呵；可是，从中心一点能画出多少半径，就有多少种生活方式。一切变化都是值得思索的奇迹，但也是每时每刻都在发生的奇迹。孔子说："知之为知之，不知为不知，是知也。"当一个人将想象出来的事实降格为他所理解的事实时，我预见到：所有的人最终都将以此为基础建构他们的生活。

我们不妨稍事思考，我前面所提到的烦恼和焦虑大多是关于什么的，我们又有多大必要受其困扰，或至少因此而谨慎？虽然置身于表面的文明，一种原生态的、拓荒式的生活对我们仍是有益处的，哪怕只是为了发现生活的基本必需品都有哪些，它们又该如何获得；甚至翻阅一下过去商人们的流水账，看看人们通常在买些什么，储存些什么货物，也就是说，最基本的杂货都有哪些。时代的变迁并未对人类的基本法则产生多大影响，就好比我们的骨骼和我们祖先的骨骼大约是无法分辨得开一样。

我所说的生活必需品，是指在人通过努力所获得的事物之中，那些从一开始或在长期使用过程中，成为人们生命中重要内容的事物。它们非常重要，几乎没人试图离开它们度日，无论是出于蒙昧、贫穷还是哲学上的原因；即便有，也是极个别的。对许多生物而言，这种意义上的生活必需品只有一种：食物。草原上野牛的所需之物是几英寸长的美味的青草和可饮用的清水；此外，他还需要寻找森林或山荫的遮蔽。任何牲畜的所需之物都不过是食物和庇护所。

就本地的气候条件而言，人类生存的必需品可归入以下几类：食物、住所、衣服、燃料。这种划分已经足够准确。只有这些得到保障，我们才算做好了自由地面对真正的人生问题的准备，并有望获得成功。人类不仅发明了房屋，还发明了衣服和煮熟的食物；现在，坐在火边取暖已成为生活中的必需，这可能是来自最初偶然发现的火能带来温暖，以及后来使用它的效果（起初用火还是很奢侈的呢）。我们可以观察到，猫和狗也获得了同样的第二天性。借助适当的住所和衣物，我们就理所当然地保存了体内的热量。

但如果住得太热或穿得太暖，或者燃料的温度过高，也就是说，外部的温度高于我们体内的温度，那么，我们岂不是在烘烤人肉了吗？自然科学家达尔文谈到火地岛的居民时说，他们一行人穿得厚厚的坐在火堆旁烤火尚不觉热，那些赤身露体的野蛮人离火堆远远的，却"在火焰的烘烤下汗流浃背"，这让他大为吃惊。我们也听说过，新荷兰人①裸着身体若无其事地走来走去，而欧洲人却裹在衣服里瑟瑟发抖。野蛮人的强壮和文明人的智慧是不是就无法结合到一起呢？按照李比希②的说法，人的身体好比火炉，食物即是燃料，保持着肺脏内部的燃烧。冷天我们多吃，热天则少吃。动物的体温正是缓慢内燃的结果，而疾病和死亡则在燃烧过旺时发生；或者，由于燃料短缺或通风不良，火便熄灭了。当然，"生命的体温"不宜与"火"混为一谈；这样的类比就到此为止吧。因此，从上面的列举来看，"动物的生命"和"动物的体温"几乎同义，因为既然食物可以被看作保持我们体内火种的燃料——而一般所说的燃料的用途只是煮熟食物，或者从外部增加身体的热量——住所和衣服也可以只用来保持人体产生或吸收的热量。

由此，对人体而言，极为必需的就是保暖，保持体内生命的热量。我们经受了何等的辛苦呀，不但为了获得食物、衣服、住处，也为了我们的床铺——那些我们夜晚的衣服。我们从鸟的巢穴和胸脯上掠夺羽毛，营造这住所中的住所，就如同鼹鼠在洞穴尽头用草和树叶做成的床铺。可怜的人总是叫苦，说这是一个寒冷的世界；我们把大部分的病症归于寒冷：身体上的，或者人际上的。夏天，在某些气候条件下，人们的生活好似乐

---

① 新荷兰是指澳洲。新荷兰人是指澳洲土著。
② 尤斯图斯·冯·李比希（Justus von Liebig, 1803—1873），德国著名化学家。

园。除了做饭之外，是不需要燃料的。太阳就是火焰，它的光线将众多果实充分"烹制"；除了食物更为多样、易得之外，衣服和房舍也完全多余，或半多余了。据我自己的经验，目前在我们国家，只需要一把刀、一柄斧头、一把铁锹和一辆手推车等少数工具就足够生活了；对于好学之人，还要再加上灯和文具，以及能读上几本书。这些东西仅次于必需品，花一点点钱就能得到。但有些人就不太聪明，跑到了地球的另一边，那些蛮荒、脏乱的地界，花了十几二十年的时间做生意，就是为了能最终生活——当然是舒适而温暖的生活——并且死在新英格兰。那些奢侈的富人则不只是保持舒适的温暖，反而是不正常的高温；就像我在前面说过的，他们是被烘烤的，当然还烤得挺时髦。

大多数奢侈品，以及很多所谓舒适的生活方式，不但没有必要，而且确实妨碍了人类的进步。谈到奢侈与舒适，大智者的生活相比于贫困者往往更为简单、更为朴素。中国、印度、波斯和希腊的古哲学家们都是同一类人，和他们相比，没人在物质上更贫穷，也没人在精神上更富有。我们对他们所知不多，但能知道这么多，已经够让人惊叹了。这些民族晚近的改革家或有卓越贡献的人也是如此。只有从我们称之为甘贫乐苦的有利立场出发，才能成为一个公正、睿智的人类生活观察者。奢侈的生活结出奢侈的果实，不论在农业、经济、文学还是艺术上皆是如此。当今社会只见哲学教授，却不见哲学家。然而，当个哲学教授也是很可羡慕的事，因为曾经连活着都让人羡慕呢。而当个哲学家，则不仅要有精深的思想，或者建立个哲学流派，而且要热爱智慧，并且遵循智慧的指示，过一种简单、独立、宽容而且诚信的生活。不论在理论上还是在实践上，这都会解决一些生活问题。

大学问家和思想家的成功，通常不是帝王或豪杰式的，而是朝臣式的。在实际生活中，他们同父辈一样，恪守成规地应付着生活，不论从哪个意义上，他们都不能被称为人类一支高贵族群的祖先。然而，是什么造成了人的退化？又是什么致使家族没落？使国家陷于衰亡的奢靡又有着怎样的本质？我们真能确定在我们的生活中并不存在一丝它的踪迹吗？哪怕是在外在的生活方式上，哲学家也是超前于他的时代的。他不像同代人那样吃、穿、住以及取暖。一个人既然是哲学家，又怎能没有更好的方式来保持生命的热量呢？

当一个人用我上文描述过的几种方式得到温暖之后，接下来他要做什么呢？肯定不是再多些同样的温暖，就好像无需更多、更丰盛的食物，更宽敞、奢华的住所，更精美、丰富的衣服或者更旺盛、持久的炉火等一样。在获得生命的必需后，除了获取多余物之外，人还另有一种选择，即无须卑微操劳，放个假，开始面向生命本身的历险。泥土看起来是适宜播种的，因为它使胚根向下生长，然后再自信地向上发出嫩芽来。人也是牢牢地扎根在土壤里，为什么却不能同样地向天空生长呢？——那些更高贵的植物之价值，在于它们最终在空气和日光中凝结出的果实。它们远离地面，受到的待遇不同于低卑的蔬菜。蔬菜虽然可能是两年生的，但得待根长成之后方能栽培，而且种植时常被从顶部掐去枝叶，所以即便尚在花期，也难以为人所识。

而对那些生性坚强果敢的人，我不准备定什么规范。不论在天堂还是地狱，他们都能把自己的事处理妥当。甚至和最富的人相比，他们修建的住处也更宏伟，花销也更阔绰，却不会身陷经济困窘或生活迷茫——如果这些人们梦中的人物真的存在的话；对于那些已然在目前的情势中得到激励与灵感，并以情人的钟爱与热情珍惜着它的人而言，我也没什么规范可定——在某种程度上，我把自己也划在此类人之列；我的这番话，也并非说给那些不论在什么情况下都尽职敬业、并清楚自己是否乐于敬业的人——我主要说给那些不满足于生活、在本有可能改善生活之际，却只是懒散地抱怨境遇与时世艰难的人。有些人，抱怨起来慷慨激昂、无法慰藉，因为据他们所称，他们一直都在尽自己的职责。我所关注的，还包括那些貌似富有却于所有人中极为贫瘠的人，他们积攒了些无用的财产，却不知如何使用或摆脱，结果铸就了加诸己身的金银镣铐。

如果我打算把过去岁月里曾希望如何生活的想法讲出来，则多半会使对我的生活经历有所了解的读者感到惊奇，也必然会使那些对之一无所知的读者倍感讶异。所以我只约略讲几件我认为重要的事。

任何天气之下，白日或黑夜的任何时辰，我都渴望用好关键时刻，并在我的手杖之上留下刻痕①；我祈望立身于现在、此时，也即过去与未来这两个永恒之物的结合点上；我急于站上起跑线。请原谅我表达中的隐晦之处。比起大多行业，我们这一行的秘密更多。不是我故意隐瞒，而是与行业的自身特点有关。

----

① 典出《鲁滨逊漂流记》。在荒岛上，鲁滨逊以木棍上的刻痕计时。

我倒是乐意把我所知道的和盘托出，而绝不会在大门上涂上"不得入内"的字眼。

很久以前我丢失了一只猎犬、一匹枣红马和一只斑鸠，现在还在寻找。我对许多旅客说起过它们，描述过它们的踪迹，以及它们会回应怎样的召唤。有一两个旅客说曾听到猎犬的叫声、奔马的蹄音，或者曾看到斑鸠消失在云端。他们急于找到它们，就好像遗失它们的是他们自己。

领日出、日落之先，并不足够；如果可能，要先于大自然本身！无论盛夏严冬，有多少个清晨，在所有的邻居为他们的事务奔忙之前，我就已经开始工作了！毫无疑问，我们镇上的好多居民都碰到过我干完活回来，比如那些黎明时分动身前往波士顿的农民或干活去的伐木工人。当然，我从未从物理上助力于太阳高升，但于彼时在场，却无疑必不可少。

多少个秋天的，嗳，还有冬天的日子，我在城外度过，竭力探听风声，听到了就迅速散播开去！我几乎为此倾注了全部的资金，而朝着消息的风向追踪，也使我难以喘息。如果事关两派政党之一，看具体什么内容，则一定已经随着最新的消息出现在公报上了。其他时候，则从悬崖或树顶的瞭望台上观望，用旗语信号告知每一个新消息；或者傍晚时分，守候在山巅，等待夜幕降临，期望捕捉到一些什么，即便我得到的从来就不多，而且这得来的部分，还如同天赐的食物①一般，在阳光下会消于无形。

---

① 传说以色列人出埃及后，于旷野生活四十年方到达迦南。其间，上帝将天粮（manna）赐给以色列人。

有很长一段时间，我是一家报纸的记者。报纸发行量不大，且编辑认为我写的大部分稿件不宜刊发。像作家们常碰到的那样，我付出了辛劳，而得到的却不过是自己的痛苦。然而，就这件事而言，痛苦也是它自身的报偿。

　　多年以来，我自封为暴风雪、暴风雨的观察员，且忠于职守；还自任监测员，不能监测公路，就监测林间小路或者便道，确保它们畅通，峡谷间也有栈桥相连，并且四季皆可通行。行人在这些地方的足迹，证明了它们的便利。

　　我也曾守护城区的野兽，它们常越过篱笆，给忠于职守的牧人带来诸多麻烦；我曾留意农场那些人迹罕至的角落；虽然今天我可能不知道乔纳斯①或所罗门具体在哪片土地上耕作，但这不关我什么事儿。我浇灌过红色的越橘、沙里生长的樱桃和荨麻、红松和黑桦、白葡萄，以及黄色的紫罗兰花，否则到了旱季，它们就会枯萎凋零。

　　总而言之，我这样做了很久，这么说毫不夸张。我忠于职守，认真处理这些事务，直到情况变得越来越清楚：市民们终究是不愿意将我列入公职人员名单的，也不允许我挂职拿取适量的薪酬。我的账簿，我发誓记载可靠，不过的确未经审查，更不用说有谁来兑现、偿付或者结清了。不过，我也从未把心思放在这件事上。

　　不久以前，一名走街叫卖的印第安人来到我们附近一位著名律师家兜售篮子。他问："你们要买篮子吗？"回答说："不，

---

① 乔纳斯（Jonas），即约拿，《圣经》中的先知。

我们不买。""什么!"印第安人边往外走边嚷,"你们是想饿死我们吗?"眼见他勤劳的白人邻居那般富有——律师嘛,只需编织好说辞,然后就跟施了魔法似的,财富和地位就都来了——这印第安人便对自己说:我要做买卖;我要编篮子;这事我能做。他认为把篮子编好就算完成了任务,接下来就应该是白人邻居把篮子买下来。他不明白,他还需要使他的篮子值得购买,至少得让别人认为值得,如若不然,就做些别的,使那件东西值得买。我也曾编过一种精巧的篮子,不过没使它们值得购买。但在我而言,一点儿也不觉得编它们不值得。我从没研究过如何使我的篮子值得购买,相反,我研究的是怎么避免不得不出售它们。人们赞美且认为成功的生活,只不过是生活的一种。为什么我们要夸大一种而贬低其他的生活方式呢?

我感觉镇上的居民不大可能在县府里给我一个职位,也不会让我当个助理牧师,或给我个别的什么生计,我必须自己想办法。我把目光投向森林,这次比以往都更为专注,因为那里的一切我都更为熟悉。我决定马上开工,不再等筹措到通常所谓的资金,就用我已有的微薄积蓄。我去瓦尔登湖,并非为了过简朴或奢华的生活,而是尽可能减少干扰,去从事一些私密事务;如果由于缺乏常识、事业心或者办事才能,我放弃完成这些事务,则不仅悲哀而且愚蠢了。

我总是尽力养成严格的商业习惯;这对每个人都不可或缺。如果你是和帝国交易,在塞勒姆港海滨的某处设个财务室作为固定机构也就够了。你可以出口那些本国出品、纯粹地产的商品,如大量的冰块、松木及少量的花岗岩，运货就用本地货轮。这都是些好生意。你需要亲自监看所有细节，同时身兼领航员和船长、货主和承购人等多职；买入、卖出、记账；阅读每封收到的信，撰写或审阅每封要寄出的信；夜以继日地监督进口商品的卸货；几乎同时出现在岸边的多个地点——装载有最昂贵货品的货轮通常会在泽西的一个口岸卸货；要自己发旗语，不知疲倦地扫视海面，和近岸通行的所有船只沟通情况；保持商品稳步派送，供给一个远方的高价市场；要确保了解各地市场的情况、任何一地的战争或和平的前景，预测贸易和文明发展的趋势；要利用所有探险的成果，走新航道，运用航海技术的新进展；要研究航运图，确定礁石、灯塔、浮标的位置，并对对数表进行一次又一次的修改，因为本该到达友好港口的船只之所以常撞在岩石上、造成船体分裂，正是由于某个计算员的错误——比如拉·贝鲁斯[①]那不为人知的命运；要跟上宇宙科学发展的步伐，研究从汉诺[②]和腓尼基人至今的一切伟大的发现者、航海家、探险家、商人的生活；最后，时时登记库存，了解自己的状况。这是一份苦劳，需要调动一个人的各种官能，涉及盈利或亏损、利息、皮重和备损以及其他各种估量计算问题，所以同样要求广博的知识。

我认为瓦尔登湖是一个做生意的好地方，不仅仅是因为铁路

---

① 让-弗朗索瓦·德·加洛，拉·贝鲁斯伯爵（Jean-François de Galaup, comte de Lapérouse，1741—约1788），法国航海家，曾远航西伯利亚、澳大利亚等地，其船只在太平洋上遇难。
② 汉诺（Hanno），约生活在公元前3世纪后半叶，迦太基航海家。

线和采冰业；它还有别的不便透露的便利之处。它是一个不错的港口，地基扎实。尽管你得到处打桩奠基，但不必填充涅瓦河区那般的沼泽。据说西风之下，涅瓦河如果涨水，裹着冰块的河水足以把圣彼得堡冲出地球表面。

因为要开业之时我并没有备足通常所谓的资金，所以哪里能获得从事这行所不可或缺的那些东西呢？这也许不容易揣测。直接涉及问题的实际部分，比如衣服：我们采购衣服，通常都是考虑款式是否新颖，人们会有何意见，而并非其真正的实用性。让那些有工作的人回忆一下穿衣的目的：首先，保持生命的热量；其次，社交场合得体。如此他就可以判断，如果不去添置新衣，能完成多少必要且重要的工作。国王、王后的衣服都只穿一次，虽然他们有专门的裁缝和服装师，却无法体会穿上一套合体衣服的那份舒适。他们比挂着干净衣服的木架好不了多少。而我们的衣服，却一天天地与我们更为相融，带上了穿衣人性格的烙印，直到我们一再拖延，缝缝补补，最后才面色凝重、犹豫不舍地将它们收起，就仿佛在处理我们的身体。在我看来，没有人会因为衣服上有块补丁而显得卑贱。但我确信，相比于拥有健全的良知，人们通常对时髦的，或者至少是干净的、不打补丁的衣服更为上心。但即便破了没补，所暴露出来的最大缺点也不过是不修边幅罢了。

我有时会这般试探熟人——谁肯穿在膝盖处打了补丁或者多了两道缝线的裤子？多数人的反应，就好像他们人生的前景将由此被毁。他们宁可跛着一条腿进城，也不愿穿着破裤子四处走。通常，如果一位绅士的腿意外受伤了，是可以疗救的；

但如果他的裤子经历了同样的事故，就无药可救了；因为他所考虑的，并非真正值得敬重的东西，而是为人们所看重的东西。我们认识的人不多，但认识的衣服、裤子却不少。给稻草人穿上你贴身的大褂，而你却一丝不挂地站在旁边，有谁不会立即向稻草人问好呢？那天，我经过一片玉米地，走近一根穿衣戴帽的木桩，才认出那是农场的主人。跟上一次见面相比，他只是在风吹雨淋中经历了更多风霜。我听人说起过一只狗，它对所有穿了衣服向他主人的宅院走来的陌生人吠叫，却轻而易举地被一个赤身露体的窃贼弄得一声不吭。

　　一个有趣的问题是：如果人们的衣服尽被除去，还能在多大程度上保留他们相应的社会等级呢？如此情况之下，你又能不能在任意一群文明人中间，肯定地指出谁属于最尊贵的阶层？菲菲夫人[①]在她由东到西的环球冒险之旅中，曾到达离她家乡很近的俄国的亚洲地区。在去谒见当地长官的时候，她感到有必要脱下旅行装，换身别的衣服了，因为她"此时身处文明国家，那儿……人们以衣帽取人"。即便在我们这些民主的新英格兰市镇，谁要是不经意间发了大财，华衣丽服，一身奢华，就能得到广泛的尊敬。不过，那些表现出尊敬的人，尽管为数甚众，却都是些异教徒，真该给他们派去一位传教士。再说，衣服需要缝纫，那可以说是没完没了的活；至少，一个女人的衣服是

---

① 艾达·劳拉·菲菲（Ida Laura Pfeiffer, 1797—1858），奥地利旅行家，最早的女性探险者之一，著有《女士环球旅行记》（*A Lady's Voyage Round the World*）一书。梭罗下面的引文即出自该书。

永远不会完工的。

　　一个人终于找到工作了，也并不需要穿着新装去上班，那件在阁楼里闲置了不知多久、落满灰尘的旧衣服就够用了。旧鞋子效力于英雄的时间，总是比效力于英雄的扈从的时间长——如果这个英雄有扈从的话——而赤脚的历史就比穿鞋更为悠久了。只有对那些要去参加晚宴和去立法院的人而言，新装才是必不可少的；而那新装变化之频繁，就如同穿着它们的人们那般善变。如果我的外衣和长裤、帽子和鞋子，都适合穿着去参加教堂礼拜的话，那它们就是合适的，难道不是吗？有谁见过自己旧衣服——那褴褛不堪的破衫烂衣——变成了最初的原料，就算送给穷孩子都算不上善行，而穷孩子还很可能把它们再送给更穷的人，又或者说更富有的人，因为他们生存所依赖的东西要少得多？要我说，所有需要新衣服，而不是穿衣服的新人的事业，我们都得保持警惕。如果没有新人，新衣服又做给谁穿呢？如果你面前有一份事业，就穿着旧衣服先试试看。

　　人们所需要的，并非用来做事的打扮，而是要做的事，或者说他想要成为的那种人。或许，不论衣服多破、多脏，我们都不该添置新衣，除非我们已经像个新人那般做事、经营、航行，有一种"衣旧人新"的感觉；那时节，留着旧衣服，就好像把新酒装在旧瓶子里。我们去旧迎新的时刻，就如同鸟类的褪羽换毛，一定是生命中关键的时刻。潜鸟换毛，会躲到无人的湖边。蛇类蜕皮、蛹虫出茧，也是如此，所依赖的，不过是身体的孜孜延展。于我们而言，衣服不过是最外层的材质，或俗世的缠绕。

否则，我们将被发现打着虚假的旗号航行，最终必然遭到自己及人类的唾弃。

我们穿上一件又一件的衣服，好像外生植物，要靠在外面加东西来生长。我们体外那些薄而花巧的衣服是我们的表皮，或者说是假肤，并非我们生命的一部分，这儿、那儿皆可剥离，而不会带来致命的伤害；我们常穿的厚衣服，是我们的细胞壁，或者说外皮层；而衬衫，则是内皮层，或真正的皮层，一旦剥除，则不可能不连皮带肉，伤及身体。我相信不论哪个民族，在某个季节都穿着相当于这种衬衫的衣服。可以想象，如果一个人的衣着非常简单，即使暗黑无光，一伸手也能摸到自己，且在各个方面均会生活得简单紧凑，筹备万全，即便敌人攻城，也能像古代的哲人一样，赤手空拳，面无惊慌，信步出城。一件厚衣服的用处，大体相当于三件薄衣服，便宜衣服的售价对消费者最为合宜；一件能穿很多年的厚外套五美元就买得到，厚裤子则要两美元，牛皮靴一美元五十美分，夏季帽二十五美分，冬帽六十二美分半，还可以在家里做一顶更好的，也花不上几个钱，如果穿上这样一套用自己的劳动赚来的衣服，又哪里会沦落到没有聪明人向他表示尊敬呢？

我要定做一件款式特别的衣服，女裁缝神情严肃地告诉我说："他们现在可都不是这么做的。"语气中丝毫没有强调"他们"这两个字，就好像她引用的是命运女神那样一位非人间的权威。我发现要做成我要的那种款式并不容易，而原因不过就是在她看来我不是认真的，她不能相信我竟如此轻率。听到这神谕一般的断言，一时间我也深思起来，把每个字都单独吟味了一番，好领会它们的含义，弄明白"他们"和我有多少血缘关系，在这么一件与我切身相关的事情上，又有着怎样的权威；最后，我以同样神秘的措辞回答她："不错，最近他们并不这么做衣服，但现在这么做了。""他们"两个字同样被我一带而过。在给我量尺寸的时候，如果她不考量一下我的性格，而只是量我肩膀的宽度，就好像我是那挂衣服的钉子，那这种丈量又有什么用呢？我们所崇信的，不是美惠三女神①，也不是命运女神②，而是时尚女神。她纺线、织布、剪裁，十足的权威姿态。巴黎的猴王带上旅行帽，全美国的猴子都群起效仿。我有时感到绝望，在这个世界上，要借助人们的力量完成一件哪怕十分简单、朴实的事情也是不可能的。他们必须先经过一次强有力压榨机的挤压，好把旧观念挤压出去，如此一来，他们一时之间也无法站稳脚跟；在这之后，在一群人中，仍会有某个人脑子里生了蛆，从一枚不知何时落在那儿的卵中孵化出来；这种东西，纵是烈火也焚烧不尽，你也就必然前功尽弃了。不过，我们也不要忘记，有一种埃及麦子就是通过木乃伊流传下来的。

总的来说，我认为还不能说服装已经上升到了艺术的高度，不论在美国还是其他国家都是如此。当前，人们还是能弄到什么就穿什么，就好像失事船只上的水手，就穿他们在

沙滩上能找到的东西，然后拉开一段距离——时间上的或空间上的，看着彼此化装舞会式的装扮，相视大笑。每一代人都在嘲笑旧风尚，对新风尚则趋之以宗教般的虔诚。看到亨利八世或伊丽莎白女王的衣服，我们不免觉得好笑，好像它们是食人岛上的国王和王后的装束。衣服一旦不穿在身上就显得可怜兮兮、怪里怪气；唯有穿衣人认真凝视的目光及真诚的生活，方能抑制笑声，让人们对服装肃然起敬，不论它是属于哪个族群。让喜剧小丑表演腹痛，他的行头装扮都得表达同样的情绪；当士兵被炮弹击中，他的破衣烂衫也有了华贵紫袍般的庄严。

男男女女皆爱新式样。这种既幼稚又野蛮的品位，使多少人摇着万花筒、眯着眼睛，才发现了今天这代人所需要的那种独特的款式。制造商早就明白，人们的品位完全是反复无常的。两种款式，差别就在几根色调大体相同的线条，其一立时售罄，另一样则躺在货架上无人问津。然而，一个季节之后，后者反而成为最时髦的那个了。这种情况经常发生。相比之下，文身还算不上所谓的骇俗陋习。不能仅仅因为它刺进了皮肤，图案不能改变，就说它野蛮。

我无法认同工厂制度是人们获得服装的最佳方式。技工的状况正日渐相似于他们的英国同行；这也难怪，因为就我所了解和观察，毫无疑问，工厂的首要目标并非让人们穿得更好、更实在，而是让公司赚钱。从长期来看，人类致力于什么，就会得到什么。所以，即便眼下有可能失败，但最好还是确立更高的目标。

至于住所，我不否认，现在它已经成了生活的必需品，尽管很多实例表明，即便在比这儿还要寒冷的国度，也有很多人长期没有住房却照样生存。塞缪尔·莱恩①曾说："拉普兰人②穿个皮衣，弄个皮袋套好头和肩膀，就夜复一夜地睡在雪地上——那儿的冷气，足以冻死任何一个身穿毛衣的露宿客。"他曾亲眼见他们那样睡觉。"他们并不比别人壮实。"他补充说。可能还没在地球上生活多久，人类就发现了住房的便利。"家庭舒适"这个词儿，或许本就是指对住房而不是对家庭生活的满意度。但这种说法极其片面，只是偶尔适用罢了，尤其在某些气候条件下，说到房子，人们主要会想到冬季和雨季，因为一年有三分之二的时间是无需住房的，有把遮阳伞就可以了。

就我们这儿的气候来说，以前在夏天，房子不过是夜晚才用的遮盖物。在印第安人的记载中，一个棚屋就是一日行程的标志，在树皮上刻下或画上一排棚屋，就表示他们宿营了那么多次。人并非生来就四肢高大、体魄强盛，所以只能缩小自己世界的围墙，以和自身相适应。最初，人类赤身裸体，生活在户外。白日里，如果天气静美和煦，这样的生活还算惬意；然而，如果人们没有赶紧寻求房子的庇护，即便不提当头的酷日，单是阴雨和严冬，可能早就把人类扼杀在摇篮里了。根据传说，亚当和夏娃在穿衣服之前就以树叶遮体。人类需要一个家，一个温暖、舒适的所在，先要满足身体上的温暖，其次还有情感上的温暖。

---

① 塞缪尔·莱恩（Samuel Laing，1780—1868），苏格兰旅行家，著有《1834，1835，1836：挪威居住日记》，以下引文即出自该文。
② 北极附近拉普兰德地区的土著居民，肤色棕黄，毛发浓黑，近亚洲人种。

我们不妨想象，当人类尚在幼年，有人胆魄过人，爬进了岩洞寻求遮蔽。在某种程度上，每个孩子都重启着这段历史：他们喜欢待在户外，哪怕天气阴冷、潮湿。他们玩过家家，骑竹马，完全出于本能。谁没在年幼时兴致盎然地探看倾斜的岩石，或靠近岩洞的记忆呢？这就是我们最古老的原始祖先那份渴望自然的情结在我们身上的遗存。从天然岩洞出发，我们走进了房舍，先后以棕榈树叶、树皮树枝、编织拉伸的亚麻、青草干草、木板圆石及石头砖瓦为顶。最终，我们忘记了旷野之上的生活。我们的生活家居化的程度，超过了我们的设想。从壁炉到旷野，相距委实遥远。如果在更多的日夜我们与天体之间毫无屏障，如果诗人不是一味地在檐下吟唱，如果圣者也不是如此久地居于室内，也许我们的生活会更美好。毕竟，鸟儿不会在洞穴里鸣唱，正如鸽子不会珍爱它们在鸽笼内的清纯。

　　不过，如果一个人要设计建造一座宅院，就有必要学些北方佬的精明，以免最终发现自己建了座劳教所，或者毫无线索的迷宫、博物馆、救济院、监狱，甚至豪华的陵墓。先要考虑一下，真正必要的那点儿栖居面积究竟该有多大？我曾在镇上见到来自佩诺布斯科特河的印第安人，他们住在薄薄的棉布帐篷里，帐篷四周的积雪差不多有一英尺那么厚。我想，如果雪下得再厚点儿，恰好挡住了寒风，他们肯定高兴。以前，对一个问题我比现在还要忧心，那就是怎样才能既诚实地生活又拥有正当追求的自由？现在，很不幸，我反倒变得有些麻木了。

　　正是在那段时间，我总能在铁路边看见一只大箱子，有六英尺长、三英尺宽，到了晚上，工人们就把工具锁在里面。

我因此想到，每一个被生活促逼着的人，都可以买一个这样的箱子，花费不过一美元，在上面钻几个孔，让空气流通，在雨天或夜晚钻进去，放下盖子，他就获得了自由，爱他所爱，灵魂无拘。这种方式，看起来并非极糟，也不会遭人鄙视。你想坐到多晚就坐多晚；你不论何时起床、外出，都不会有地主或房主催逼房租。有很多人被房租烦透了，而那其实不过是一个更大、更奢华的箱子罢了。如果他们住进这样的箱子，也绝不会受冻而死。我可绝不是在开玩笑。简朴生活是门科学，允许轻慢，却不能被去除。对于一个惯于户外生活、粗犷但坚韧的民族而言，从前建造一座舒适的房舍几乎完全取材于大自然提供的现成材料。

马萨诸塞殖民地的印第安人事务主管古金①在一六七四年写道："他们最好的房子用树皮围盖，整洁、密实而又温暖。在树干汁液充沛的季节，趁树皮还绿，他们把树皮剥下，用厚重的木头压成大片……稍微差一些的房屋盖着茅草席子，也还算严密、暖和，但不如前一种好……我曾经见过一些盖毯，有六十或一百英尺长、三十英尺宽……我常在他们的棚屋寄宿，里面很温暖，不逊于最好的英式住宅。"他还写到，这些房子里面装饰有地毯和挂毯，绣着精美的花纹，还有各式器具。印第安人已经进化到能调控风向，办法是将一条毯子悬在房顶上的一个洞里，再用一根绳子抽拉。这种住处在初建的时候最多花费一到两天，之后几个小时内就能拆装。这种房屋每家都有，或者

---

① 丹尼尔·古金（Daniel Gookin, 1612—1687），曾撰写《新英格兰印第安人史料汇编》。

至少有个隔间。

当文明尚未开化之时，家家都有住宅，且称得上上好的住宅，完全可以满足质朴、简单的需求。空中的飞鸟有巢可依，狐狸有洞可居，野蛮人也有他们的棚屋；然而，在现代文明社会，拥有住房的家庭却不足半数。我想，我这么说并非言过其实。在文明尤为发达的大城市，拥有住房的家庭的数量只占总数的一小部分，其余的人则要为房子这件"外衣"支付年金，且不论冬夏，均不能脱身。这笔租金足可买下整整一个村落的印第安棚屋，却致使他们贫困终生。我无意强调与拥有住房相比，租房都有哪些劣势，但很显然，野蛮人之所以拥有住宅，是因为其价格便宜，而文明人租房而居，一般都是因为无力支付买房的费用，甚至从长期来看，也未必一直租得起。但有人会说，只需支付租金，穷困的文明人就能拥有一处住房，那条件相比于野蛮人的棚屋，也堪称宫殿了。每年付二十五到一百美元不等（这是乡下的价格），他就有资格享受几个世纪住房改善的成果：宽敞的房间，干净的油漆、墙纸，拉姆福德式壁炉，灰泥内墙，软百叶窗，铜质水泵，弹簧锁，敞亮的地窖，以及许多别的东西。然而，即便享受了这一切，也只是文明社会里一名普通的贫者，而身为野蛮人，与此无缘，却堪称富有，这是怎么回事呢？

如果认为文明是指人类生存条件的真正改善的话——我也认同这种说法，虽然只有聪明人改善了对自己有利的条件——那就要证明在没有增加成本的前提下，它使人类建造出了更好的住房；一件东西的成本，就是被用以与之交换的那部分被我称为生命的东西的量，不论即时支付还是长期支付。在这一带，一座普通房屋的造价约为八百美元，攒够这笔钱，会耗费一名劳动者十到十五年的生命，还得是在没有家庭负担的情况下——这是以每人每天一美元的平均劳动收入来估算的，因为有人多赚，就会有人少赚——所以一般来说，一个人要用去一半的生命，才能挣到一座小房。我们也可以假设他租房去住，那也只是在两害之间做了一个心下存疑的选择。此等条件下，倘若野蛮人以棚屋交换了宫殿，会是明智的吗？

人们可能猜测占有多余财产以备来日之需的种种好处，但在我看来，这不过是为自己支付丧葬金罢了。但是，人或者是无须埋葬自己的。尽管如此，这仍表明了文明人与野蛮人之间的一个重要差别；诚然，他们把文明人的生活变成制度，在很大程度上将个人的生活吸纳于其中，以维护种族的生活并使之臻于完善；如此种种，的确是为了使我们获益。但我想指出为了获得当下的好处我们付出了些什么代价，并且表明，我们或者可以安享所有的好处而不承受其弊端。你说穷人和你们同在[1]，或者父亲吃了酸葡萄，儿子的牙酸倒了[2]，这些话是什么意思呢？

"主耶和华说：我指着我的永生起誓，你们在以色列中，必不再有用这俗语的因由。"[3]

"看哪，世人都是属于我的：为父的怎样属我，为子的也照

---

① 参见《圣经·马太福音》26:11："因为常有穷人和你们同在，只是你们不常有我。"
② 参见《圣经·以西结书》18:2："你们在以色列地怎么用这俗语说：'父亲吃了酸葡萄，儿子的牙酸倒了'呢？'"
③ 出自《圣经·以西结书》18:3。

样属我。犯罪的他必死亡。"[1]

我想到了我的邻居，那些康科德的农夫，他们至少和别的阶层一样富有。我发现他们中的大部分人已经辛苦劳作了二十、三十甚至四十年了，为的就是成为他们农场真正的主人。通常，他们的农场是通过抵押才继承下来的，或者是借钱买来的，而欠款大多没有还清。我们可以把他们劳动量的三分之一作为房屋成本。有些时候，抵押所需的款项的确超过了农场本身的价值，所以农场成了一个大累赘，但仍会有人继承它的，因为正如继承人自己所说，他和这家农场太亲近了。

我向估税员询问过，惊讶地发现他们不能立即就说出镇上十二个无须付费且产权清晰的农场主。要了解这些农场的底细，你问它们所抵押的银行就清楚了。真正靠在农场干活便付清了农场债务的人少之又少；如果有，任何一个邻居都能把他指出来。我怀疑在康科德，这样的人还不到三个。提到商人，人们会说，绝大多数商人，甚至是高达百分之九十七的商人，注定要失败；农民也是如此。不过，就商人来说，他们中有一位的话很中肯：商人的失败大多不是真正金钱上的，而只是因为没能履行承诺，因为有诸多难处；也就是说，垮掉的，其实是道德信誉。这么一来，事情看起来就糟糕多了，让人想到即便另外那三个人也挽救不了自己的灵魂，说不定和那些失败但还算老实的人相比，他们在一个更严重的意义上破产了。破产、拒绝履行承诺，都是跳板，我们的大部分文明就是从那儿纵跃上升、翻转腾挪的，而野蛮

---

[1] 出自《圣经·以西结书》18:4。

人则站在饥馑这块毫无弹性的板子上。但是，这里举办的每年一度的米德尔塞克斯耕牛博览会①却依旧热闹非凡，好像农业这台机器的所有部件都运转正常。

农夫们一直努力解决生计问题，用的办法却比问题本身还复杂。为了获得小额资本，他搞畜牧投机。他技术纯熟，用细弹簧设下陷阱，想捕捉"舒适"和"独立"，结果在转身离开的当口，却把自己的脚陷了进去。这就是他日子穷困的原因；由于类似的原因，我们皆穷困，即便周围都是奢侈品，也不及野蛮人的日子那样安逸。正如查普曼②曾唱：

> "这虚伪的人类社会——
>
> ——为了俗世的伟业
>
> 稀释天国的全部舒适　遁入空气"

农夫获得了房屋，但很可能他并没有变得富有，反而更贫穷了，因为那座房子占有了他。莫摩斯极力反对密涅瓦③造房子，那理由在我看来可谓凿凿。她说，密涅瓦"没把它建成可移动的，要不然就可以避开坏邻居了"。这种观点仍然应该常提，因为我们的房子都建得太笨重了，与其说我们是居住在里面，不如说

---

① 每年9月或10月定期在康科德举行的农业活动。

② 乔治·查普曼（George Chapman，约1559—1634），英国诗人、翻译家、戏剧家，以翻译荷马著称。选段出自他的剧作《恺撒和庞培的悲剧》。

③ 莫摩斯（Momus），希腊神话中的指责与讽刺之神；密涅瓦（Minerva），智慧之神，即希腊神话中的雅典娜，密涅瓦是她在罗马神系中的名字。

我们是被"关押"在里面，而我们所要规避的坏邻居，正是我们龌龊的自己。据我所知，这镇上至少有两户人家想要卖掉他们在近郊的房子，搬到村里里去，可盼了差不多一辈子，就是卖不出去，看来只有死亡才能恢复他们的自由了。

就算大多数人最终都能够拥有或者租赁那些经过了种种改善的现代住房吧，但是，文明在改善我们住房的同时，并没有同样地完善居住于其中的人。文明打造出了一座座宫殿，但想打造出贵族或国王就不那么容易了。如果相比于野蛮人，文明人的追求并非更有价值，如果他的大部分生命不过是用来获取粗鄙的必需品和舒适的生活，那么，他为什么要比前者拥有更好的住所呢？

但是，那些贫穷的少数人又是如何过日子的呢？也许我们可以看到，虽然有些人的外在境遇好于野蛮人，可与此成正比的，正是另外一些在外在生存境遇上很差的人。一个阶级的奢华，需要另一个阶级的贫穷来形成消长。一面是皇宫，另一面是救济院及"沉默的穷人"。建造了法老金字塔陵墓的百万劳工，吃的不过是大蒜，死后也得不到体面的安葬；修完皇宫的飞檐，晚上回家的石匠，住的可能是连印第安人的棚屋都不如的小草房。有观点认为，在一个具备了常见的文明迹象的国家，多数居民的生活境况肯定不会退化到像野蛮人那般窘迫。这种观点并不正确。我这里所指的，尚不是生活得"恶劣"的富人呢，而只是身处恶劣之境的穷人。要明白这点，只消看看分布在铁路沿线，到处可见的棚屋，它们可算文明中进化得最慢的了。每天散步，我都能看见那些居住在肮脏棚屋里的人。为了亮光，冬日里他们也敞着门，门内见不到用来取暖的木堆，那通常只存在于他们的想象中吧。那些人，不论年轻还是年老，都在寒冷或痛苦中养成了蜷缩的习惯，时间一久，身体也总是蜷着的了，四肢和身体官能的发展也都因此停滞了。确实应当考虑一下这个阶级的状况，因为我们这代人所取得的堪称卓越的成绩，都得归功于他们的劳动。

而在英国这个世界大工厂里，各类技工的情形也大抵如此。或者我跟你讲讲爱尔兰的情况吧，那个在地图上被标为白种人地区或开明地区的国度。不妨把爱尔兰人的身体状况与北美印第安人、南太平洋上的岛民，以及其他尚未因接触文明人而体质下降的野蛮人的身体状况进行一番比较。我毫不怀疑，那些民族的统治者在智力上并不逊色于文明的统治者。他们的状况只能证明穷困与文明彼此相容。现在我应该不需要再提到南方诸州的劳动者了吧，他们生产了我们国家主要的出口商品，而本身也成了南方的主要产品。还是把我的讨论只限定在那些据说生活水平居中的人身上吧。

貌似大多数人都不曾考虑过房子是做什么用的，他们原本不必受穷，实际上却穷困了一生，因为他们认为邻居家那样的房子，他们必须也得有一座。这就好像一个人必须得穿裁缝给他缝制的衣服，款式还得悉听尊便；或者渐渐扔掉了用棕榈叶或土拨鼠皮制成的帽子，却转而抱怨起了生活的艰难，因为他尚且买不起一顶王冠！我们大可发明一种房子，比现有的住房更便捷、舒适，但所有人都得承认他们买不起。

我们一定要老是琢磨如何获得更多的诸如此类的东西，而不是时而满足于那些略微逊色的东西吗？那些可敬的公民总是拿些箴言和实例一本正经地教导年轻人，告诉他们在有生之年必须要多置办些富余的亮鞋子、雨伞、空荡荡的供不存在的客人居住的客房，应该如此吗？我们的家具为什么不能像印第安人或阿拉伯人的家具那般简单呢？那些民族的杰出人士被我们奉为天国的使者，给人类带来了神圣的礼物。一想到他们，我脑海里可不曾浮现什么亲随，跟着他们的脚踝亦步亦趋；也不曾见什么车载马拉的时髦家具。有人认为，在道德和智力上我们是优于阿拉伯人的，与此相应，我们的家具也理应更比他们的复杂。就算我认同这种观点——这种认同难道不怪得出奇吗？——那又怎么样呢？眼下，我们的房子里满是家具，弄得房间又脏又乱。一位贤惠的主妇宁愿把大部分家具扫进垃圾堆，也不愿意让早晨的活放着不干。晨工呵！在奥罗拉①绯红的晨曦和门农②美妙的琴声中，这个世界上什么才应该成为人类的晨工呢？我的书桌上放着三块石灰石，发现它们需要每天擦拭，我惊惧了：我心灵的灰尘还未来得及拂拭呢，于是厌恶地把它们扔到了窗外。既然如此，我怎么能要一个带家具的房子呢？我宁愿坐在旷野，因为除非人类已经破坏了植被，否则草叶之上是不会积攒灰尘的。

那些奢侈无度者引领着时尚，而芸芸众生趋之若鹜。这一点，

---

① 奥罗拉（Aurora），罗马神话中的黎明女神。
② 门农（Memnon），奥罗拉与埃塞俄比亚国王提诺托斯之子，特洛伊战争中被阿喀琉斯所杀。他在埃塞俄比亚的纪念雕像在日出时刻会发出竖琴一般的悠扬乐声。

入住所谓最佳酒店的观光客很快便会有所觉察，因为酒店老板们都把他当作再世的萨达纳博勒斯①，如果他听任店主们盛情款待，无需多久就会发现男子气概荡然无存，不再硬朗了。就列车车厢来说，我也看到我们更愿意在奢华上投资，而对安全和便捷重视不够，结果安全和便捷固然谈不上，车厢也变成了一个摩登客厅，有沙发卧榻、土耳其软凳、遮阳窗帘，以及其他上百种来自东方的舶来品。这些东西本来是为天朝帝国的闺阁贵妇和粉黛佳丽设计的，被我们带到了西方，若是约拿单②听了它们的名字，也会觉得羞赧。我宁愿坐在一只南瓜上，将它完全据为己有，也不愿和众人拥挤着坐在天鹅绒软垫上。我宁愿坐着牛车在尘世自由畅行，也不愿乘坐花哨的观光火车驰往天国，一路呼吸着瘴疠之气。

在原始时期，人们的生活简简单单、衣不蔽体，但至少有一个好处，即他们仍在大自然中淹留。待他吃饱睡足精神倍增，便又可以筹划他的旅程了。他住在帐篷里，整天不是在穿峡谷就是在爬山、过草原。但是看呵！人已经成了工具的工具。那个饥饿时独自采摘果实的人成了农民；那个站在树下寻求荫蔽的人成了管家。现在我们不再支起帐篷过夜，但已经安居于尘世而忘记了天堂。我们信仰基督教，只是将之作为被改良过的农业文明的手段。我们已经为这一世的生活建好了家宅，为下

---

① 萨达纳博勒斯（Sardanapalus），传说中的亚述国王，生活在公元前700年左右，以奢侈骄横闻名。
② 约拿单，《圣经·旧约》中的人物，扫罗长子，大卫的挚友。

一世建好了族坟。最好的艺术作品书写着人类摆脱这种状态、寻求解放的奋斗历程，而我们的艺术只能使这种低迷的状态更为舒适安逸，从而将更高的存在状态遗忘。在这个村子，美术作品毫无立足之地，就算有些作品流传了下来，我们的生活中、我们的房子里、我们的街道上，也没什么东西可以作它合适的底座。没有一枚钉子可以用来挂幅画作，没有一个架子可以用来放置英雄或圣徒的半身雕塑。

　　一想到我们的房子是怎样修建的，款项是怎样结清或亏欠的，它们内部的经济是怎样计划和维持的，我就暗自纳闷，当客人在欣赏壁炉上方那些华而不实的小摆件时，我们的地板竟没有坍塌下去，好让他掉进地下室，掉在那虽然是土质却坚固结实的地基上。我不能不看到，这种所谓的富足而高雅的生活是需要跳着才够得到的，于是我的注意力完全集中在跳跃本身，根本无从欣赏作为这种生活之点缀的美术作品；因为我记得，据记载，一些流浪的阿拉伯人完成了人类最伟大的、真正的一跳，他们完全依靠肌肉的力量，在平地之上跳起了二十五英尺高。没有人为的支持，在那样的高度，人是必然要跌落下来的。因此，我要向那些拥有不当产业的业主提的第一个问题是：是谁在支撑着你？你是在那失败的九十七人之中呢，还是那三个成功者之一？先回答我这些问题，随后，或许我会看看你的那些个小摆件，发现它们的装饰性。车子套在马的前面，既不美观，也没用处。在把房子用些漂亮物什装饰之前，我们的墙壁必须刮去一层，还得刮去一层我们的生命；此外，还必须有出色的家务管理和美好的生活作为基础。要知道，在今天，对美的趣味的培育主要是在户外进行的,那儿可既没有房子,也没什么房主。

在《神奇的造化》一书中,老约翰逊①讲到与他同时代的本镇首批移民:"他们在山坡下挖洞作为最初的庇护所,那泥土都被扔到高高的木材上,再在高的一边点燃,用浓烟滚滚的火焰来烘烤。"他们不"建房造屋",他说,"直到上帝保佑,让大地给他们带来了面包,养活了他们,"而第一年的收成非常不好,"他们不得不把面包切得薄薄的,以减少口粮,度过漫长的冬季。"一六五〇年,为了向那些想在那儿弄块地的人提供信息,新尼德兰省的秘书用荷兰文更为具体地写道:"那些生活在新尼德兰的人,尤其在新英格兰地区,起初是不能按照自己的意愿建农舍的。他们在地下挖个方形的坑,地窖似的,六七英尺深,取自己认为合适的长度和宽度,用木头围在四周做墙,用树皮或别的什么将木头连缀起来,以防止向泥土里塌陷;把木板铺在底部做地板,顶上用护壁板做天花板,再架起一个用圆木做成的屋顶,上面盖上树皮或绿草皮,这样一来,他们一家人就能在这又干燥又暖和的房子里住上两年、三年甚至四年了,而且不难理解,他们还能沿着天花板分割出一些隔间,具体视家里的人口而定。新英格兰那些富有、显贵之人在殖民草创期也先将住所建成这样,原因有二:其一,不想在建房造屋上浪费时间,也不想下一季粮食紧缺;其二,不想让他们从本国带来的大批穷苦劳工灰心泄气。过了三四年,这儿乡间已经适宜耕种了,

---

① 爱德华·约翰逊(Edward Johnson,1598—1672),马萨诸塞殖民地早起领导人之一,历史学家,著有《新英格兰史》。

他们便花上了几千元钱，建起了漂亮的住宅。"

我们先民所选择的道路至少显示出一种审慎的态度，似乎他们的原则就是首先满足那些更为迫切的需求。那么，那些更为迫切的需求是否现今已被满足了呢？一想到为自己置什么豪华宅邸，我就迟疑了，因为可以说，这片国土尚适应不了人类的文化，我们仍不得不把精神的面包切得薄薄的，薄过我们的祖先所切的全麦面包。这并不是说要忽略所有的建筑装饰，哪怕是在最蒙昧的时期；但还是先将我们房子的内壁美饰一番吧，那里与我们的生命直接接触，就好像扇贝的居所，但不要过度装饰。但是，哎呀！我曾经进过一两栋这样的房屋，知道它们的内壁缀满了什么。

如今我们固然并没有退化得只有住窑洞、棚屋，或者穿兽皮才能存活，但接受人类工业和技术发明带来的便利自然更好，尽管它们价格不菲。在我们这片宅区，木板、木瓦、石灰、砖块都比较便宜，而且都比适宜的窑洞、整根的原木、足量的树皮，甚至烧好的陶土、平整的石板更容易得到。我之所以对这个问题说得比较明白，是因为我对这些都很熟悉，既有理论，也有实践。只要多动点脑筋，我们就能很好地使用这些材料，简直比如今的首富们还要富有，并且使我们的文明成为一种福祉。文明人其实就是更有经验和智慧的野蛮人。不过，还是让我赶紧讲讲我的实验吧。

一八四五年，近三月末，我借了一把斧头，进入瓦尔登湖畔的林间，在紧挨着我要建房的地点附近砍倒了一些正在盛年、高挺笔直的白松，用作建房的木材。要开工就很难不借这借那，不过，这或者也算最慷慨的善举吧，因为如此一来，你的伙伴就能从你的事业中获利。斧子主人在把斧子交给我的时候说，那是他眼里的宝贝；不过，当我还他的时候，那斧头可锋利多了。我干活的那个山坡景色宜人，松林布满山岗，透过松林望得见瓦尔登湖，还有一小块林间空地，那里，松树与核桃树正雨后春笋般地发出新芽。湖里的冰虽然化开了几处，但尚未完全消融，冰面暗黑，浸在融开的湖水里。我在那儿干活的那几天，天空时而飘过轻薄的雪花；但当我走出湖畔，沿着铁轨回家，多数时候都能看见黄色的沙堆泛着金光，在迷雾中延伸向远方，春日暖阳下，铁轨也熠熠闪光，还有云雀、小鹨以及别的鸟儿的啾鸣，和我们一起开启又一年的光景。这是美好的春日，人们对冬季的厌倦随着泥土一起消融，处于蛰伏状态的生命开始舒展身体。

一天，我的斧柄掉了，于是我砍下了一段青绿色的核桃木做楔子，用石头把它敲进去，然后把整个斧子浸到湖里，好让木头膨胀。就在这时，我看见一条带条纹的蛇钻进水里，沿着底部躺下。我待在那里的那会儿，约有一刻多钟吧，他就这么躺着，明显没有任何不适，或许因为他还没有完全从冬眠的状态中清醒过来吧。依我看，人类正是因为类似的原因才仍旧处于这种低级、原始的状态；但如果他们感受到万物勃发的春天的召唤，则必然进入更高级、更超凡脱俗的生活。在此之前，我就曾在寒冷的清晨多次见过半个身子仍然僵硬的蛇，在那儿等着太阳将他暖和过来。四月一日这天下了雨，冰融化了。一早，雾蒙蒙的，池塘上有一只离群的孤雁四处徘徊，发出咯咯的叫声，好像迷失了方向，或者宛如雾里的精灵。

随后几天我继续伐木，削成立柱和椽子，用的都是这把窄窄的斧头。没什么可向读者诸君交流或学者式的沉思，我只是独自吟唱：

人们自称博闻强识

但是看啊！他们长有羽翼——

艺术与科学，

以及上千种装置；

那吹拂的风，

才是人们的全部所知。

把主木劈成六英寸见方，大多数柱子只砍两边，椽子和地板只砍一边，剩余部分带着树皮，这样就和那些锯过的木料同样笔直，而且更为结实。这时我又另借了一些工具，在每块木料上都细心地凿出了榫眼，或者在头部削出榫头。我在林间度过的白日并不长，但常带上面包和黄油做午餐，中午时分，坐在砍下的绿色松枝间，一边吃着午餐，一边读着包着午餐的报纸，由于我的手上覆盖了厚厚的树脂，面包上也带上了松枝的香味。虽然砍过几株松树，但在我完工前，松树已经成了我的伙伴，而不是敌人，因为我对它更为熟稔了。时而会有林中漫游者被斧头的声音吸引，于是我们便会踩在砍下的碎木屑上愉快地闲聊几句。

我没有急于赶工，只是尽力去做，到了四月中旬，终于做好了房子的框架，就等着立起来了。为了弄到板材，我早就买下了一间小木屋，房主是詹姆斯·柯林斯，一位在菲茨堡铁路上工作的爱尔兰人。在大家看来，詹姆斯·柯林斯的小木屋可是难得的好房子。我去看房子时他不在家。我绕着房子转了转，起先也没被屋里的人发现，因为窗子修得又深又高。房子不大，尖顶，此外也没别的可看了，周边的泥土被堆了五英尺高，肥料堆似的。屋顶是房子最完好的部分，不过也被阳光晒得又翘又脆。屋子没装门槛，门板下面有一个仅供鸡进出的通道。科林斯夫人走出屋，招呼我进去，看看房子里面。我一走近，也顺便把母鸡们赶了进去。屋里很黑，大部分地面都是泥土的，湿冷、黏滑，让人感觉冷飕飕的，屋里东一块儿、西一块儿地放着木板，都禁不起搬动。她点了一盏灯，让我看看棚顶和内墙，还有床下铺着的地板，提醒我别踩进地窖里，而那地窖不过就是两英尺深的土坑而已。照她自己说，这可都是好板子："顶上是好板子，四周是好板子，还有一个好窗户，"——原本是两扇方形窗户，最近只有猫从那儿进出了。屋里有一只火炉、一张床、一个可以坐的地方，一个就出生在这间房里的小孩儿，一把丝绸阳伞、一面镶着镀金边框的镜子，还有一台钉在橡木上的崭新的咖啡研磨机，就这些了。就在这时，詹姆斯回来了，我们很快谈妥了价格。我当晚需付四美元二十五美分，他则在明天早晨五点前腾空房子，在此期间，房子不再另售。早晨六点房子就归我了。他还建议我最好早到，以抢在前头，免得有人在地租和燃料上提出节外生枝又完全不合理的要求。他向我保证说，这是唯一的麻烦。六点钟，我在路上碰到他们一家人。一个大包裹装着他们的全部家当——床、咖啡研磨机、镜子、母鸡——都在这儿，唯独没有猫。那只猫钻进了树林，成了一只野猫，我后来听说她掉进了一个抓土拨鼠的陷阱，终于成了一只死猫。

当天早上我就拆掉了木屋，拔下钉子，用小车把它运到湖边，把木板铺到草地上，好让阳光把它们漂白，还原那些翘了的地方。我推车穿行在林间小路上，一只早起的画眉时而送来一两支小曲儿。一个叫帕特里克的年轻人诡秘地告诉我，那个叫西利的爱尔兰邻居趁我搬运的空档，把能凑合的、比较直的、能敲进去的钉子、U形钉、长钉都装进了口袋。等我再回来和他打招呼的时候，他看了看满地的狼藉，一副很新奇、漠然的样子，好像满脑子都是春天的思绪。他说：可没多少活可干了。站在那儿，他就代表观众，让这件看起来微不足道的小事，简直堪比特洛伊城的众神大撤离。

在一个向南倾斜的小山坡上，一处土拨鼠曾经挖洞的位置，我挖了一个地窖。我先刨掉了漆树和黑莓的根茎，挖去了植物最深的残留，在沙土细密的地方，修了一个六英尺见方、七英尺深的地窖，不论多冷的冬天，土豆放那儿都不会冻伤。地窖四面要做架子，所以没有砌石头；但太阳总照不进地窖，沙子也会待在原地不动。这活儿只不过花了我两个钟头。对挖洞的活儿我特别喜欢，因为不论在什么纬度，人们都能通过挖洞得到大致不变的温度。在城里，哪怕最豪华的房子下面都有地窖，和过去一样，人们在里面储藏些块根类植物。即便上面的建筑后来消失了，很久之后，后人仍能发现地下的世界。所谓房子，不过是地道入口处的一个门廊罢了。

　　终于，进入五月不久，一些熟人帮忙，我把房屋的框架立了起来。当时请他们来，其实并非出于必要，而是想把这个场合变成邻里相聚的好机会。前来帮忙的这些人物，让我感到无比荣耀①。而我相信，他们注定会在某一天襄助建立更崇高的大厦。七月四日，房子刚钉好木板、铺好屋顶，我就搬了进去。那些木板都经过仔细刨边，叠合着摆放，以便完全防雨。钉木板前，我已经在房子的一边砌了个烟囱的底座，用了两小车的石材，全靠我的两条胳膊从河边运到了山上。入秋锄过地后我才把烟囱建好，因为很快就必须生火取暖了，而此前我清早起来都是在露天的地上生火做饭的。我仍然以为，和寻常的方式相比，露天起灶做饭在很多方面都更便捷，也更惬意。如果我的面包还没烤好就下起雨来，我便在火上架起几块木板，然后坐在下面，看着我的烤面包，就这样度过一段开心的时光。那段时间，我手上的活儿太多，所以没读多少东西。然而，散落地上的零星纸片、衬垫或者桌布，都带给了我同样的乐趣，事实上起到了和《伊利亚特》一般无二的效果。

　　大家远可以比我更深思熟虑，比如，考虑一下门、窗、地窖、阁楼在人性中有些什么基础，要不然就先放下暂时的需求，等找到更好的理由再造屋建房。这些做法很是值得。人类建房造屋，就好比鸟儿建巢，两者的合理性大体相同。有谁会知道，

----

① 这些前来帮忙的人都是当时美国著名的作家，如爱默生、阿尔柯特、钱宁等。

如果人们用自己的双手建房，用俭朴和诚实为自己和家人赢得一日三餐，那么他们诗歌的才华必然会普遍提升，就像鸟儿每每建巢的时候，必把欢歌满世界传唱。但是，天啊！我们倒像八哥和杜鹃，总到别的鸟建好的巢里产卵，它们那毫无乐感的啁啾，任何旅人听了都不会感到愉悦。难道我们要将建筑的乐趣永远让给木匠师傅吗？在民众的经验中，建筑算得了什么？在我那么多次的散步中，从没见到过一个人，在从事为自己建房这类如此简单又如此自然的事情。我们都属于社会。不只裁缝构成了一个人的九分之一①。还有牧师、商人、农民。这种劳动分工到哪儿才能终结？分工最终服务于何种目的？毫无疑问，别人大约都可以替我思考了；他还可以用他的思想排除我的思想，那可不是我所希望的。

诚然，这个国家也有所谓的建筑师。我至少听其中一个讲过这样的想法，即在建筑装饰品中注入真理的精髓，注入一种必然性，从而注入美。对他而言，这想法宛如神启。如果从他的角度来看，这通盘的设想也着实不错，但实则比那些普通的业余爱好者高明不了多少。作为一位感性的建筑改革者，他不是从地基，而竟是从飞檐入手。他关注的问题无非是怎样把真理的精髓注入装饰品的内部，就像那糖饯的梅子，可事实上，每颗糖梅里面都有可能是杏仁或者葛缕子——尽管我认为不加糖的杏仁才最有益于健康——他并不考虑居住者，那些住在房子里面的人，应该怎样真正地把房子里里外外地建起来，至于

----

① 17世纪的流行谚语："Nine Tailors Make a Man.（九个裁缝，凑成一人）"

装饰品，则采取听其自然的态度。理性的人都认为，装饰不过是外在的，纯属皮毛罢了——乌龟壳上有了斑点，或者贝类动物有了母珠的色泽，难道也是因为一张类似于百老汇居民和他们的三一教堂之间的那种契约吗？但是，一个人和他房子的建筑风格之间没多大关系，就好像乌龟和龟壳的风格之间没多大关系一样：一位士兵也不至于非要在战旗上画上代表他美德的确切颜色，那样准会被敌人找到，关键时刻，他可能吓得脸色煞白。在我看来，这位建筑师就好像从房檐上俯下身来，面对那些粗人，那些其实比他更懂行的住户，怯生生地咕哝着他那似是而非的真理。

我现在所看到的建筑学上的美，我知道，是由内而外逐渐生发的，居住者作为唯一的建筑者，美正是来自他们的需求和性格——来自一种不自觉的真实和高贵，根本不曾考虑外在；而如果这种外在附加的美必然产生，那么一种类似的不自觉的生命之美则必然先于它而产生。画家们都知道，这个国家最耐看的住宅，往往是穷人们那些最朴实、简陋的木屋、农舍；它们是居住者的贝壳，所以如诗似画，并非单凭外在的风姿，实在是因为居民们的生活；此外，市民们建在郊外的箱式小屋也同样别有情趣，只要他们的生活如想象中的那般简单、惬意，且不竭力追求住房的风格效果。大多数建筑装饰品都是中空的，九月的狂风会把它们吹落，就好像吹落借来的羽毛，根本不会损坏建筑的实体。地窖里既没有橄榄也没有美酒的人，不懂建筑学也毫无关系。如果在文学上也追求风格的装饰，如果《圣经》的撰写者也像教堂的建筑师那样，把大量的时间花在屋檐上，又会怎么样呢？纯文学、艺术学以及讲授它们的教授，都是这么培养出来的。的确，对一个人而言，那几根木棍该怎样倾斜地放在他的上边或者下边，那箱子该涂上什么颜色，还真是事关重大。如果真的是他自己颇为认真地安了木棍、涂了颜色，那还真是有些意义；但是，如果灵魂已经离开了住户的躯体，建房造屋就与打造棺材无异了——这便是坟墓建筑学——"木匠"也便成了"棺材匠"的别称。一个对生活绝望、冷漠的人说，在你的脚下抓起一把尘土吧，把房子涂成那个颜色。他是在指他最后的那个狭窄的房间吗？那就抛一个铜币来决定命运吧。他该多么有闲暇呀！为什么你要抓一把尘土？就按你的肤色喷涂你的房子吧；让它因为你的肤色而变成白的或红的。这是一项改善村屋建筑风格的创举！等你把我的装饰品备好，我就把它们穿戴起来。

入冬前我建好了烟囱，之前就防雨的屋子，这时也在四周钉上木瓦片。木瓦不太齐整，含着不少汁液，是用从原木上砍下来的第一层薄片做的，我不得不用刨子将边缘刨平。

就这样，我拥有了一座密不透风、铺着木瓦、抹着石灰的房子，十英尺宽、十五英尺长，还有八英尺高的木柱，附带了一个阁楼和一个小隔间，两侧各有一个大窗户，两扇活动天窗，房子一端是门，正对着大门是个砖砌的火炉。房子确切的造价如下面所列。这是按所用材料的一般价格计算的，不包括人工，因为建房的工作均由我一人完成。我之所以列得这么详尽，是因为没几个人能准确说出他们房屋的造价，能分项说出各种材料的开支，即便是有，也少之又少。

木板	$8.03\frac{1}{2}$ 美元（多用棚屋木板）
屋顶及四壁所用的废旧木瓦	4.00 美元
板条	1.25 美元
两扇旧玻璃窗	2.43 美元
旧砖一千块	4.00 美元
石灰两桶	2.40 美元（价格偏高）
毛发织物	0.31 美元（超出所需）
壁炉架用铁	0.15 美元
钉子	3.90 美元
铰链及螺丝钉	0.14 美元
门闩	0.10 美元
粉笔	0.01 美元
搬运费	1.40 美元（大部分自己背）
	————————————
总计	$28.12\frac{1}{2}$ 美元

这就是我用到的全部材料，其中不包括作为公地上的合法居住者我以所有权所使用的那些木料、石材和沙子。我另外还搭了一个小木棚，用的就是建房剩下的废料。

我也想再建一座房子，既气派，又奢华，康科德主街上的任何一栋都比不上，但它得能带给我同样的愉悦，并且造价也不超过现在这座才行。

我因此发现，那些想找住处的学生也可以盖一座这样的房子，不仅终生受用，而且花销也不会超过他现在每年付的租金。如果我这么说有点言过其实，我的理由在于：我如此夸口，并非为自己，而是为人类；我身上的缺点和矛盾，并不影响我陈述的真理性。尽管我也有很多浮夸和虚伪的时候——我感觉它们就像麦麸，很难从我这麦子上分离，对此，我和大家一样感到遗憾——但在这件事上，我会自由地呼吸，伸展身躯，这会使我更加释然，不论对于肉体还是精神；我下定决心，绝不低声下气地做魔鬼的辩护人。我要努力为真理说话。在剑桥学院[①]，学生宿舍一年的租金是三十美元，面积却只比我的房子大那么一点儿。虽然那家公司能在同一个屋檐下建三十二个彼此相连的公寓，并因此获得不少好处，但是那么多邻居喧嚣嘈杂，却是居住者必须忍受的不便，而且还有可能住四楼[②]。我不由得认为，如果这方面我们再多些真知灼见，就不需要那么多的教育了，因为人们其实早就获得了够多的教育，而且，受教育就要花钱的现象，也会大幅度降低。不论在剑桥还是在别的地方，学生所要求的那些便利，会让他或别的什么人付出巨大的代价，而如果双方均安排得当，则只需十分之一就够了。

花钱最多的事，从来不是学生最迫切的需要。比如，在学期账单上，学费是重要的一项，但和当代学养最为深厚的人往来交游，是更宝贵的教育，却无需分文。大学的建立，通常先

---

① 即马萨诸塞州剑桥市的哈佛学院，后更名为哈佛大学。
② 梭罗在哈佛读书时曾住在四楼。

募集资金，美元啊，美分啊，然后盲目地以最大限度的劳动分工为原则——遵循此等原则，必须足够审慎——招来一个承包商，承包商再把它作为一场投机的买卖，根据情况雇来爱尔兰人，或者别的什么技工，真正开始奠基建校；而那些即将入学的学生，据说则要使自己适应这所学校了；对于这种疏忽，一代又一代人不得不付出代价。我认为，如果学生们，以及想受益于大学教育的人，亲手为学校奠基可能更好。如果学生总是有组织地避开了人类所必需的各种劳动，即便他获得了人所艳羡的安逸和闲适，也是很不光彩且毫无益处的，这就好像自我诈骗，而被骗走的恰好就是那种仅凭自身便能让悠闲结出硕果的经历。"但是，"有人会说，"你不是说学生应该用双手而不是用头脑工作吧？"确切地说，我并不是这个意思，但我认为他们不妨多这么想一想；我是说，他们的人生不能"玩着"过，也不能只是"学着"过，而与此同时却让社会承担他们昂贵游戏的费用；相反，他们应该认真地面对生活，从生命的开始，到生命的终结。让年轻人更好地学习如何生活，还有比让他们马上开始生活的试验更好的办法吗？我认为，这会锻炼他们的头脑，以及计算的能力。

例如，如果我想让一个男孩学习艺术或者科学，我一定不会走寻常的路径。通常的做法不过是把他送到某个教授生活的街区，那里什么东西都讲，什么都实践，唯独不包括生活的艺术——观察世界，用的是望远镜和显微镜，而不是他的肉眼；学习化学，却不讲他的面包是怎么做成的；学习力学，则不涉及他的面包是怎么挣得的；能发现海王星的新卫星，却察觉不到自己眼里的尘埃，也意识不到自己竟成了哪位流浪汉的卫星；或者正为泡在醋里的怪兽冥思苦想呢，却被一群怪兽围在中间吞掉了。有两个男孩，一个采了块铁矿石，将它熔化，制成了自己的折叠刀，在这个过程中，他阅读了必要的资料；而同时，另一个男孩则上着学院里的冶金课，从爸爸的手里接过了一把罗杰斯牌折叠刀。一个月过去了，哪个男孩会取得更大的进步呢？谁更有可能切到手指头呢？……毕业离校的时候，我被告知曾学过航海，我好惊讶啊！——呵，如果我能驾船绕着海港转个弯，知道的恐怕会多过于此吧。即便穷学生也得学政治经济学，而且只给他们讲这个，至于等同于哲学的生活经济学，在我们的大学里甚至就没被认真地讲授过。其后果便是他一面读着亚当·斯密①、李嘉图②、萨伊③等的经济学著作，一面使自己的父亲陷于不可挽回的债务。

我们的大学如此，上百种的"现代革新"也是如此。对于它们，人们抱有一种幻想；但正向、积极的进步并不总是存在的。魔鬼早就参了股，其后还多次追加投资，所以一直索要红利，直至最后一笔。我们的发明往往不过是漂亮的玩具，影响了我们对严肃事情的专注。它们仅仅是被改进的手段，却服务于未经改善的目的，一个早已达成且非常容易达

---

① 亚当·斯密（Adam Smith，1723—1790），苏格兰经济学家，著有《国富论》。
② 大卫·李嘉图（David Ricardo，1772—1823），英国经济学家，著有《政治经济学及赋税原理》。
③ 让-巴蒂斯特·萨伊（Jean-Baptiste Say，1767—1832），法国经济学家，著有《实用政治经济完整教程》。

成的目的，就好像那通往波士顿或纽约的铁路。我们急于在缅因和得克萨斯之间修建一条电磁式电报线；但有可能缅因和得克萨斯之间并没有什么重要的信息交流。就好像一个男人，真诚地想和一位失聪的名媛淑女相识，但当他被拉过来，助听器的一端也塞在了他的手里，却又无话可说了，弄得双方都很尴尬。我们的目标似乎不是讲得明白，而是要讲得快。我们热切地期望在大西洋下面挖出一条隧道，好把新、旧世界的距离缩短几周；但或许率先传入美国人张大的焦急耳朵里的，不过是阿德莱德公主得了百日咳。毕竟，一个人的马如果一分钟跑一英里，他是携带不了什么重要讯息的；他不可能是位福音传教士，也不可能来吃蝗虫和野蜜①。我看飞童②就未必驮过一配克③玉米去磨坊。

有人对我说："我奇怪你干吗不攒钱。你喜欢旅游，今天就可以乘着汽车去费茨伯格，看看乡村风景。"但我更聪明。我发现，最快的旅行者都是徒步旅行的。我对朋友说，我们不妨试试，看谁会先到那里。距离为三十英里，车费是九十美分。这差不多相当于一天的工资了。我记得那个时候在这条路上工作的工人一天挣六十美分。好吧，我现在就开始步行，天黑前到达。同时呢，你也会挣好路费，明天某个时间达到；如果你足够幸运，找了份当令的活儿，也可能今晚到。但你这不是前往费茨伯格，

---

① 《圣经》中的施洗者约翰在旷野传教，以蝗虫和野蜜为食。
② 飞童（Flying Childer），18世纪英国一匹著名的赛马。
③ 配克（peck），西方计量单位，1配克约9升。

而是大部分时间都在道上工作。所以就算铁路通遍了全世界，我仍认为我会走在你前面；至于说到观赏乡村风景、得些类似的体验之类，那我就和你无话可说了。

这是普遍的法则，没有人能够靠智谋胜其一筹，至于铁路，我们甚至可以说它没什么差别，横竖都一样。让铁轨绕地球一周，让所有的人都有机会使用它，就相当于把地球铲平。人们有种模糊的观念，认为如果他们坚持集资入股、挖土修路，只要时间够长，最终一定可以乘着火车，转瞬之间就抵达某地，且不费什么力气；然而，人群涌进火车站，列车员高喊："全体上车！"这时，黑烟被吹散，蒸汽密集了起来，人们将会发现，乘车的只是少数人，多数人则碾压了过去——这将被称作而且也将成为"一次可悲的意外事故"。当然，挣够了路费的人最终仍然是可以乘车的，只要他们仍然幸存，但到那个时候，他们可能已经失去了旅游的兴致和愿望。耗费人生最美好的时光去挣钱，只为在人生最没有价值的时光享受可疑的自由，这种做法让我想到了一个英国人，他去印度赚钱，为的就是将来能回到英国过上诗人般的生活。他本应该马上到阁楼上去。"什么？"这片土地上数以百万计的爱尔兰人从棚屋冒出来，大声疾呼道，"我们修建的铁路难道不是好东西吗？"是的，我回答说，不错啊，也就是说，本来你们可以建得更糟糕；但是，你们是我的兄弟，我希望，你们的日子能过得更好，而不只是在这儿挖土。

在房子建好之前，我希望通过诚实而愉快的方式挣上十几美元，以应付额外的开支。我在房子附近的轻质沙土地种了大约两英亩半的作物，主要是菜豆，以及少部分土豆、玉米、豌豆和萝卜。这一整片地共有十一英亩，大多长着松树和核桃树，上个季度每英亩卖了八美元八美分。一个农民说，这片地"除了养些吱吱叫的松鼠，啥用都没有"。因为我只是暂时占用，本身并不是这块地的主人，也不指望日后再种这么多作物，所以也就没在这块土地上用什么肥料，也没有一次就把它全部锄好。犁地的时候我挖了几考得①树根，给我提供了燃料，用了很长时间，也留下了几小圈未开垦过的松软沃土，夏天，那里的菜豆长势茂盛，这几块地也格外容易辨认。我房后那些枯木，大多不适合出售，加上湖上的浮木，补充了余下的燃料。为了犁地，我不得不租了一匹马，还雇了个人帮忙，不过掌犁的还是我自己。第一季度我农场的支出，包括工具、种子和人工等，一共十四美元七十二美分半。玉米种子是人家送给我的。不过种子的花销本就不值一提，除非你种的过多。我的收获包括：菜豆十二蒲式耳②、土豆十八蒲式耳，此外还有一些豌豆和甜玉米。黄玉米和萝卜种得太晚了，没什么收成。这样，我农场的全部收入为：

$$23.44 \text{ 美元}$$

扣除支出 $14.72\frac{1}{2}$ 美元

————————

结余 $8.71\frac{1}{2}$ 美元

————————

① 考得（cord），用作燃料的木材堆的体积单位。每考得约为128立方英尺。

② 蒲式耳（bushel），西方计量单位。它是一种定量容器，好像我国旧时的斗、升等计量容器。在美国，1蒲式耳相当于35.238升（公制）。

除了已经用掉的，以及此刻手头剩的，估计价值为四美元五十美分——这笔钱用来抵消我没种的那点儿蔬菜的费用，还是绰绰有余的。通盘来考虑，也就是说，考虑到人类灵魂的重要性、把握当下的重要性，尽管我的实验用时很短，不，甚至部分原因正在于它用时很短，我相信，在当年，这种情形已经好过康科德的任何一个农民了。

第二年，我干得更好了。我铲平了我所需要的全部土地，大约三分之一英亩。从这两年的经验中我学到了很多，对那些农学名著，包括亚瑟·杨①的著作，则完全没那么敬畏。我认识到，如果一个人想简单地生活，以自己种的粮食为食，那么吃多少种多少便好，也不必拿这些粮食去交换数量永远不足的奢侈品、昂贵货。他只需要耕种几平方杆②的土地，而且可以用铲铲平，比用牛犁地更为划算，再不时地选块新地，以免去在之前那块用地上追加肥料的麻烦。如此一来，到了夏天，他利用零散时间就能轻松地干完必要的农活，也不会像今天这样被一头公牛，或一匹马、一头母牛、一头猪之类的拴住。我对目前的经济、社会举措的成败毫无兴趣，所以在这方面我想不偏不倚地发表意见。和康科德的任何农民相比，我都更为独立，因为我不是把生命的锚固定在哪一栋房子或哪一家农场上，而是遵循自身天性的趋向生活，而这趋向又是不断变化的。除了生活好过他们之外，即使我的房子失火了，或者粮食歉收了，和

---

① 亚瑟·杨（Arthur Young，1741—1820），英国农业经济学家，著有《农业经济学》。
② 杆（rod），西方计量单位，大约相当于1/5英里。1平方杆约为25.3平方米。

之前相比，我也会过得几乎一样好。

我常想，与其说人在看管着牛群，不如说是牛群在看管着人，因为牛群要自在得多。人与牛在交换劳动；但如果我们只考虑必要的那部分劳动，就能看出牛占据很大的优势，他们的农场也要大得多。人得用六周的时间割草晒干，作为他用来交换的劳动的一部分，这并不轻松。诚然，任何一个生活简朴的国家，换言之，任何一个哲学家的国度，都不会犯役使动物劳动这样的大错。的确，过去并没有哲学家的国度，近期也不太可能出现，而我也不能确定我们需要一个这样的国家。但是，我绝不会驯服一匹马或者一只公牛，让他为我做任何他能干的工作，因为我生怕自己仅仅成了马夫或者牛仔；如果社会借助于此才显得有所获得，那么我们能确定一个人的所得不是另一个人的所失吗？能确定马厩里的小马倌和他的主人一样有理由感到满足吗？假设不借助于此，一些公共设施就无法建成，那就让人与牛、马同享荣耀；然而在这种情形之下，是否可以推知人的能力是不足以完成那些更能体现自身价值的工作的？如果人们开始借助于牛马的帮助，去完成那些不仅是可有可无的抑或是艺术性的工作，也去完成那些奢侈的、无聊的工作的话，那么不可避免的，只有少数人在从事着用来和牛做交换劳动的所有活计，或者换言之，他们成了最强者的奴隶。由此，人不仅为体内的兽性工作，而且作为一种象征，也要为体外的兽性工作。

尽管我们已经有了许多砖头石块砌成的坚固房子，但农民殷实与否，看的仍是他的粮仓在多大程度上超过了他的房子。据说镇上把这一带最大的房子辟作了马厩和牛棚，在公共建筑方面也毫不落后；但县里没几间可供举行自由宗教礼拜或演讲等活动的大厅。诸民族如果不能以建筑为自己树碑立传，那为什么不靠抽象的思维力呢？一部《薄珈梵歌》^①，比东方所有的废墟更加令人惊叹！高塔和圣殿，象征王子的奢靡。但一个纯粹而独立的头脑，不会因任何王子的命令而拼命苦劳。天才不是任何国王的使役，物质的金、银或大理石也不会使他流芳百世，它们的作用是微不足道的。请问，凿刻了这么多石头，目的何在？我在阿卡迪亚^②的时候就不曾见谁雕刻岩石。很多民族都被疯狂的野心驱遣，想通过留下来的雕凿过的石块的数量，使关于他们的记忆成为永恒。如果这些民族花费同样的气力打磨自己的风度，情况会怎样呢？一份明智的理性，要比高入云天的纪念碑更让人难忘。我宁愿看见岩石待在自己的地方。

底比斯^③的宏伟，是庸俗的宏伟。拥有一百座城门的底比斯，远离了生活真正的目的。相比之下，老实人的田地四周的一平方杆石墙，倒显得更为合情合理。那些非基督教的、野蛮的宗教和文明，建立起了恢宏的庙宇；而被你们称为基督教的文明却什么也没建。一个国家所开凿的石材，大多建了坟墓，将自己活着埋葬。至于金字塔，本身没什么可惊奇的，除了这样一

---

① 古印度史诗《摩诃婆罗多》中的一卷。
② 阿卡迪亚（Arcadia），古希腊一山区，传说那里的人们生活愉快、无忧无虑。后喻指田园牧歌式的淳朴生活。
③ 底比斯（Thebes），古希腊城邦。

个事实：竟有这么多人堕落到如此地步，倾尽一生，不过是为了给某个野心勃勃的蠢人修坟建墓，就该把这样的蠢人溺死在尼罗河，然后再把他的尸体喂狗，这样倒更智慧和英武得多。我原本可以给他们，也给他，找些借口，可我没这份闲心。至于建筑者对宗教和艺术的热爱，在世界各地大多一样，不论是建埃及的庙宇，还是美国的银行。代价总是大于最终的成果。虚荣是主因，加之对大蒜、面包和黄油的喜爱。年轻有为的设计师巴尔科姆先生，在他的《维特鲁威》的封底上，用硬铅笔和尺子设计了一个图样，后来这个工作被交到了多布森父子采石公司手上。当三十个世纪的岁月"俯视"着它的时候，人们便开始仰望它了。至于说到你们那高耸的塔楼和纪念碑，这个小镇就曾出现过一个疯家伙，说要挖穿地球，挖到中国去。据他说，他挖得够深了，都能听见中国人的水壶、茶壶在咕咕作响；但我想我可不会费那个劲儿，跑去欣赏他挖的那个洞。很多人都关心东西方的这些纪念碑似的建筑，想知道它们是谁建的。而我呢，更想知道当时谁没参与建它——是谁会超脱于这些琐碎庸常。不过，还是回到我的统计数字上来吧。

我在村里还同时做些测量、木工以及其他各种各样的活计，因为我会的手艺有手指头那么多。就这样，我挣了十三美元三十四美分。八个月的伙食开销，即从七月四日到次年的三月一日，也就是做这笔估算的那天（尽管我住在那儿的时间超过两年）——但不包括我种那些土豆、少量青玉米和一些豌豆，也不包括到统计截止那天我手头所剩的东西的价值——合计如下：

大米	$1.73\frac{1}{2}$美元	
糖蜜	1.73 美元	（一种最便宜的糖精）
黑麦粉	$1.04\frac{3}{4}$美元	
印第安玉米粉	$0.99\frac{3}{4}$美元	（比黑麦便宜）
猪肉	0.22 美元	
面粉	0.88 美元	（价钱比印第安玉米粉贵，而且麻烦）
糖	0.80 美元	
猪油	0.65 美元	
苹果	0.25 美元	
苹果干	0.22 美元	皆试验，全部失败。
甘薯	0.10 美元	
南瓜一个	0.06 美元	
西瓜一个	0.02 美元	
盐	0.03 美元	

不错，我吃掉了八美元七十四美分，全部包括在内；不过，我知道我的大部分读者和我一样有罪，他们的行为如果公之于众也比我好不了多少，否则，我就不会如此不知羞耻地公开自己的罪行了。第二年，我时而会捕很多鱼来吃，而且有一次，一只土拨鼠糟蹋了我的菜豆地，我竟然宰了他——用鞑靼人的话，促成他的轮回——还吞了他，部分原因是想试试味道；他味道有点儿像麝香，尽管如此，仍给了我暂时的享受。不过，若想长期食用，就算能让村里的屠户帮着收拾妥当，我也不认为是个好习惯。

下面这条账目提供不了多少信息，但同一段时间内衣服和其他临时性支出的费用达到：

	$8.40\frac{3}{4}$ 美元
油及一些家庭用具	2.00 美元

衣服的浆洗和缝补都是拿到外面做的，账单还没收到，此外全部的金钱支出如下所列——这就是在世界上这个地方所有必要的支出，或许还多了点儿：

房子	$28.12\frac{1}{2}$ 美元
农场一年的费用	$14.72\frac{1}{2}$ 美元
八个月的食物费用	8.74 美元
八个月的衣服等	$8.40\frac{3}{4}$ 美元
八个月的油等	2.00 美元
总计	$61.99\frac{3}{4}$ 美元

我现在要说的话，主要针对我那些有谋生压力的读者。为了支付这笔开支，我卖掉了一些农场的产品，合计：

	23.44 美元
日工劳动所得	13.34 美元
总计	36.78 美元

把这个数从开支总额上减去，余下的差额是二十五美元及二十一又四分之三美分——这个数目很接近我起步时的资金，以及预料中会花费的金额，这是一个方面。另一方面，除了保障了清闲、独立和健康以外，我还拥有了一处舒适的住房，可以想住多久就住多久。

　　这些数据，虽然看起来有偶然性，所以启发意义不大，但它们具备一定的完整性，也因此有一定的价值。而且，凡得到的东西，我都入了账。从上文的统计可以看出，仅食物一项每周就花掉了我大约二十七美分。在之后将近两年的时间里，我的食物无外乎就是这些东西：黑麦、不发酵的印第安玉米粉、土豆、大米、少量腌制猪肉、糖蜜和盐，喝的是水。像我这种钟爱印度哲学的人，以玉米为主食是再合适不过的了。为了照顾那些惯于吹毛求疵者的反对意见，我也不妨声明一下，我时而会在外面用餐——像过去我常做的那样，而且我相信将来仍有机会这么做——这常会有损于我家用的安排。但我已经说过，在外用餐是个恒定的因素，对这样一份比较性的陈述丝毫不会产生影响。

　　我从长达两年的经验中认识到，要获得一个人所必需的食物，所费的力气之小让你难以置信，即便在我们这样一个纬度上；一个人可以用类似于动物的简单餐食，维持好健康和体力。我曾把从玉米地采来的马齿苋（Portulaca oleracea）煮熟、加盐，以此为菜，满意地吃了一顿，而且是方方面面都很满意。我之所以附上拉丁文学名，正是因为这种非常不起眼的蔬菜，其实味道极佳。请问，在和平年代那些寻常的午间，除了将足量的甜玉米煮熟、加盐，一个通情达理之人还能再渴望什么呢？就连我弄出的花样，也不过是对胃口的妥协，而不是出于健康的需要。然而，人们已经到了这样一个关口：他们总是挨饿，不是因为缺少必需品，而是因为缺少奢侈品；我认识一个善良的女人，她认为她的儿子之所以丢了性命，是因为养成了不喝其他饮品、只喝水的习惯。

读者能够感受到，我并不是从饮食的角度探讨这个问题的，而是从经济学的角度；读者也不会冒险尝试我这种关于节制的观点，除非他的食品柜储藏丰富。

起初我用纯印第安玉米粉和盐做面包——正宗的玉米饼啊。烤面包的地方在室外，先把面包放在木瓦板或者建房子时锯下来的一段原木的横切面上，然后放到火前烘烤。不过，这样容易把面包熏黑，还带上一股松脂味儿。我也试过面粉，但最终发现把黑麦和印第安玉米粉掺到一起最方便，也最适合。寒冷的季节，连续烤上几条这样的面包，小心地关照、翻转着它们，就好像埃及人孵蛋时那样，就是非常惬意的事了。这些面包才是我所收获的麦子的真正果实，我能感受到它们那类似于其他名贵果实的香味。我把它们包到布里，尽可能长时间保存。我研读了一番古老且不可或缺的面包制作工艺，查阅了书中提到的权威意见，将面包的制作工艺回溯至原始时期，不发酵的面包在那时的发明，使人类从以坚果和肉为食的野蛮状态过渡到以面包这种温和精细的食品为食。

我的研究进程在继续，据称，一次偶然的面团发酵事件教会了人们发酵的过程，此后，发酵工艺几经变化，直至出现"优质、香甜、又有益健康的面包"，也即生存的主食。有些人把酵母视作面包的灵魂，填充了面包细胞组织的精灵，人们保管起它来，就好像保管火种一般虔诚——我猜想，最初由五月花号带来的那几瓶珍贵的酵母可为美国立了大功啊，其影响仍像翻腾的麦浪一般在这片大地上上升、膨胀、蔓延——我很虔诚地定期从村里拿些酵母，直到一天早晨我忘了规则，把酵母烫过了头；这次意外使我发现酵母也不是非用不可——因为我不是通过综合，而是通过分析发现这点的——从此我便欣然地去掉了酵母，尽管大多数主妇都认真地跟我保证，说没有酵母做不出又安全又有益于健康的面包，上了年纪的人还预言说生命力也会因此而迅速衰退。但我发现酵母并非基本成分，一年没用了，我仍在这个世界上好好地活着；而且，令我高兴的是，口袋里不用老是带个瓶子了，那瓶子还时不时地会扑出一些酵母粉来，弄得我狼狈不堪。

免掉酵母，反而更简单，也更让人尊敬。人比起别的动物更能适应一切气候和环境。我也没在面包里放苏打或别的酸或者碱。看上去我是根据公元前两世纪左右马尔库斯·波尔基乌斯·加图①的方法做的面包："Panem depsticium sic facito. Manus mortariumque bene lavato. Farinam in mortarium indito, aquae paulatim addito, subigitoque pulchre. Ubi bene subegeris, defingito, coquitoque sub testu." 我认为这段话的意思是："要这样来揉面做面包。洗

---

① 马尔库斯·波尔基乌斯·加图（Marcus Porcius Cato，前234—前149），古罗马政治家、文学家，第一个重要的拉丁语散文作家，著有《农业志》一书。

好手和揉面槽。把面粉放到揉面槽里，逐渐加水，把面揉透。揉匀后塑形，然后盖上盖子烘烤。"也就是说，放到烤罐里烘烤。这里对酵母只字未提。但我不是总吃这种主食。有段时间，因为囊中羞涩，我有一个多月没见过面包。

在这片生长着黑麦和印第安玉米的土地上，每一个新英格兰人都可以毫不费力地生产出自己所需的全部面包原料，不必依赖遥远而又时时波动的市场。但是，我们离简单而独立的生活依然很远。康科德的商店就很少卖新鲜的甜玉米粉，玉米片和更粗一点儿的玉米几乎没人吃。农民多半都会把自己生产出来的谷物喂牛喂猪，然后以更高的价格去商店购买并不更有益于健康的精面粉。即使在最贫瘠的土地上黑麦也能生长，而玉米也并不要求最好的土质，所以我发现很容易就能种出一二蒲式耳的黑麦和玉米，用手工磨把它们磨碎，这样就算没有大米和猪肉，日子照样过；如果必须使用浓缩的甜味素，我在实验中发现，南瓜和甜菜都能做出相当不错的糖浆；我也知道，只需栽种几棵槭树，就能更轻而易举地得到糖浆；倘若这几种植物都在生长期，我也能找到它们之外的多种替代品。"因为，"我们祖先曾这样歌咏：

"我们可以用南瓜、防风、核桃叶片
酿成美酒，使我们的双唇甜润。"[1]

---

[1] 引自约翰·华尔纳·巴伯（John Warner Barber, 1798—1885）编撰的《历史诗选》。

最后说到盐，那可是杂货店里最基本的商品。不过，可以去海边弄盐，恰好当作海边观光的好机会；或者，如果我一点儿盐都不用，或许还能少喝点水呢。我就没听说过印第安人曾经为弄到盐而费什么周折。

这样一来，在食物方面我就能避免所有的买卖和物物交换，房子也已经有了，剩下的就只是衣服和燃料了。我现在穿的裤子是在一个农民家里织成的——谢天谢地，人身上依然还保有那么多美德呢；因为我觉得，从农民降为技工的过程，和从人降为农民的过程，都是同等巨大的落差，同样令人难忘——在新的地方，燃料则是件麻烦事。至于居住地，如果不允许我占用公地暂住，我就以我耕种过的那片土地的价格——八美元八美分再买一英亩。不过照实际情况看，我住在那儿，反倒让那块土地增值了呢。

有一群怀疑论者时不时会问我，我是否以为单靠蔬菜就能生存；为了一言道破问题的根源——根源在于信念——我习惯性地这样回答：我靠吃木板钉也能生活。如果他们连这都理解不了，那也理解不了我许多别的话了。就我来说，总是很高兴听说有人在做这类试验；比如，有个青年试着在两周内，只吃又硬又生还带着穗的玉米棒，他的牙齿就是研磨玉米粒的石臼。松鼠一族就曾经做过同样的试验，并且成功了。人类对这类试验也有兴趣，尽管有些老妇人已经无力为此了，又或者在磨坊占了三分之一的股权了，所以会感到惊恐。

我的一部分家具是自制的，余下的也没花什么钱，所以没有记账。这些家具包括：一张床、一张桌子、一张书桌、三把椅子、一面直径三英寸的镜子、一对钳子、一对壁炉柴架、一只水壶、一把长柄锅、一把煎锅、一只长柄勺、一个水洗槽、两副刀叉、三个盘子、一只杯子、一只勺子、一个油罐、一个糖罐，还有一盏涂漆的灯。没有穷到只能坐南瓜，就这样过来了。村里阁楼上还有很多我最喜欢的椅子，想要的尽可拿去。家具！谢天谢地，没家具店帮忙，我也能坐能站。看着自己的家具装车、打包，然后光天化日里在众目睽睽之下走在乡间，而上面装的都是些穷酸的空箱子，除了哲学家之外，什么人才会不觉得惭愧呢？这是斯波尔丁①的家具。我从不能通过观察这么一车家具就判断出它的主人是穷是富；那主人看起来总是穷困潦倒的。确实，这类东西你拥有的越多，就越贫穷。每一车似乎都载着十二个棚屋的家具；如果一个棚屋等于贫穷，这就是十二倍的贫穷。试问，我们四处迁徙，难道不是为了蜕皮脱壳式地摆脱我们的家具，并最终从一个世界搬到另一个装了新家具的世界，然后把旧家具付之一炬吗？这就好比把所有的老鼠夹都扣在一个人的腰带上，只要他在凹凸不平的乡间走动，我们投出去的线头就必然拖着那些老鼠夹——拖着他的陷阱。如果他留下尾巴逃跑了，他就是一只幸运的狐狸。麝鼠为了逃命也会咬断自己的第三条腿。如此也就难怪人失去灵活性了。

人啊，总是陷入困局！"先生，恕我冒昧，你所说的困局是什么意思？"如果你是一个先知，不论你什么时候遇到一个人，

---

① 斯波尔丁（G. R. Spaulding, 1811—1880），美国著名马戏班班主，在美国各地巡回演出。

总能看出他所拥有的一切，当然，还有很多他佯装没有的以及他藏诸身后的东西，包括他的厨房家具以及所有他保存的、不愿烧掉的无用杂物，他就好像拉车的马一样被套在那些东西前头，竭力拖着它们向前走。我认为，当一个人通过了一个网结的漏洞或者什么出口，而他的那一车家具却过不去，他就陷入了困局。有的人衣着光鲜、身体结实，看起来潇洒自由，把一切都安排得妥帖有序，但当我听见他说起他的家具是否上了保险之类的事，就不免同情起他来。"可我的家具怎么办呢？"——这时，他这只快活的蝴蝶就被卷进了蜘蛛网。

甚至有些人貌似很久以来一样家具都没有，可你仔细一问，就会发现有那么几样在某家谷仓里扔着呢。要我看，如今的英国就是一位带着一大堆行李旅行的老绅士，在长期的居家过日子中攒下来一大堆华而不实的东西，却没勇气烧掉：大箱子、小箱子、纸板盒、包裹。至少把前三个都扔掉吧。在今天，即使一个身体健康的人如果想拎起他的铺盖就走，也是力不从心，所以我必当奉劝这些病人，放下铺盖，赶紧跑吧。当我碰见一个移民背着装了他全部家当的大包裹举步蹒跚——那大包裹看着就像他后颈上生出来的一个大肉瘤——我就心生怜悯，不是因为他的全部家当不过如此，而是因为所有的家当他都得随身携带。假使我非得带上我的陷阱机关，便一定要带个轻便的上路，免得它夹住我的要害部位，但也许最明智的就是从不把手放进去。

顺便说一下，我也不会在窗帘上花什么钱，因为除了太阳和月亮，我无需将别的窥视者挡在外面，而我倒是希望太阳、月亮照进来。月亮不会使我的牛奶发酸，或让肉变质；太阳也不会损坏我的家具，或使地毯褪色；如果太阳这位朋友时而过于热情，那就退到大自然提供的天然帘幕之后吧，而不必为家里再添一件物什，这样更经济划算。有一位女士曾给过我一块地垫，但被我婉言谢绝了，因为屋里实在腾不出地方，我也腾不出时间屋里屋外地清扫它，所以我宁愿在门前的草皮上蹭蹭鞋底。最好从一开始就避免坏习惯。

不久前，我参加了一位教会执事的动产拍卖，因为他的一生也并非一无所成：

"人做的恶，死后依然流传。"①

照例，大部分都是从他父亲那辈就开始积攒的华而不实的东西，其中还有一只干绦虫。现在，在阁楼里或别的杂物堆上躺了半个世纪之后，这些东西竟也没有被烧掉。非但没被付之一炬，或者说得到破坏性的净化，相反，竟还举办了一场拍卖会，或者说让它们得以延年益寿了。邻居们急切地聚集，想要一睹它们的风采，然后全部买下，小心地运往他们自己的阁楼，抑或是杂物堆，让它们躺在那里，直到他们的家产再被清理，这些家具便开始再一次地循环。人死就是两腿一蹬，扬起一点尘埃。

野蛮民族的风俗我们大可以仿效一番，或许会大有裨益，因为他们至少每年都经历了类似蜕皮的过程；他们有着这样的观念，

_____

① 出自莎士比亚名剧《尤利西斯·恺撒》第三场，第二幕。

不管事实上做到了与否。如果我们也像巴特拉姆①所描述的摩克拉斯印第安人一样,庆祝巴思客节②或者"新果节",岂不很好?"一个小镇在举行节庆活动时,"他说,"先要预备好新衣服、新水壶、新锅,以及别的家用器皿和家具,把所有穿旧了的衣服和其他乌七八糟的东西统统收集起来,将房子、广场和整个小镇打扫清理干净,剩余的谷物和其他陈年的粮食都被扔到一个公共的大堆上焚烧干净。之后要服药、斋戒,三天之后,镇里再无明火。斋戒期间,他们禁绝口腹和情感上的一切欲求,并宣布大赦,犯人得以返回城镇。"

"第四天早晨,大祭司站在公共广场上,摩擦着干燥的木头,生起新的火种,所有镇上的居民都领到了纯洁新火。"

随后,他们以新产的玉米和水果为食,连续三天大排宴筵、载歌载舞。"其后的四天时间里,他们接待相邻城镇的朋友,和他们一起欢庆,而邻镇也刚刚完成类似的仪式,那里的居民也得到了净化,为来日做好了准备。"

墨西哥人每五十二年也举行一次类似的净化仪典,因为他们相信五十二年是世界轮回的周期。

我几乎从没听说过比这更真实的圣仪,它恰如字典中的定义,是"内在精神风姿可见的外在显象"。虽然没有《圣经》式的记载,但我毫不怀疑,最初他们是直接受自天启,才开始了

---

① 威廉·巴特拉姆(William Bartram,1739—1823),美国博物学家,著有《南北加洛拉那州旅行记》。
② 巴思客节(Busk),北美某印第安部族的节日,欢庆辞旧迎新。

这样的仪典。

有超过五年的时间，我仅凭双手的劳动维持生活。我发现，每年大约工作六周，就足够我应付生活中的全部开销。我把整个的冬天和大部分夏天都空出来，用于读书学习。我也曾悉心地尝试过办所学校，可发现只能做到收支相抵，甚至入不敷出，因为我必须据此着装和训练，更别说还得有相应的思考和观点，结果在这件生计上空耗了时间。我从教并非是为了让同胞受益，而纯粹是为了谋生，所以失败了。

我也试过经商，但发现要把它做得顺手得花上十年，那时说不定我已经见魔鬼去了。我其实是担心十年之后我做着人们所谓的成功的生意。之前，当我四处打探看能做些什么谋生的事宜时，因遵循朋友的意愿而致的不愉快经历在我的脑海中记忆犹新，使我费尽心机，想要另谋出路，所以我常认真地考虑以采越橘为生；这个我肯定干得了，它微薄的利润也恰好够用——因为我最大的本事就是需求甚少——我愚蠢地认为，这事儿不需要多少本钱，也不会太干扰我惯常的思绪。当熟人朋友们纷纷毫不犹豫地投入商海或从事各种职业时，我则思忖着这件事儿，把它当作与他们的职业最相类似的事情；整个夏天我漫游在山间，摘下迎面碰到的越橘，然后漫不经心地把它们处理掉；这种做法，有点像放牧阿德墨特斯的羊群[①]。我甚至梦想着采集些野生的牧草，或者长青的绿植，送给那些愿意常常想起林间

----

① 在希腊神话中，当音乐和诗歌之神阿波罗从天上被放逐时，被迫为国王阿德墨特斯放牧，创造一片祥和的气氛。

的村民，甚至用干草车拉到城里。自此我明白，商业诅咒它所经办的一切；即便你经营的是来自天国的福音，也难逃商业的诅咒。

由于我对某些事物有所偏爱，而且尤其珍视自由，也由于我肯吃苦又能获得成功，所以我尚不希望耗费时间去挣豪华的地毯、其他精美的家具、精细的烹调，希腊或哥特风格的住房。如果确实有人并不把求取这些视作干扰，或者得到之后知道如何使用，那我就把这种追求留给他们吧。有些人是"勤奋的"，貌似热爱劳动本身，或者因为劳动使他们免于更严重的损害；对于这些人，目前我没什么可说的。有些人则不知道该如何应对那些多出来的闲暇，对于他们，我则建议在工作上再加一倍劲头——一直工作到他们赎回了自己，获得一纸自由证书。至于我自己，我发现最自主的工作就是做日工，尤其这种工作一年只需做三四十天，就能养活自己。太阳西沉，日工一天的工作便结束了，这时他便获得了自由，可以从事任何他钟情的追求，与他的劳动毫不相干；而他的雇主呢，则要月复一月地做着投机的营生，一年到头缓口气儿都不行。

总之，信仰和经验使我确信，只要生活得简单而智慧，维持一个人在世间的生命并不是一件苦差，而是一种消遣；就好像那些生活简朴的民族所追求的，在注重矫饰的民族看来不过是些体育运动。一个人要维持生计，其实无须汗流浃背，除非他比我还容易出汗。

我认识一位年轻人，他继承了几英亩地，说也想像我那样生活，就是不知道该怎么做。可我并不希望别人按我的方式生活，不论出于什么样的原因；因为，且不说或许还没等他搞明白我的生活方式，我就又另为自己寻了条路径，而且，我希望这个世界上各不相同的人越多越好；我宁愿每个人都认真找寻并追求他自己的——而不是他父亲的，抑或他母亲的，再不然就是他邻居的——生活道路。年轻人可以搞建筑、种植或航海，只要能做他跟我提过的他喜欢做的事情，不妨碍他就好了。我们的智慧，就体现在通过计算而得到的那个精确的点，就好比水手或者逃跑的奴隶的眼睛总要盯着北极星；这种方法足以指导我们一生。或许我们不能在可预测的时间内到达预定的港口，但仍会保持正确的航向。

毋庸置疑，就此种情形来说，对一个人而言是对的事情，对一千个人来说更是如此，这就好比一座大房子，如果按比例计算，也并不比小房子来得更贵，因为都是上盖一个屋顶、下挖一个地窖，再由一堵堵墙分割出几个房间。但在我嘛，还是更喜欢单独的居所。而且，一般来说，自己建整栋房子，要比劝服另一个人相信共建墙的好处来得便宜；即便你少花了钱建成了共建墙，那墙也一定很薄，而且事实还有可能证明那人是个坏邻居，不会好好维护他那面墙壁。通常唯一可能的合作都是极有限也极表面的；而真正的合作则少之又少，看起来完全不像那么回事，属于一种人类无缘耳闻的和谐乐音。一个人如果拥有信念，就会和普天之下所有持同样信念的人合作；而一个人如果没有信念，不论他加入怎样的团体，也只能随波逐流。合作，在其最高与最低的意义上，都意味着"共同生活"。我最近听闻有人提议两类人应该共同环球旅行，一类囊空如洗，桅杆前、犁铧后，一路边走边挣；另一类则在兜里揣着汇票。容易看出，他们无法长期结伴或者合作，因为其中一个根本无所作为。在充满奇遇的旅行中，第一个危机一旦出现（那必是有趣的），他们就会分道扬镳。总之，就像我前面指出的，一个人孤身上路，马上即可出发；而若要与他人同行，就得等对方准备停当，由此出发则可能被延滞很久。

但是，我曾听镇上人说，我所有的这些想法都非常自私。我承认，到目前为止，我很少参与慈善事业。出于责任感，我做出了一些牺牲，参与慈善事业的快乐就是其中之一。曾有人使出浑身解数劝我资助镇里的贫困户；假如我无所事事——因为魔鬼总是替闲人找事儿干——也会以这种消遣试试身手。我也曾想过投身慈善事业，将一些穷人的福祉作为我的义务，使他们在各个方面都生活得和我一样舒适，甚至已然向他们提出了这种想法，但他们全都毫不犹豫地说宁愿继续贫穷下去。当我们镇上的男男女女以诸多方式致力于他们同胞的福祉，我坚信至少可以将其中一个腾出来，去从事其他不那么慈善的事情。做慈善，和做其他任何事情一样，需要天赋。至于"做好事"，则是一个人满为患的行当。而且，我已经认真地尝试过了，发现那与我的个性并不相符。虽然可能听来奇怪，但我对此竟觉得满意。或许我不该自觉地故意抛下要我做好事的特殊召唤，那可是社会的要求，是要拯救宇宙于毁灭之中；而且我相信，某处自有一个类似却又无限强大的坚定意志，那就是保全着宇宙的全部力量。但是，我无意在任何人和他的天性之间横插一脚；对于那位全身心地从事了我所拒绝的那份差事的人，我也会说"坚持下去"，就算全世界都称之为做坏事——他们极有可能这么说。

我绝不认为我的情况是个特例；很多读者无疑都会做出类似的申辩。在做某件事的时候——我不担保我的邻居们也会说是个好差事——我会毫不迟疑地说，我可是个一流的雇员呢；但那是什么事儿，就有待于我的雇主来弄个究竟了。我所谓的"好"事，按通常的意义来说，一定偏离了我人生的主路，且大多是我无意间做的。人们很实际地说，要以你所在之处、你当下的状态为起点，不要以成为更有价值的人为主要目标，带着预先就有的善意，开始着手做好事。

如果我也以这种腔调说教，我倒要说：开始做个好人吧。就好像太阳，当他燃烧着内部的火焰达到月亮般的辉煌，或者拥有了相当于一颗六等星的亮度，他就该停下，然后像好人罗宾①一般地四处游荡，跑到每个农舍的窗子前窥视，令人发疯，使肉变质，让黑暗处变得可见；而不是逐步增强他柔和的热度和恩惠，直至亮得凡人不敢正眼直视，与此同时，以及在此之后，一直沿着自身的轨道环绕世界，向世界施以恩惠，或者，诚如更正确的哲学所发现的那样，环绕着他旋转的世界变得美好。法厄同②想施恩世人，以证明自己天国的出身。但他只驾了一天太阳金车，就弄得他驶出了轨道，烧毁了天堂低处街边的几排房子，烧焦了地球的表面，烤干了每一条清泉，制造出了撒哈

---

① 英国民间故事中一个淘气的精灵。
② 法厄同（Phaeton），希腊神话中太阳神赫利俄斯（Helios）之子。

拉大沙漠，直到朱庇特①劈下一道闪电，使他一头栽落到地，而太阳，因为他的死亡而悲伤，竟有一年黯淡无光。

没什么气味比变了质的善行还要难闻，那味道有如人或神的腐尸。如果我真的知道有人有意设计了什么造福于我的计划，正带着它朝我的住处来，我一定拼了命地跑，就好像逃离非洲沙漠上那干燥、灼热、被非洲人称为西蒙风的大风。那风灌得你口鼻眼耳满是灰尘，直至最终窒息而死。因为我担心他的某些善行会施行在我身上——其中的一些病毒也会混入我的血液。不——要是那样，我宁愿听其自然地忍受困厄。如果一个人，在我本该挨饿时给了我食物，在我本该受冻时给了我温暖，或者当我本该掉进壕沟时拉我上来，我并不因此就认为他是个好人。我完全可以给你找到一只纽芬兰犬，这些事他都能干。慈善并不是最广泛意义上的同胞之爱。就其本人的方式而言，霍华德无疑是位善良、值得尊敬的人士，也获得了他应有的报酬。但是，比较来说，如果在我们处于最佳状态、最值得帮助的时候，他们的慈善帮不到我们，纵有上百个霍华德又有何益？我从来没有听说过哪次慈善会议真正地提出了对我，或者对和我同类的人有益的建议。

有些印第安人被绑在了火刑柱上，却向折磨他们的人提议换点儿招数，弄得那些耶稣会的教士不知所措。他们已然超脱于肉体的苦难了，很可能某些时候他们也超脱于传教士所能给予的任何安慰之上；"对人如对己"的法则在某些人听来并不那么

---

① 朱庇特（Jupiter），罗马主神，第三任神王，相当于希腊神话中的宙斯。

有说服力，因为他们并不在乎自己被如何对待，他们以新的方式爱他们的敌人，几近于宽宥他们所做的一切。

要确定给予穷人最需要的帮助，尽管是因为你的例子在前，他们才落在了后面。如果你给钱，就陪他们把钱花掉，别只是抛给他们了事。有时我们会犯些奇怪的错误。通常，穷人并不那么饥寒交迫，他们只是穿得破烂、邋遢，举止粗鲁。这一部分是因为品位，而不完全是他命运不济。如果你把钱给他，他说不定会买回来更多的破衣烂衫。以前我也常常同情那些粗笨的爱尔兰工人，他们穿着廉价、破烂的衣衫在湖上切冰，而我则穿着整洁、也多少更时髦些的衣服瑟瑟发抖。直到有一天，有一个人掉进了水里，来我的房间烤火，我看见他脱下了三条裤子和两层护腿，才最终露出了皮肤。没错，那些衣服又脏又破，但是他有这么多穿在里面的衣服，就完全可以拒绝我给他的额外的衣服了。落水才正是他所需要的。随后，我开始可怜起自己来，发现把整个成衣店送给他，不如给自己买件法兰绒衬衫，那或者是更大的慈善。

有一千人在砍伐罪恶的枝杈，却只有一人在击打罪恶之根。很有可能那个在穷苦人身上投入了最多时间和金钱的人，也以自己的方式制造了最多的苦难，他虽努力消除，但终徒劳无功。正是那些道貌岸然的蓄奴主，献出了十分之一的奴隶收益，为其余的奴隶购得了星期日的自由。还有人雇穷人到他们的厨房工作，以表示对穷人的善意，但如果他们雇自己去厨房干活，岂不是更大的仁慈？你吹嘘说将收入的十分之一用于慈善；或许你该用上十分之九，然后就由此终结吧。因为，社会回收的财产其实不过十分之一。而这，应该归功于资产占有人的慷慨大方呢，还是主持正义的官员们的疏忽大意呢？

慈善几乎是唯一受到人类充分赞誉的美德。非但如此，它其实是被评价过高了；正是我们的自私，使它得到了过高的评价。一日康科德镇阳光朗照，一位身材健硕的穷人向我夸赞某一位镇上的乡民，因为，据他讲，此人对穷人很是善待；穷人，即指他自己。人类善良的叔叔、婶婶们，比之真正的精神父母往往更受尊敬。一次，我听了一位宗教演讲家讲英国。此人学问与智识兼备，在列举了英国科学、文学、政治上的杰出人士，如莎士比亚、培根、克伦威尔、弥尔顿、牛顿等人之后，他接着讲到这个国家的基督教英雄，而且将这些人提升到远高于其他人的地位，成为伟人中的伟人，就好像这是他职业的要求。他们是潘恩、霍华德和弗莱夫人。每个人都觉察出其中的谬误和虚假。最后这三人并非英国最伟大的男人或女人；而或者只能算作她最好的慈善家而已。

我并非要贬低那些理应归于慈善的赞誉，而只是要求公正对待所有以自己的生命和工作造福于人类的人。我主要看重的，并非一个人的正直和仁慈，事实上，它们只是茎叶。那些茎叶一枯萎就被我们制成药汤供给病人服用的植物，其用途其实是很卑微的，而且使用它们的多是江湖郎中。我要的是一个人的花朵和果实；一些来自他的香气会随风吹送到我这儿，果实成熟的风味则渗透于我们的交往之中。他的善良一定不是片面而短暂的行为，而是一种持续不断的溢出，这种溢出于他无损，他也不曾察觉。这是一种掩盖了大量罪恶的慈善。慈善家总是抛出些悲伤的情绪，再以对悲伤的记忆形成一种氛围环绕着人类，他们把这称为同情。

我们要传播的是勇气，而不是绝望，是健康和自在，而不是疾病，且要提防疾病因传染而蔓延。从南方的哪片平原上，传来了哀号之声？在什么纬度上，住着那些我们要送去光明的异教徒？谁是那个我们要去挽救的放纵而野蛮的人？如果一个人不知怎么生了病，因此完不成任务，甚至如果他痛在肚肠——因为那是同情心的所在——他就会立刻改革这个世界。因为他本身就是一个微观世界，他发现——这是一个真正的发现，而他就是那个发现者——这个世界一直都在吃青苹果；事实上，在他看来，地球本身就是一个巨大的青苹果，一想到在它成熟之前人类的子女就会咬食它，便觉得是个可怕的危险；风风火火的慈善家立刻找出了爱斯基摩人和巴塔哥尼亚人，还包括印度和中国人口稠密的乡村；几年的慈善活动之后，各种势力利用他达成了各自的目的，而他也无疑治好了自身的消化不良症，地球单侧或双侧的面颊现出了淡淡的红晕，仿佛它终于开始成熟了，生活则褪去了它的粗粝，又一次变得甜蜜而健康。我从没梦见过比我所犯之罪更大的罪恶；我从不认识，也将永远不会认识比我更糟糕的人。

我相信，改革者所以黯然神伤，并非出于对困厄中的同胞的同情，而是他个人的处境，尽管他理当是上帝最神圣的儿子。假设这种情形得到了矫正，春天来到了他的身旁，晨曦俯照着他的卧榻，他就会抛下他慷慨的伙伴，丝毫不觉得愧疚。我之所以不声称反对烟草，是因为我从不吸烟，那是戒绝吸食烟草的人必受的惩罚；不过我品食过的东西也足够多，倒可以声言反对它们。如果你被这些慈善中的任何一种欺骗，请别让你的左手知道右手在做什么，因为这并不值得知道。救出溺水者，然后系好鞋带。从从容容地，开始从事一些自由自在的劳动吧。

我们的举止，因为同圣徒交往而变得败坏。我们的赞美诗，悦耳悠扬，却回响着对上帝的诅咒，和对他永远的忍受。可以说，即便是先知和救世主也只能宽慰人们的恐惧，而不能证实人们的希望。任何地方都不曾记载人们对生活的馈赠单纯地表示由衷的满意，以及对上帝抒发难忘的赞美。所有的健康和成功都使我受益，虽然他们显得遥远和不可企及；所有的疾病和失望都使我悲伤、遭殃，无论它们予我或者我予它们多少同情。那么，如果我们真的要用印第安的、植物的、磁力的或自然的方式恢复人性的话，就让我们先像大自然一般朴素和健康，驱散眉间的阴翳，在我们的毛孔里吸收一些生机。请不要杵在哪儿做穷人的监工，而是要努力成为一个值得存活于世的人。

我在设拉子的诗人谢赫·萨迪的《古利斯坦》或《蔷薇园》① 中读到："他们求教于智者，说：至尊之神创造了众多名树，树高参天，浓荫蔽日，可除了不结果实的柏树外却没有被称为阿扎德② 或自由之树的，这之中有何奥秘？智者答道：每种树自有它适宜的产品和特定的季节，倘若正当时，它便鲜艳而茂盛；若不

---

① 谢赫·萨迪（1184—1291），古波斯诗人。《蔷薇园》，萨迪所作一部箴言故事诗集，原名为《古利斯坦》，波斯语意为"花园"。

② 阿扎德（Azad，波斯文中为Ozod），波斯语，表示自由。

在其时，则干枯而凋零；松柏四季常青，不属于任何一种情况；自由之树，或宗教上的独立派，必须具备这种本性。——不要把心思放在转瞬即逝的事物上，因为在哈里发一族灭绝之后，底格里斯河仍然永无止息地流经巴格达；如果你手头宽裕，就像枣树那样慷慨自由；但倘若拿不出可给的东西，就像柏树那样，做一个阿扎德吧，或自由的人。"

补充的诗篇

贫穷的伪装 ①

> 你设想的太多，可怜窘迫的穷鬼，
> 想要在苍穹占有一席之地，
> 你因为落魄的茅舍，或木桶做成的棚窝，
> 养成了慵懒或迂腐的德行，
> 在廉价的阳光下，或荫蔽的泉水旁
> 啃食着块茎和叶菜；在那儿你用右手
> 扯下心灵枝丫上的人类激情
> 和那上面绽放的美丽的道德花卉，
> 你使自然堕落，致感官麻木，

---

① 该诗引自托马斯·卡鲁（Thomas Carew, 1595—1640）的剧作《英国的天空》第二幕，标题为梭罗所加。

又戈耳工①般地，变活人成石头。

我们对你沉闷的社会无所需求，

那里到处是强加的节制，

不需要那非自然的愚蠢，

它不知欢愉，不懂愁伤；也不需要

你强迫被动的坚毅得到虚假提升，

凌驾于活跃的生命之上。这些低下的焦虑

将他们钉死在平庸之位，

成就了你奴性的心灵；但我们只推崇

这样的美德：超出常规，

勇敢大度，慷慨而行，

秉持灵视，恢宏而无

边界，以及历史也不曾命名

而只留下一些范例的

英雄美德，如赫拉克勒斯，

如阿喀琉斯②和忒休斯③。

回到你那破窝，

当你看到新的开明天地，

去学习了解什么才是真正值得的。

　　　　　　　　　　　　　　T. 卡鲁

----

① 戈耳工（Gorgon），希腊神话传说中蛇发三女妖的总称，包括丝西娜（Stheno）、尤瑞
爱莉（Euryale）、美杜莎（Medusa）。她们面部狰狞，使见到她们的人都变为石头。
② 阿喀琉斯（Achilles），特洛伊战争中希腊联军的第一勇士，全身除脚踵之外刀枪不入。
③ 忒休斯（Theseus），希腊神话中的雅典国王，以杀死牛首人身的米诺陶诺斯而闻名。

我生活的地方，我为何生活

到了生命的某个阶段，我们习惯于认为任何地方都可以用来建房。我考察过住处周围十二英里内的全部乡野。想象中，我接连买下那儿所有的农场，因为它们都要出售，而我对价格也很清楚。我漫步在每家每户的田产上，尝过他家的野苹果，和他聊过农事，在心里，我按要价买下了他的农场，价钱多少无所谓，因为要再抵押给他；我甚至付了更高的价钱，买下了所有的东西，但是没立契约——我喜欢交谈，那就把他的话当作契约吧。如此，我便相信我培育过这片农场了，在某种意义上也培育了他；当我享受了足够的耕耘之乐，便起身作别，留他继续耕耘。这种经历使我在朋友眼中成了某种意义上的房产经纪人。我坐在哪儿，便生活在哪儿，周围的风景以我为中心辐射开去。所谓的住宅难道不就是一个位置吗？——如果是一个乡间的位置，自然更好。我发现很多建房的地点无法在短期内得到改善，有些人可能认为它们离村子太远，但在我看来是村子离它们太远。我说：好吧，我可以在那儿生活；于是我真的在那儿生活了，度过了一小时、一个夏季，又一个冬季；我目睹着自己是如何让时光流逝，打发了冬天，再迎来春天。这个地方未来的居民，不论在哪儿安家立业，都可以确定已有人捷足先登了。只消一个下午，便足以把这片土地变成果园、林场或者牧场，定好门前该留下哪几棵上好的橡树或者松树，每棵被砍的松树在哪儿才最有用；随后，我就任它去了，或者休耕了。因为一个人能放得下的东西越多，他就越富有。

我被想象带着走了太远，甚至想到被几个农场所拒斥——那可正是我想要的——但是，我从未真正占有这些农场，免得烧了手。我买霍洛维尔那片地的时候，是我最接近真正占有田产的一次。我已经开始选种，收集好材料准备做一个用来运货的手推车；但眼看农场主就要把契约给我了，他的妻子——每个男人都得有个这样的妻子——却改变了主意，想继续保留这份田产，于是他提出赔付我十美元，让我和他解约。说实话，我当时全部的家当也就十美分，但我究竟是只有十美分呢，还是拥有一个农场或十美元，或兼而有之？我的数学能力却不足以计算得出。我让他留下了农场，还有那十美元，因为这次我已经走得够远了；或者说，我够慷慨，按他给我的价格把农场又卖给了他，并且，看他也不算富裕，还把十美元作为礼物送给了他，我呢，则依然拥有我的十美分、种子以及做手推车的材料。如此，我觉得已经算是一个出手阔绰的富人，而这样做丝毫无损于我的贫穷。我保留着那儿的风景，每年带走它的收获，却无需独轮车。关于风景——

"我是一切我所测量过的君主，

我在这里的权利不容置疑。"[①]

　　我经常看见一位诗人，在欣赏了田园风光最宝贵的部分后离开；农人粗糙，以为他所得到的不过是几只野苹果。许多年过去了，农人仍然不知道，诗人已把他的农场放入了诗歌——放入了那最可赞赏、肉眼不见的藩篱，把它圈定、挤出牛奶、掠去奶油、拿走全部的油脂，农民所剩下的，不过是脱过脂的东西。

　　霍洛维尔农场真正吸引我的地方，在于它完全远离市井喧嚣。村子在两英里之外，最近的邻居也有半英里之遥，一片宽阔的农田更是将它与公路分隔开来。它紧依着河流。农场主告诉我，河水的雾气使这里的春季免受霜降侵袭，不过对此我倒并不在意。屋子和仓房都灰突突的，一副颓败的景象，还有那残破的篱笆，仿佛在我和上一位居住者之间隔了不少时光。苹果树的树身已空，遍布着苔藓，曾经遭到兔子啃噬，如此可见，我将与什么为邻。然而，最为关键的还是我对早年沿河溯流而上的回忆。那时，房子掩映在浓密的枫树林后面，依稀可见；透过树林，传来家犬的叫声。我急于将它买下，等不及房主搬走那几块大石，砍掉那株中空的苹果树，或者挖掉草地上新生的桦树幼苗，总之，等不及他实施任何改善措施。为了享受上述那些好处，我做好了大干一场的准备；我就像阿特拉斯，把整个世界放在我肩上好了——我可没听说他还为此得到了什么

---

① 引自英国18世纪诗人威廉·考珀（William Cowper，1731—1800）的《也许是亚历山大塞尔柯克的诗行》。

报酬——我会完成所有这些,没有任何别的动机或理由,只想能付了款,好入住这片田园,再无麻烦和枝节;因为我一直知道,哪怕把这园地丢那儿不管,它也能最大量地长出我想要的那种庄稼。而结果却如上文提到的那般了。

关于大规模农耕——我一直培育着一座花园——我所能说的不过是我已经备好了种子。很多人认为,年代越久,种子便越优良。时间可以辨别好坏,对此我毫不怀疑;等到终于能种了,我便不可能失望。但我想对同胞们说,而且只说一次:尽可能长久地自由生活,了无挂碍。被缚于农场,和被囚于县牢^①,其实并无区别。

老加图曾说过一番话——他的《乡村篇》是我的"导师"——但我见过的唯一译本竟把这番话译得一塌糊涂。他说:"当你想置办个农场的时候,就在脑子里多想想它,不要贪婪地把它买下;也别嫌麻烦,多去看看它,不要以为转上一圈便够了;如果那农场还不赖,你去得越勤,就越会感到愉快。"我想,我也不要贪婪地购买,而要在有生之年,一遍又一遍地踏访,死后首先便要葬在那儿,如此,它或许最终能带给我更多的愉悦。

现在要说到我下一个类似的试验。这次我打算说得更为详细,并且为了叙述的方便,将两年的经历浓缩成一年。我曾说过,我不打算写些颂扬消沉态度的文字,而要像晨起的雄鸡一般,只要能将邻居们唤醒,那就站在鸡舍上精力饱满地高谈阔论。

我开始正式住在林间,也即不论白天还是晚上都在那里生活

---

① 梭罗本人曾因拒绝缴纳"人头税",于1846年7月被关进康科德监狱一晚。

的日子，恰巧是一八四五年七月四日，美国独立纪念日。那时，我的房子尚未完工，没抹石灰浆，也没安装烟囱，墙壁也还是久经风霜剥蚀的糙木板，裂着宽宽的缝隙，到了晚上颇有些寒冷。这样的房子根本无法过冬，只能挡挡雨水罢了。削得直直的白色立柱和新刨好的门窗使房子显得洁净、通透，尤其是早晨，露水浸湿了木板，让我以为到了中午它们便会渗出些甜腻的树胶来。在我的想象中，它曙光初现时的特色得以终日留存，时而多些，时而少些，使我想起一年前曾经探访过的一处山顶住宅。这是一栋四处漏风的、未经粉刷的木屋，适于款待云游的神仙，女神们也可以到此曳动翩翩衣裾。那漫过山脊的山风，同样吹过我的木屋，产生出断断续续的旋律，仿佛天籁之音飘入了人间。晨风不住地吹拂，创世的诗篇永不间断，然而却没有几双耳朵听得见。地球的表面，无处不是奥林匹斯仙山。

我之前拥有的房子，如果不算那艘船的话，便是一顶帐篷了，夏季出行的时候，我偶尔用来住宿，现在还被卷着收在了我的阁楼里；而那艘船，早已辗转多人，在时间的溪流里不知所踪了。如今有了更坚固的住所，我也向在这人间定居的生活迈进了一步。这房子的框架，没涂多少东西，就好像在我周身结出的晶体，对建造者本人产生了影响。从外在结构看，它像一幅画。我无须到室外去呼吸新鲜空气，因为室内的空气同样清新。我坐在室内，就好像只是坐在一扇门的后面，哪怕大雨滂沱。《诃利世系》[①]中说："住处无鸟，就好像食无调料。"我的住处可并非如此，

----

① 《诃利世系》（*The Harivansa*），古印度史诗。

因为我发觉我突然成了鸟儿的邻居，不是通过抓只鸟儿关起来，而是把我关在靠近他们的笼子里。我离他们很近，不只是那些常常光顾花园、果园的鸟儿，还包括那些村镇的人难得一见的体型更为轻盈、唱得更为悦耳的林中鸟儿——画眉、夜鸫、红色唐纳雀、原野雀、美洲夜莺，还有很多其他鸟类。

我的房子位于一个面积不大的湖的湖畔，在康科德镇以南一英里半的地方，地势比康科德略高，处于康科德镇和林肯镇之间的那片广袤森林中间地带，从我们这一带唯一有些名气的"康科德战场"向南约两英里的位置。但我所在的位置属于林中低处，只能看到半英里外的湖对岸，那里和别处一样，尽被树林覆盖。在那住的第一周，每当我看向湖面，都感觉那湖位于高高的山坡上，纵是湖底也远远高过其他湖的表面。我看见，在太阳渐升的晨曦中，瓦尔登湖褪去了雾的夜装，这里或那里渐渐地显露出身姿，或者涟漪轻泛，或者波平如镜，而雾霭，则鬼魅般地从各个方向悄然退向树林，就好像夜间非法的宗教集会被遣散了一般。而露水则和山腰那儿的一样，比寻常消散得晚些，到白天仍挂在树梢。

八月，暴雨也轻柔，暴雨间歇时刻，作为邻居的小湖最显珍贵。天空和湖水都极为沉静，空中的乌云，使下午才过半就如同傍晚般静谧，画眉的歌声四处响着，此岸与彼岸都听得见。像这样的小湖，再没有比这一时刻更为平静的了；湖面上飘着一层薄薄的澄净空气，也被乌云映得发黑，湖水里满是光线和倒影，仿佛化身低处的天空，身份更显尊贵。近处一座山上的树刚被砍去，从那里向南远眺，湖水对面，景色宜人，山与山之间形成面积较大的凹陷，恰好构筑起湖的堤岸，而两边的山坡相对倾斜而下，看起来仿佛有一条小溪从布满树林的山谷间流过，而事实上小溪却是不存在的。于是我从近处苍翠的群山之间，或越过群山之上，望向更高更远的天际，望向那青黛色的山峦。的确，只要踮起脚尖，我就看得见西北方更蓝、更远的山脉上的几座山峰，那天空从自己的模子里铸出来的一抹真正的纯蓝，也看得见星星点点的村庄。但从同样的地点，如果换个方向，我就无法透过周遭的树木，看到更远的地方。如果住处附近有水源，是相当不错的了，就好像大地被水赋予了浮力，漂浮了起来。哪怕只是口径最小的水井，当你向里看时，也会发现地球不是陆地，而是海岛。这一点非常重要，不亚于井水能使黄油保持凉爽。当我从这面的山顶望向湖那边的萨德伯里草原，我发现在涨水的季节，萨德伯里仿佛升高了，好像被分隔开的薄薄的地壳，被这一片浅浅的水域承载着漂浮了起来，就好像一枚硬币漂在水盆里，这也许是水汽蒸腾的山谷所形成的幻景吧，使我记起我居住的地方不过是干燥的陆地。

从我们门前望去，虽然视野更趋狭窄，但丝毫没有拥挤或逼仄之感。广袤的草原足供遐思徜徉。胭脂栎丛生的高地在河对岸升起，一直向西部的大草原和鞑靼式的干草原延伸开去，为所有的游牧人家提供了足够的空间。"世界上最快活的，就是能够自由地享受广阔视野的生灵了"——当达摩达拉①的牧群需要新的、更广阔的牧场时，他如是说。

---

① 达摩达拉（Damodara），是印度教主神奎师那（Krishna）的别名。

时间和地点均已变更，我的住地更接近宇宙中那最令我神往的地方，以及历史上那最让我向往的时代。那里和天文学家夜间观测的众多区域一样遥远。我们习惯于想象在宇宙的某个更遥远、神圣的角落，在仙后座那张椅子的后面，存在着一些罕见的欢愉之地，远离喧嚣和扰攘。我发觉我的房子真正处在宇宙中如此一个既僻静悠远，又永日常新、未受污染的所在。如果昴素星团或毕星团、毕宿五或者牵牛星的附近是值得定居的，那我正生活在那里，或者和它们一样远离我所抛却的生活，在我邻人看来，我幻化成同样渺小的星辰，闪烁着同样纤弱的光晕，只有无月的夜晚才看得见。我居住的，就是万千造物中这样的一方天地：

> "曾有一位牧羊人，他的思想
> 有如山之高昂，
> 山巅之上是他的牧群，每个时辰
> 向他提供滋养。"[①]

　　如果牧羊人的羊群总是漫步在更高的草场，那个他的思想难以企及的高度，我们又要怎样评价牧羊人的生活呢？
　　每日的晨曦都是一份愉快的请柬，让我的生活和大自然一样简单，或者也可以说，一样的纯净。我成为像希腊人那样虔诚

---

① 英国17世纪无名诗人作品，后经罗伯特·琼斯（Robert Jones）谱曲发表，并收入托马斯·埃文斯（Thomas Evans）的《老歌谣：历史的，叙事的》。

的奥罗拉的崇拜者。我早早起床，在湖里洗澡；这是一种宗教意义上的锻炼，是我所做过的最棒的事之一。据说，成汤王的浴缸上刻着这样的文字："苟日新，日日新，又日新。"我能明白其中的道理。晨曦带回了那个英雄的时代。天刚破晓，我敞着门窗坐着，一只蚊子从房间里飞过，进行了一番我们不见踪迹也无法想象的旅行，它微弱的嘤鸣给予我的触动，与传颂美名的号角没什么两样。那就是荷马的安魂曲，是空中的《伊利亚特》和《奥德赛》，吟唱着它的愤怒与流浪①。这之中是有某种宇宙心怀的；只要不被禁止，它就一直在宣扬着世界的活力长存和生生不息。

清晨是一天中最难忘的时刻，是觉醒的时刻。那时，我们最不觉得昏沉欲睡；我们日夜蛰伏着的那部分身体，也至少会有一个小时的清醒。如果我们不是被天生的才情，而是被仆从机械的轻推唤醒；不是伴随着天籁之音的起落——而非工厂的铃声——和盈满空气的芳香，而是被新近获得的力量和渴望自内而外地唤醒，如果这样的一天也能称之为一天的话，那么，我们就无法期待它能带给我们一种相比于入睡之前更加崇高的生活；如此，黑暗也结了果实，证明它的美好无逊于日光。如果一个人不肯相信在一日的光阴之中包含了比他已经亵渎的时间更早、更神圣的晨曦时刻，他一定已经对生活绝望，走上了一条日渐向下的、晦暗的道路。每天，当感官生活部分中止，人

---

① 《伊利亚特》和《奥德赛》分别以阿喀琉斯的愤怒和奥德修斯的流浪为开篇和行文主线。

的灵魂或器官将重新振作，人的天性也再次展开尝试，看它能够创造怎样高贵的生活。

可以说，所有难忘的事都发生在清晨，发生在清晨的氛围中。《吠陀经》①中说："一切智慧，皆在晨曦中苏醒。"诗歌和艺术，以及最美好、最难忘的人类行为，都始于这个时刻。所有的诗人和英雄，都和门农一样，是奥罗拉的子孙，在日出时分奏响自己的乐音。有些人那灵活而富有激情的思想还和上了太阳的步伐，他们的日子永远都在黎明时分。时钟指向几点，人们是何态度，做着些什么活计，这些并不重要。我在清晨醒来，内心充满着晨光。道德上的自新就是摆脱昏睡的努力。如果人们不曾昏昏欲睡，又为何对日子的记录如此单薄？他们并非愚笨的记录者。如果不是被困倦攫住，他们一定已经有所作为。数以百万的人清醒得足以从事体力劳动；而能胜任有效的智力劳动的，则不过百万分之一；再要说到诗意而神圣的生活，则只有亿分之一了。保证清醒才是活着。我还没有遇到一个足够清醒的人，又怎能直视他呢？

我们必须学会再次清醒，并且保持清醒，不是借助机械手段，而是凭借对黎明无尽的期待。黎明从不曾将我们放弃，哪怕在我们睡得最熟的时刻。通过自觉的努力，人无疑具备改善生活的能力，在我看来没什么比这更鼓舞人心。可以画一幅画，刻个雕塑，让一些事物因之而美化，也算有所成就；但若能勾画或者雕刻出

---

① 《吠陀经》（*The Vedas*），婆罗门教和印度教最古老的经典。"吠陀"即知识和启示的意思。

那种氛围或媒介，让我们透过它们来观察，则是更为辉煌的成就。在精神上，这是我们可以做到的。影响生活的品质吧，这才是艺术的最高境界。每一个人都有责任让自己的生活，哪怕在细枝末节上，当得起他在最崇高、最关键时刻的冥思。如果我们拒绝，或者耗尽了我们所得到的微不足道的讯息，神谕自然会清楚地告诉我们如何才能做到这一点。

我住到林间，是想过设想中的生活，只面对生活中的基本事实，看能否学到生活所要教给我的，而不希望到临死之际才意识到我尚未真正生活过。生活弥足珍贵，我不愿过并不纯粹的生活；我同样无意于隐遁，除非真正必要。我希望生活得深刻，吸出生活全部的骨髓，像斯巴达人那样强韧，击溃所有非生活的东西，大刀阔斧又细密砍削，将生活逼到角落，将它降至最低的条件，如果它被证明是卑微的，那就将真正的卑微之处全部找出，将之公之于众；如果它被证明是高尚的，那就通过切身的经历加以了解，并在接下来的远足中做出真实的描述。生命是属于魔鬼还是上帝，要我看，多数人都有份奇怪的疑惑，只好颇为匆忙地结论道：人生在世，主要的目的在于"显示神的荣耀，永沐神的恩泽"。

我们仍然生活得卑琐，就像蚂蚁，尽管寓言里说很久以前我们就已经进化为人了[①]；我们就像俾格米小矮人，和仙鹤作战[②]；这是错上加错，补丁上缀补丁，如此一来，我们最好的品德也

---

① 据希腊神话，宙斯曾变蚂蚁为人。
② 《荷马史诗》将特洛伊人比作与仙鹤作战的小矮人。

带上了一副并不必要、本可避免的可怜相。我们的生命在细节中耗尽。真诚生活之人，要做的事儿十指可数，哪怕再极端的情况，不过算上脚趾，其他则不妨笼而统之。简单，简单，简单！要我说，让你做的事儿就那么两三件，而不是成百上千件；不要计之以百万，半打儿就够，将账目记在你拇指的指甲上。文明生活的海面波涛汹涌，会出现乌云、风暴、流沙以及千余种不测风云，一个人如果不想沉没、埋骨海底、永不靠岸，就必须依靠航位推算法求得生机，而成功者都必须是计算高手。简化，简化。无须一日三餐，一餐就够；无须百道佳肴，五道足矣；其他的事情也应相应减少。

我们的生活就好像德意志联邦，由许多小的邦国组成，疆界永远变动不居，就连德国人也无法说清在某个时段它边界何在。我们的国家本身，连同其所有所谓的内部改善——顺便说一句，这些改善其实是表面的、肤浅的——只不过是一个发展过度的庞大机构，就像生活在其中的千家万户一样，房里杂乱地堆着家具，自设的陷阱总能绊人一个趔趄，终致毁于因缺乏规划和崇高目标而造成的奢靡和花销无度；唯一的药方，不论对于国家还是对于万千家庭，都是进行严格的经济管控，实行一种严苛的、甚于斯巴达人的简单生活，并提出更高的生活目标。这个国家的生活节奏太快。人们认为，发展经济、采冰出口、借助电报交流信息、每小时的行程达到三十英里无疑是国家的基本所需；但我们个人究竟应该像狒狒一样生活，还是像人一样生活，则有些不能确定了。

如果我们不做枕木，不铸铁轨，不夜以继日地工作，而是调整、改善我们的生活，那谁来建造铁路呢？如果不建铁路，我们又如何得以及时地升入天国呢？然而，如果我们都待在家里，处理自己的事务，又有谁需要铁路呢？并非我们行驶于铁路之上，而是它行驶于我们之上。你是否想过铁轨之下的每条枕木①都是什么？是人，是爱尔兰人，是美国北方佬。轨道就铺在他们身上，沙土将他们掩埋，车辆从他们身上奔驰而过。我向你保证，他们睡得正酣。每隔几年就有新的铁路建成通车；由此可见，只要有人享有乘坐火车的幸福，便要有人承受遭到碾压的不幸。如果他们恰巧碰上了一个梦游者，一条放错了位置的多余枕木，把他惊醒过来，他们连忙刹车，大声喊叫，就好像这很不寻常。我听说每隔五英里就要有一批养路工，以确保枕木平躺在它们的"床"上，这让我很是高兴，因为预示着说不定什么时候他们还会再站起来。

我们为什么要生活得如此匆忙，如此空耗生命呢？还不曾忍受饥饿，我们却下了要被饿死的决心。人们说，及时缝一针能免去将来缝九针，为此，他们如今缝了一千针，不过是为了省下将来的那九针。至于工作，我们所做的那些都没什么要紧。我们患了圣威图斯舞蹈病②，无法让头部保持不动。我只要像火灾警报那样拉几下教堂钟楼的绳子，也就是说，根本无须让钟声响个不停，康科德郊外农场里的每一个男人，不论这一上午

---

① 英语中，sleeper（枕木）一词也有睡眠者的意思。
② 圣威图斯舞蹈病（Saint Vitus' Dance），也称Sydenham's chorea或Chorea，是一种神经系统疾病，患者脸、脚、手等部位会出现极不协调的剧烈抽搐和抖动。

拿忙碌当借口推了多少事儿，都会放下手头的一切，循着钟声赶过来；我几乎还可以断定，所有的女人和小孩儿也会来。但如果实话实说，他们来的主要目的可不是抢救财产，而是见见这场面，毕竟火灾已经不可避免了嘛，再说，众所周知，这火又不是我们放的——再或者，他们是为了看着大火被扑灭，而如果情形不坏，他们也会搭上一把手；是的，就是这样，哪怕失火的是教堂。

如果一个人饭后小睡了半个小时，他一醒来准会抬头问道："有什么新闻？"就好像其余的人全是他的哨兵。有些人甚至给出指令，半个小时叫醒他一次，毫无疑问，再没有任何别的目的；随后，作为报偿，他们就讲讲自己的梦。而如果睡了一夜，新闻就像早餐一样必不可少了。"请您告诉我发生在世界上任何地方、任何人身上的新鲜事儿。"——他一边喝着咖啡、吃着面包卷，一边读着一则沃希托河沿岸有人今晨被挖了眼睛的新闻；可与此同时，他做梦也不曾想到自己就生活在一个暗无天日、深不见底的巨大岩洞之中，连眼睛也只是徒有其形而已。

对我来说，没有邮局也能过得很好。通过邮局传达的信息，在我看来没几件是重要的。说得苛刻一点儿，我收到的值那点儿邮资的信件——我几年前这样写道——不超过那么一两封。便士邮政①通常不过是这样一种制度：你很认真地花上一便士，想得到通信人的思想，而他的思想却多半是个玩笑。我敢肯定，

---

① 便士邮政（Penny-post），一种以1便士为基本邮资的邮政制度，曾在英国长期施行。19世纪美国的邮资通常是3美分。

我从没在报纸上读到过什么有价值的新闻。如果我们读到一个人被抢劫了，被谋杀了，或者意外丧生了，又或者一栋房子失火了，一艘船沉了，一艘汽艇爆炸了，一头牛在西部铁路上被轧死了，一只疯狗被杀了，或者冬天大批蝗虫出没了——我们再不需要读别的新闻了。一条就够了。如果你已经熟知原理，又何必在乎众多的例子或者应用呢？

在哲学家看来，所有被称为新闻的消息与流言无异，不过是些上了年纪的妇人在喝茶的时候编辑一番，或者赏读一下罢了。然而，对流言感兴趣的人却不在少数。我听说就在前几天，为了了解最新的国外新闻，人们一窝蜂似的涌进一个政府部门，竟把那个部门的几块大方玻璃挤碎了——我真的认为那是一条聪明人在十二个月前，甚至十二年前，就能准确写出的新闻。以西班牙为例，如果你知道时不时地扯上唐·卡洛斯和公主、唐·佩德罗、塞维尔、格拉纳达等，只要比例适当——从我上次看报以来，他们可能换了换名字——没别的娱乐的话，就讲讲斗牛，那新闻就会非常真实，能让我们准确了解西班牙国内的局势或者糟糕的事态，跟报纸上最清楚明白的同题报道不相上下；至于英国，来自那片地区的上一则重要的新闻或许就是一六四九年革命了；如果你已经知道了她史上的平均年农业收成，对这类事情就无须再多加关注了，除非你的推测纯粹是金钱性质的。在那些很少看报的人看来，国外就没什么新鲜事儿，法国大革命也不例外。

都是些什么新闻呀！知道那些永远不会过时的智慧不是重要得多吗？蘧伯玉（卫国大夫）曾派人去看望孔子，孔子让使者在身边坐下，问他："你的主人在忙些什么？"使者带着敬佩的神情答道："我家主人想减少自己的罪过，却不能达成所愿啊。"使者走后，孔子感叹道："多好的使者呀！多好的使者呀！"[①]在作为一周最后一日的休息日，牧师们不会用拖长音调的布道去困扰无精打采的农民，因为周日正是疲惫一周的结束，而非新鲜而有魄力的新的一周的开始。相反，他会用雷霆般的声音喊道："停！停下！为什么看起来这么快，实际慢得要死！"

假象和幻觉被当作恒定的真理，而真实则成为传说。如果人们始终只观察真实，不被假象迷惑，那么，用我们所知道的东西来打个比方，生活就像童话故事，像阿拉伯的那本《一千零一夜》。如果我们所看重的只是无可避免和理应存在的事物，那么音乐和诗歌便会沿着大街小巷回响。当我们不疾不徐、充满敏慧，就会发现只有伟大、崇高的事物才能持存，而那些琐碎的恐惧和喜悦，不过是现实的投影。这种认识永远让人振奋、倍感崇高。正是由于闭目塞听、昏昏欲睡、妄自满足于假象的蒙蔽，人们才在方方面面顺从于生活的习俗和常规，但是，这些习俗和常规是建立在纯粹虚幻的基础之上。孩子们嬉戏着生活，却比大人更清楚地辨识出生活中真正的关系和规律；而成人，无法见证生活真正的价值，却自以为很智慧，因为他们拥有经验，而其实，那不过是些失败的经验。我在一本印度书中读到：

---

① 出自《论语·宪问》。原文为："蘧伯玉使人于孔子，孔子与之坐而问焉。曰：'夫子何为？'对曰：'夫子欲寡其过而未能也。'使者出，子曰：'使乎！使乎！'"此处为保留梭罗风格，依梭罗英译译出。

"有一位王子，在还是婴儿的时候就被逐出了母国，在另一个国家由守林人养大成人，他以为自己就属于那个他生活于其中的野蛮民族。后来，他父亲手下的一位官员发现了他，讲出了他的身世，关于他性格的错误观念就被消除了，他知道了自己是个王子。所以，"那位印度哲学家继续说道，"因为所处的环境，灵魂会误解自己的性格，直至某位神教士揭开了真相，它才知道自己是梵天^①。"我发觉，我们新英格兰居民所以生活得卑琐，正是因为我们的洞察力不足以穿透事物的表面。我们以为显露于外的即是真实。如果一个人走过我们的小城而只看到真实，那么你认为那个磨坊水坝^②通向哪儿呢？如果他将他所见到的真实向我们做了一番描述，我们将会发现他描述的地方那么陌生。如果对某个会堂、法庭、监狱、商店或住宅瞧上一瞧，还不等仔细观察就说出它们的实际情况，那么你的叙述仅为浮光掠影。人们尊崇遥远的真理，那在星系的外围，在那颗最远的星辰后面，比亚当还早，又晚于最后一个人类的真理。永恒之中，确实存在着真实而崇高的事物。但所有的这些时间、地点和境况都属于此时、此地。上帝的荣光于此刻臻于顶点，任何世代都不会更为神圣。只有通过周遭现实永不停歇地灌注和浸染，我们才能真正理解所有的神圣和崇高。对我们的构想，宇宙总是顺从地给予回应；无论我们行进得是快是慢，轨道已经为我们铺设

---

① 梵天（Brahma），印度婆罗门教的创造之神，与主掌"维护"的毗湿奴（Vishnu）和主掌"毁灭"的湿婆（Siva）并称为印度教三主神。

② 磨坊水坝（the Mill-dam）位于康科德镇中心，康科德最初就是在磨坊水坝的基础上发展起来的。

完成。让我们毕生致力于勾画设计吧。虽然目前诗人和艺术家们还没有提出一个非常美好、崇高的设计，但至少他的某些后代能够完成此愿。

让我们像大自然那样从容不迫地度过每一天，不要一有坚果壳或蚊子翅膀落到轨道上，我们就先脱了轨。让我们早早起床、用餐（或者斋戒），内心平和，不受纷扰；任客人来去、铃声鸣响、孩子闹哭——下决心过好这一天。我们为什么要曲意屈服、随波逐流呢？让我们不被正午阴影中那可怕的、被称为正餐的激流和漩涡倾覆、淹没。经受住这次危险，你就安全了，因为剩下的都是下山的路。神经并未放松，晨起的活力犹在，驶过它，像尤利西斯那样把自己绑在桅杆上①，看着别的方向。如果发动机的汽笛响了，那就让它响着吧，直到它响得声音嘶哑。为什么铃声一响我们就得跑？我们应想想它们像什么音乐。我们应该安定下来，脚踏实地，穿过意见、偏见、传统、幻觉、假象的污淖和软泥，那些覆盖了整个地球的淤土，穿过巴黎和伦敦、纽约、波士顿、康科德，穿过教堂和国家、诗歌和宗教，直到我们踏在坚实的底部岩石之上，那我们可以称之为现实的地方，然后说，就是这儿了，没错；有了这个立足点，我们就可以在洪水、霜寒和火焰之下，开始建上一堵墙，或者一个国家，要不就稳稳地竖个灯杆或测量仪，不是水位测量仪，而是现实测量仪，好让将来的世纪知道，岁月沉积，虚伪和表象已经积聚

---

① 荷马史诗《奥德赛》中，在驶过海妖居住的小岛时，尤利西斯（希腊语中的奥德修斯）命人将自己绑在桅杆上，以抵御海妖的歌声，最终安全通过。

成多深的洪水。如果你毫不退缩、直面事实，就会发现它的两面都反射着阳光，宛如一把阿拉伯人的半月弯刀，你感受到那玲珑的利刃将你沿着心脏和骨髓一分为二，于是你愉快地结束了自己在尘世间的历程。不论活着还是死去，我们只渴求真实。如果我们真的即将离世，就让我们听到喉咙的咕哝声，感受到四肢的冰冷吧；如果我们活着，就让我们着手干自己的事儿吧。

时间是供我垂钓的河。我从中汲水，却同时发现了河底的淤沙，意识到它是如何清浅。它涓细的脉流漫过，但留下了永恒。我愿意啜饮更深的溪水；那就在天空中垂钓吧，天空的河底都是星辰做成的卵石。我一个也数不过来。我不认识字母表的第一个字母，我一直为自己不如出生时聪明而深感遗憾。智慧是把砍刀；它洞悉隐秘，切开覆肉，直达秘密的内核。我希望我的双手只忙必要的事。我的大脑就是我的手足。直觉告诉我，我的头脑就是挖掘的工具，如同某些动物的口鼻和前爪，我凭借头脑开采、挖掘，穿过这些山脉。我认为最丰富的矿脉就在附近某处；我判断的依据是探测棒和上升的稀薄空气；我将在这里开始开采。

阅读

　　或许从根本上说，所有人都更愿意做学习者或观察家，因为不论对谁来说，本性和命运都是饶有趣味的事，在选择追求的时候也应深思熟虑些。在为自己或后代积攒财富时，在建立家庭、国家甚至获取功名时，我们终将必有一死；但在探究真理时，我们却不朽了，无须害怕变故或意外。埃及或印度最古老的哲人已经掀起神像面纱的一角；那摇曳的罩纱依旧撩起，凝入我眼帘的荣光一如他当年所见一样光鲜；当年我在他体内，那般大胆无畏，此时此刻他则在我的体内，重温着当初的景象。罩袍之上纤尘未落；神像显露至今，岁月还不曾流逝。我们真正改善的或者能够改善的那部分时间，既不是过去或者现在，也不是未来。

　　和大学相比，我的住处更宜于思考，而且也更宜于严肃的阅读；虽然我阅读的内容不属于一般图书馆流通的范畴，但更多地将自己放在了行销世界的图书的影响之下。这些书都是先写在树皮上，如今才陆陆续续地被印在了亚麻纸上。诗人米尔·卡马尔·乌丁·马斯特①说："人虽坐着，却得以在精神世界里驰骋，这是书本给予我的好处。杯酒使人沉醉；而啜饮隐秘的奥义之酒则使我感受到了同样的乐趣。"整个夏天，我把荷马的《伊利亚特》放在桌上，虽然只是偶尔才能读上一读。最初，房子还没完工，同时还得给菜豆地锄草，我不停地干活，根本不可能读书。但将来总是能读的，这便是我支撑自己的信念。干活的间隙，我也读过一两本关于旅游的浅易读物，直到自己都觉得惭愧。我责问自己，那时那刻，我究竟是生活在何处！

学生阅读荷马或埃斯库罗斯的希腊文原著，并不存在放任或奢靡的危险，因为阅读这些著作就意味着他会在某种程度上模仿书中的英雄，会将清晨的时光献给这些诗页。在道德沦丧的时代，就算是用我们本族语印行，这些英雄诗章依然死寂；我们必须调动智慧、勇气、气度，去推想那大于通常含义的词义，努力追寻每个字词以及每行诗句的含义。当代的出版业廉价而又多产，它全部的翻译，对拉近我们和古代英雄诗章作者的距离没起多大作用，他们看起来仍然像以往一样孤独，印刷他们作品的那些文字也同样生僻怪异。如果能将年轻而宝贵的时光，用以学习哪怕一门古老语言的几个单词，也是值得的，那是一种从平凡的街头俚语中提炼出来的语言，蕴含着永久的启示和激发的力量。农民们记住并重复听到的几个拉丁单词，并非徒劳无益。

人们有时说起来，就好像对经典的研究终将让位于更为现

---

① 米尔·卡马尔·乌丁·马斯特（Mir Camar Uddin Mast），18世纪印度诗人。

代和实用的研究，但勇于冒险的学习者总是要学习经典的，无论它们是用什么语言写成，或者如何的古老。因为所谓的经典，如果不是记载下来的人类最高贵的思想，还能是什么呢？他们是仅有的不会朽腐的奇迹，为大多数当代疑难提供了答案，就是特尔斐和多多那的神庙①也无从做到。我们也可以舍弃其他，而只研究自然，因为她足够古老。良好的阅读，即以真正的精神阅读真正的书籍，是一种高贵的磨砺，比时代风气所崇尚的其他磨砺更考验我们的读者。它要求像运动员那样去训练，并对这个目标倾注持续不变的关注，近乎终生。和写书一样，读书也要求细致周密，沉思默想。能说另一国的语言并不足以读懂用那种语言撰写的书籍，因为在口语与书面语之间，在听到的语言与看到的语言之间，存在着不容忽略的裂隙。其一通常是转瞬的，是我们母亲的声音、吐字、方言，是近乎未开化的，是我们像动物一般在无意中习得的。其二则是前者的成熟化和经验化；如果前者是母亲的语言，后者则是父亲的语言，是一种含蓄和精选的语言，它十分重要，肉耳无法听闻，为了使用它，我们须经历重生。

中世纪时期那些生来就能讲希腊语、拉丁语的人，未见得能阅读大作家们用那种语言写成的著作，因为这些著作所用的语言并非他们所熟知的那种希腊文、拉丁文，而是精选的文学语言。他们不曾学习希腊罗马那些更高贵的地方语言，所以将用那些

---

① 特尔斐（Delphi）和多多那（Dodona）都是著名的古希腊神庙，分别供奉着阿波罗和宙斯。

语言写就的著作视同废纸，反而对当时的廉价文学大加赞赏。后来，欧洲的几个国家拥有了自己的书写文字，这些文字虽然粗糙，但专属自己的民族，足以满足正在兴起的本族文学的需要，此时，透过遥远的历史时空，学者们得以辨识出来自古代的宝藏。那些希腊罗马时代民众无从听闻的作品，数世纪后终于有少数学者进行了研读，而如今，研究它们的学者却仍然寥寥无几。

不论我们多么崇拜演说家时而爆发出的口才，最高贵的书面语言往往是隐藏在稍纵即逝的口语背后，或者是超乎其上的，宛如云层背后那缀满繁星的苍穹。星星就在那儿，有能力的人自可辨识。天文学家一直在评价和观察着它们。它们并非我们日常的谈吐和满是水汽的呼吸那般的蒸发物。讲坛之上为人称道的雄辩，进了书房则不过是修辞。演说家在转瞬的灵感激发下，向面前的群众讲话，向那些听得见的人讲话；而作家则是在向人类的智慧和健康讲话，向任何时代能够理解他的人讲话，他的生活需要宁静，激发了演说家的那些事件和人群，对他反而是一种干扰。

毫不奇怪，亚历山大会在远征途中随身携带《伊利亚特》，还把它装在一个贵重的匣子里。书写下来的文字是历史遗迹之菁华。比之于其他艺术形式，它与我们更为亲近，也更加具有普适性。它是离生活本身最为切近的艺术形式，可以被翻译成任何一种语言，不只经由人们的嘴唇读出，更在人们的唇齿之间呼吸而出——不只通过帆布或者大理石表现，更通过生命的呼吸本身镌刻。古人思想的象征转化为现代人的语言。两千个盛夏为古希腊文学的不朽之作，正如为她的大理石雕像那般，注入了一抹更为成熟的金子和秋天的色泽，因为，它们把自身宁静、超凡的气韵带到了所有国土，从而得以免受时间侵蚀。书籍是世界之珍宝，是民族和世系恰当的承继者。最古老、最精粹的书籍，自然理所应当地放在了每家每户的书架上。书籍本身并没有什么诉求，但当它们给读者以启发和帮助，出于常识，读者也不会拒绝。在任何社会，书籍的作者都天生是让人无以抗拒的贵族，远胜于国王和君主，其影响惠及全体人类。那些目不识丁，甚至还不可一世的商人，凭借进取和勤奋赢得了垂涎已久的安逸和独立，跻身于时尚界和财富圈，最终还是免不了要转向那些更为高级的智者和天才的圈子，却不得其门而入，只是明白了自身文化的欠缺及一切财富的虚荣和空匮，于是不遗余力地确保子女获得那些他痛感缺乏的知识和文化；由此，他开创了一个家族。

那些没学会以原文阅读古代经典的人，对人类历史的认知一定很不完备；因为很显然，这些经典文本还没有被翻译成任何一种现代语言，除非我们的文明本身可以被看作一部这样的译本。荷马的诗作还不曾以英文刊行，埃斯库罗斯也是一样，甚至连维吉尔也是如此——他们的作品都像晨曦一般雅致、厚重而优美；而后代作家，不论我们怎样评价其才华，即便是有的话，也很少能在精美、典雅、终生从事的英雄般的文学劳作上与古人相提并论。那些不曾了解经典的人，只谈论着要忘记经典。等我们获得了学识和才华，能够研读和欣赏经典的时候，再忘记它们也不迟。当我们能够继续搜集那些我们称之为经典的历史遗存，那些虽鲜为人知却更为古老、杰出的各民族经卷，当梵蒂冈教廷的图书馆装满了《吠陀经》《阿维斯陀经》《圣经》，以及荷马、但丁和莎士比亚的巨著，当未来的世纪相继将它们的成果呈现在世界论坛之上的时候，那个时代才真正富有了。凭借这些书籍的累积，我们终于有望登上天堂了。

人类还不曾读过伟大诗人的著作，因为唯有伟大的诗人方能阅读它们。它们曾被翻阅，但就好像大众瞻仰繁星那般，用的是一种占星术的方式，而不是天文学家的方式。多数人学习阅读，是为了服务于琐碎的便利，就如同他们学习计算是为了记账，以免在交易中被骗；但对于将阅读作为一种高贵的智力活动，他们就所知甚少了，或者竟一无所知；然而，在更高的意义上，真正的阅读并非作为奢侈品引诱我们，或者让我们的高级感官昏然欲睡，我们必须细心而又专注地，将大部分敏锐、清醒的时间用于阅读。

我认为，识字后我们就该读最好的文学作品，而不是到四五年级了，还坐在最矮、最靠前的凳子上，一直重复着 a、b、ab 或者单音节单词。有很多人读过书或者听人读过书便觉得满足了，或者认为那本被誉为"好书"的《圣经》①已经蕴含了足够的智慧，所以在剩余的生命里，他们在所谓的轻松阅读中无所事事，耗尽了才能。我们图书馆里有一部叫作《小读物》的多卷本著作②，我曾以为那书名是一个我从未到过的小镇的名字。有种人就像鸬鹚和鸵鸟，一顿饱餐之后，还能把这些通通消化，因为

① 英语中，《圣经》常被称作"好书"（the good book）。
② 据考证为一套介绍历代作家的五卷本文学普及读物。

他们无法忍受浪费。如果别人是提供了这种食物的机器，他们就是阅读的机器。有关西布伦和塞弗隆妮亚 ① 的故事，他们竟读到了第九千个：他们如何相爱，如何爱得前无古人，那爱情的道路又如何充满了波折——总之，他们确实相爱了，栽了跟头，再爬起来，继续相爱！某个可怜的倒霉鬼爬上了钟塔，要是他没爬到放钟的那层就好了；然而，他爬上去了，尽管毫无必要，此时小说家倍感愉快，撞响了大钟，告诉全世界都聆听他的发言。哦，天啊，他怎么又下来了！

　　依我看，最好将小说世界里这些野心勃勃的英雄变成人形风向标，就像曾把他们放到星座中那样，让他们不停地旋转，直到生锈了为止，省得他们下来用恶作剧骚扰老实人。下次小说家再撞起大钟，就算集会的场地烧成了平地，我也岿然不动。"著名作家'叽叽喳喳'先生创作的中世纪骑士传奇《'踮脚跳'先生的跳跃》将按月连载；必将引发抢购热潮，欲购请从速。"所有这些他们都瞪大了眼睛读着，带着一份初级的却也坚定的好奇，他们的胃并不觉得疲倦，甚至胃里的褶皱也无须打磨，就好像那四岁的孩子，坐在板凳上，读着价值两美分、封面烫金的《灰姑娘》——我看不到他们的任何进步，不论是在发音、重音、语气上，还是在提炼或加注寓意上。其结果无非是目光迟钝，活力瘀滞，精神涣散，全部的智力感官蜕化。几乎每家每户日常都会烤些这类的姜饼，比全麦面包或印第安玉米饼烤得还勤，而且销路也更好。

---

① 西布伦（Zebulon）、塞弗隆妮亚（Sophronia）均为《圣经·创世纪》中的人物。

那些最杰出的著作，即便为人称道的好读者也未曾读过。什么才是康科德文化呢？除了个别的少数人，小镇居民并不具备欣赏英国文学里最杰出或者相当不错的作品的趣味，尽管里面的字句他们都认得。那些大学学子，以及所谓的接受了自由教育的人们，不论在康科德还是别处，对英语经典名著都知之甚少，或者竟一无所知；而至于文字记载的人类智慧、古籍和《圣经》，只要人们想知道，尽可以拿来阅读，然而，不论何地，很少有人会为熟知它们而做出哪怕最微薄的努力。我认识一位中年的伐木工，总是带着一份法语报纸，据他说，那不是为了读新闻，他本就是加拿大人，他想以此"坚持练习法语"；我问他，在他看来，人生在世最该做些什么，他说，除了学好法语之外，坚持学习并增进英语。大学学子通常做的或者想去做的也不过如此，他们为此总拿着英文报纸。如果一个人刚读了一部最优秀的英文书，又能发现多少可以与之谈论这本书的人呢？又或者他读的是一部古希腊文、拉丁文原典，即便目不识丁的人都熟知其价值，但他仍找不到可以交谈的对象，只好缄口不言。

的确，在我们的大学里很少有教授能在攻克语言的所有难关之后，同样精通于某位古希腊诗人的智慧和诗作，并以同情的心怀，将之授予那些机敏而勇于进取的读者；至于"神圣经典"，人类之《圣经》，在这个小镇，谁又能对其中的篇什如数家珍呢？大多数人都不知道，在希伯来人之外，多数民族都有自己的宗教典籍。为了捡个银圆，任何人都愿意再绕个道儿；而这儿，全是金子般的文字，是古代最睿智者的发言，其价值经后世时代的智慧——验证；然而，我们只学会读些简易读物、启蒙书刊、学校教材，离开学校之后也不过读些为孩子和初学者准备的《小读物》和故事书——我们的阅读、交谈、思考都停留在一个非常低的水平，只匹配于侏儒的水平。

我渴望结交那些比康科德本地人更智慧的人，但在康科德，他们的名字几乎无人知晓。或者，我只要听过柏拉图的名字就行了，根本无须阅读他的著作，就好像柏拉图就是我同镇的居民，只不过我从没见过——我和隔壁邻居都没听过他的发言，或者关注到他言语之间的智慧？然而实际情况怎样呢？他的《对话录》就放在身边的书架上，那里面蕴含着使他不朽的智慧，然而我从未读过。我们缺少文化，生活鄙俗，见识短浅；从这个意义上，我并不认为识字但只读少儿或浅易读物的人和康科德那些目不识丁的居民有什么区别。我们理当同古代先贤一样优秀，但部分地取决于我们首先认识到他们如何优秀。我们是一群侏儒，在智识上仅达到了日报专栏的高度。

并非所有书籍都像它的读者一般乏味。书中所讲可能正契合我们的境遇，如果我们认真聆听、真正领会，它们给予我们生命的益处，将胜过晨曦或春日，并赋予万物新的容光。有多少人因为阅读一本书而开始了人生新的阶段。书籍为我们而存在，或许，它可以解释我们的奇迹，并揭示新的奇迹。我们将发现那些目前无法说清的事物，在另外的地方已经得到了清楚的表达。那些扰乱了我们，让我们深觉疑惑和不解的问题，也曾经发生在所有智者身上；无人曾得以幸免；每个人也依自己的能力，以自己的语言和生活做出了回答。非但如此，智慧可以使我们习得慷慨大气。但康科德郊外农场里的一位雇工可能对此不以为然。他独自生活，经历过重生①和特殊的宗教体验，认为是信仰将他带入了缄默严肃、不问世事的状态。然而，在几千年前，琐罗亚斯德②就曾走过同样的历程、有过同样的经历。只不过他很睿智，认识到了信仰的普适性，并据此对待乡邻，据说他甚至创立了宗教，在人们中间建立了信仰。让那雇工谦卑地和琐罗亚斯德交流一番吧，并且，通过所有伟人的自由影响，和基督本人交流吧，让"我们的教会"派不上用场。

我们夸口说，我们属于十九世纪，相比于其他国家，我们正迈着最快的步伐前进。但是，想一想这个小镇，它对自己文化的贡献是多么微不足道。我不打算恭维我的乡邻，也无意得到他们的奉承，因为不论对我还是对他们，这都毫无裨益。我们需要得到的是激励，像牛群那样，在鞭策之下开始疾跑。我们拥有一套相对体面的公立学校体系，但那是为孩子们而设；此外，除了冬季有个半饥半饱的学堂，以及最近才在州政府的提议下建成的简易图书馆，我们并没有自己的学校。我们在任何身体病症或者滋补食品上的支出都超过在精神食粮上的花销。是时候设立专门学校了，是时候在我们成为成年男女之后仍继续接受教育了；是时候将村庄变成大学了，就让年长者做大学的研究员，如果他们生活无忧，就可以利用余生从容地追求自由的知识。难道这个世界上只能有一个巴黎大学或牛津大学吗？难道学生们不能就住在康科德，在它的天空之下接受自由的教育

---

① 指皈依宗教。
② 琐罗亚斯德（Zoroaster），公元前6世纪琐罗亚斯德教派创始人。

吗？难道我们就不能聘请一位阿贝拉尔^①式的人物来给我们讲学吗？哎！我们忙着喂牛、照看店面，长期远离学校，可悲地忽视了自身的教育。

在我国，村庄在很多方面都应起到类似欧洲贵族的作用。它应当资助绘画艺术的发展。我们的村庄都很富裕，所缺的不过是文雅和气度。它们不吝于在农民和商人重视的事情上花钱，但如果提议在有识之士认为更有价值的事情上投资，他们反倒认为是乌托邦。由于财富或政治因素，康科德花一万七千美元建了一座市政厅，但在那些为这个躯壳注入血肉的鲜活的智慧方面，它很有可能一百年也花不到同样的数目。镇里每年付给讲堂的一百二十五美元就比花到其他地方的等额资金更有意义。

如果我们生活在十九世纪，为什么不能享受十九世纪带给我们的便利呢？为什么我们的生活要受地域局限呢？我们读报，为什么不越过波士顿的蜚短流长，读一读世界上最优秀的报纸呢？——不要从那些"秉持中立"的报纸那儿吸吮乳汁，或者翻阅《橄榄枝》等新英格兰本地报。让所有饱学之士的报告来到我们身边吧，让我们看看他们是不是无所不知。为什么要让"哈博兄弟"或"雷丁"等出版公司为我们选择读物呢？一位品位高雅的贵族放在身边的，必然都是有益于提高他文化素养的东西——天赋、学问、智识、书籍、绘画、雕塑、音乐、科学器材等；让我们的村庄也这样做吧，不要设置了一名教师、一名牧师和

---

① 彼得·阿贝拉尔（Peter Abelard，1079—1142），为12世纪法国著名神学家、经院哲学家。

一位教堂执事，建了一个教区图书馆，遴选了三位行政委员就止步不前，我们那些朝圣的先民就是凭借这些东西在荒凉的岩石上度过了严冬。共同的行动是基于我们的制度之精神；我相信，由于我们的时代更为繁荣，我们的办法也多于那些贵族。新英格兰可以聘请世界上一切有识之士前来执教，为他们提供食宿，以此突破地域的拘囿。这就是我们所需要的特殊学校。我们无需贵族，但让我们建起高贵的村庄吧。如果必要，就在河上少建座桥，稍微绕些远路，无知的深渊环伺着我们，它更加昏黑，让我们至少在其上建起一座拱桥吧。

声音

但如果拘囿于书籍，哪怕是精选出来的最杰出的书籍，而且读的也全是用方言土语写成的某种特定的书面语，我们就仍然存在危险，忘记那种被一切事物和事件所使用的语言，那是一种不借助于隐喻的语言，只有那种语言堪称丰饶，可为标准。被公之于众的东西很多，但付梓刊行的不过寥寥。经百叶窗流入的光线，一旦百叶窗被撤，就不再被人们记起了。永远都要保持警觉，这是非常必要的，任何方法和原则都不能替代。无论怎样精选出来的历史、哲学或者诗歌课程，或者最佳的社会形态，最让人钦佩的生活常规，相比于永远关注着即将出现的一切，又算得了什么呢？你愿意只做个读者、做个学生，还是做个观察者呢？洞察你的命运，瞭望你的前方，然后迈步走向未来吧。

第一个夏季我没读书，忙着给豆地锄草。不，我通常所做的比这个还要高级。有时，无论做任何工作，我都不会牺牲掉当下的芳菲，不论是脑力工作还是体力工作。我喜欢为生活保有大块留白。夏日清晨，习惯性地冲过澡，我有时会在洒满阳光的门口坐下，从早晨坐到中午，沉浸在遐思之中，四周环绕着松树、漆树和胡桃树，静寂清幽，不受打扰，只有鸟儿在身边鸣啭，或者从房内无声地划过，直到太阳西斜，照上了西边的窗子，或者远处公路上传来了某位旅者马车的响声，我才意识到时间的流逝。

　　在那些季节，我像夜里的苞米一样成长，它们给予我的益处，远远强过双手的任何劳作。它们并非从我的生命中减去的时光，反而是我平日所得之外的津贴。我意识到何为东方人所讲的冥思和无为。大多时候，我并不介意时间如何流逝。时光向前推移，仿佛只是为了照亮我的某份工作；现在是早晨，哦，不，看啊，又是日暮时分了，有价值的事情还一件没干。我没有像鸟儿似的叫个不停，反而微笑地注视着自己一如既往的好运气。我门前胡桃树上的那只麻雀有自己的曲调，和他一样，我也有自己的轻笑或压抑的啁鸣，这些或者他在我的"巢"外也听得见。

　　日子于我并非是那些带有异教神祇印记的周一到周日①，也并非被切分出来的若干个小时，也不曾在时钟的嘀嗒声中备受研磨；我就像普里印第安人②那样生活，据说他们"用来表示昨天、今天、明天的是同一个词，在表达不同意思的时候，若手向后

------

① 英语中星期二、三、四、五的名称源自接受基督文明之前的北欧古老神话中几位神祇的名字，分别是战神（Tyr）、主神奥丁（Woden）、雷神（Thor）和爱神（Frigg）。
② 指位于巴西东部的一个印第安人部族。

指就是昨天,向前则是明天,指向头顶便是今天了"。①毫无疑问,在我的乡邻们看来,这种表达完全无效;但如果让我以此为标准称呼花鸟,我一定不会感到丝毫不便。诚然,一个人必须以自身区分时间。自然的光阴平静而从容,很少会指责某个人的怠惰。

为了寻找生活的乐趣,有些人只能外出,或者参加社交,或者去剧院。至少和他们相比,我的生活方式自有优势,生活本身成为我的乐趣,在它之中从来不缺少新奇的体验。它是一出多幕剧,从不落幕。的确,如果我们总是根据我们最后学的,但同时也是最好的方式谋生并规划我们的生活,就永远不会受到无聊的困扰。紧紧追随自己的天性吧,每个小时它都会向你展示崭新的前景。

家务是愉快的消遣。如果地板脏了,我就早早起来,把所有的家具搬到门外的草坪上,床铺和床架都堆在一起,然后将地板泼上水,撒上从湖里取来的白沙,用笤帚将它刷得洁白;等到村民们吃过了早饭,我的房子已经在晨光中晒得足够干爽,可以把家具搬回去了,而我的冥思却几乎从不曾被打断。看着所有的家当都摆在草坪上,堆得就像吉普赛人的行李堆,那张三条腿的桌子在松树和胡桃树中间立着,上面的笔墨书籍还没有挪走,这样的场景真是令人愉快。它们看起来很高兴待在外面,被搬回屋去反倒不乐意了。有时我禁不住在它们上面支起一张伞棚,自己也坐在下面。花上些时间,看着阳光洒在它们身上,

---

① 引自菲菲夫人的《女士环球旅行记》。

听着风儿绕着它们随意吹拂，感觉很值得；这些我们最为熟悉的物件，在户外的阳光下比在屋内要更为生动有趣。一只鸟儿落在邻近的树枝上，长生草在桌下生长着，黑莓的藤蔓绕着桌腿攀爬，松果、栗子的芒刺和草莓的叶子散布在四周。看起来这些事物正是以这样的方式转变成我们的家具的，成为桌子、椅子和床架——因为这些家具曾经就放在它们中间。

　　我的房子位于一面山坡上，紧挨着那片高大的林地，四周是年头不久的油松林和胡桃林，离湖有六杆的距离，沿着山坡有一条窄路通向湖边。在我前面的院子里生长着草莓、黑莓、长生草、狗尾草、黄花草、矮橡树、沙樱、蓝莓和落花生。五月底，沙樱（Cerasus pumila）开出精致的小花，在矮茎的周围形成伞状的花簇，装点在小路的两侧，到了秋天，花儿败落，矮茎上坠满了樱桃，颗粒饱满，色泽诱人，像光线一般向四面垂落下来。出于对大自然的感激，我品尝过它们，那味道实在难说好吃。房子四周的漆树（Rhus glabra）长得分外茂盛，沿着我修的路堤向上，第一季就长了五六英尺高。它那热带的鳍状阔叶虽然看起来奇怪，但也很是好看。晚春，貌似枯死的干树枝上突然生出巨大的苞芽，魔术般地长成优美的绿色嫩枝，直径就有一英寸；这些树枝长势迅猛，脆弱的关节不堪其负，有时我正坐在窗前，突然听见新嫩的树丫折断的声音，空气中没有一丝风，它却在自己的重负之下断裂了，像扇子一般跌落到地面上。那些开花时吸引了大批蜜蜂的浆果，在八月也逐渐染上了天鹅绒般的殷红，它们也被自身的重量压弯，折断了柔嫩的枝条。

　　这个夏日的午后，我临窗而坐，鹰隼在我房前的空地上盘旋；

野鸽有的三三两两地从眼前疾飞而过，有的则栖在屋后白松的枝丫上，不时跳来跳去，向天空发出一阵啼鸣；鱼鹰掠过波平如镜的湖面，向下啄出一弯涟漪，衔出一尾鱼来；一只水貂从我门前的沼泽偷偷溜出，在湖边捕获了一只青蛙；芦苇鸟飞来荡去，它们的体重压得莎草也弯了腰；最后的半个小时，火车隆隆驶过，载着乘客从波士顿来到这片乡间的地方，那声音一忽儿消失，一忽儿又再响起，好像鹧鸪在拍打着翅膀。我还没那般的避世远居，不像那个小男孩，我听说他被送到了镇东头的一户农民家里，但很快就又逃了回去，他想家想得不行，鞋跟都磨烂了。他从没见过那么沉闷、偏僻的地方，那儿的人都走光了，你甚至连哨声都听不见！我怀疑如今的马萨诸塞还有没有那样的地方——

> "事实上，我们的村庄成了靶子
> 被疾驰的铁路之矛射中，我们静谧
> 的平原上，回旋着它的慰藉声——康科德。"[①]

从我的住地往南一百杆左右，就是费茨伯格铁路与瓦尔登湖相接的地方。我常沿着铁路的底基进村，可以说，我以此作为纽带和社会相连。货运列车上的人们总要贯穿整条铁路线，他们常会碰到我，显然把我也当成了铁路线上的雇工，见了我像见了老熟人似的鞠躬致意。我也的确是名雇工，非常愿意在地

---

① 引自钱宁（E. Channing）著《瓦尔登湖的春天》（1849）。

球轨道的某段当一名养护轨道的工人。

不论冬夏，火车的汽笛都会穿透我的那片树林，那声音宛如雄鹰嘶鸣着掠过某户农庄的上空，提示着我很多不安分的城市商贾正进驻小镇周边，或者富于冒险精神的乡下商贩正从另外的方向赶来。他们来到同一片天地，向对方大喊着让出铁轨的警告，那声音有时能传遍两个镇子。乡村，你的杂货到了；老乡，你的粮食来了！没人单凭农场就能实现自给自足，从而对它们说不。但为此你需要付出代价！乡民的汽笛尖叫着，攻城槌那么长的木材以每小时二十英里的速度涌向城墙，住在城里的疲惫负重之躯终于有足够的椅子可坐了。乡村以如此繁复而笨拙的礼节，向城市递上了一把椅子。所有长着越橘的印第安人的山坡都被剥了层皮，满是蔓越橘的草坪也都被耙光运进了城。棉花运来了，织好的棉布运走了；蚕丝运来了，羊毛制品运走了；书运来了，写书的智者却被运走了。

当我碰见火车头引领着一组车厢行星般地驶离——或者更像彗星，因为它的轨道看不出是条回转的曲线，以速度和方向判断，观者也无法推测它是否会再次光临这个星系——它的蒸汽云像一面旗帜，形成金色或银色的烟圈飘浮在身后，就像我见过的许多绒羽般的白云，悬在高空，在阳光的映照下四散开来——好像这位行游的半神，这位逐云而行之人，用不了多久就会将夕阳染红的天际作为车厢的制服；当我听见这铁马雷鸣般的鼻息在群山之中产生了回响，大地在它的步履之下震颤，火焰和烟尘从它的鼻孔喷吐而出（在这新的神话之中，人们会注入何种飞马或火龙的形象，我无从得知），就感觉仿佛此时此刻地球终于获得了一个配得上定居于此的种族。如果一切就如同看起来那样，人类驯服了恶劣的气候，使之服务于高贵的目标，那该多好！如果悬在火车上方的蒸汽是开创英雄业绩时洒下的汗水，或者和浮荡在农田上的乌云一样有益，那气候和大自然本身必将兴高采烈地与人类同行，为人类服务，并化身为人类的护卫了。

我带着眺望东升旭日时同样的感受，注视着早班火车疾驰而过，和它相比，日出也不见得更加准时。火车开往波士顿，成串的烟尘在它身后拉伸，越升越高，直达天际，一时之间遮住了阳光，遮蔽了我远处的田地。这是一辆空中列车，相形之下，那旁边拥抱着大地的微小的火车车厢不过是长矛枪的倒钩。这个冬季，这匹铁马的马夫清晨早早地起了床，在群山之间映着星光为他的马儿喂草、套鞍。火也早早生起，好在他体内注入生命的热量，以便动身启程。这事儿做得这么早，如果同时还能无害，那该多好！如果积雪很深，他们便给他绑上雪鞋，用他那巨大的犁铧，从山脊到海边犁出一道犁沟，将不安分的人们和流动的货物像种子一般在田野上播撒。整整一天，这匹火马飞过田园，只在他的主人想要休息的时候停歇，如果他在远处的峡谷里遭遇了冰封雪覆的恶劣天气，夜半时分，他那踩踏声和挑衅般的嘶鸣，将我从睡梦中惊醒；只有映着清晨的星光，他才能回到马厩，还不曾休息或打盹，就要踏上又一段旅程。或者我也能在傍晚时分听见他从马厩里发出啸声，释放一天多余的能量，松弛他的神经，让肝脏和大脑得以冷静，然后享受几个小时"钢铁般"的睡眠。这个物件耐力持久，且不知疲倦，如果他能同样英勇无畏、威风凛凛，那该多好！

那些远在城镇边缘的树林人迹罕至，从前只有猎人才会在白天进入，而如今，当夜色最是漆黑浓重，这些灯火通明的车厢在镇里居民毫无察觉的情况下从林中疾行而过；这一刻它们还停在某市或某镇灯火辉煌的站台，站内聚集着大批的社会人士，下一刻它们已经驶入凄清的沼泽，让长耳鸮和狐狸大惊失色。如今，火车离站进站俨然成了村里一天的大事。它们来来去去，秩序井然，时间精确，汽笛声老远就听得见，村民们便依据它们来校准时间，一个运行良好的设施就这样调控着整个国家。自从铁路发明以来，难道人们没有变得更加守时吗？相比于在马车驿站，人们在火车站讲起话、想起事来难道没有更加敏捷吗？火车站的氛围里有种使人兴奋的东西。我惊讶于它所创造的奇迹；我曾经预言，我的某些邻居永远都不会乘坐这种快捷的交通工具去波士顿，可如今，铃声一响他们就在那儿等候着了。以"铁路风格"行事现今成了流行语；不论什么机构，都得频繁而郑重地警告民众远离铁轨。这种情况下自然不能停下来宣读《取缔暴动法》^①，或者在乱民的头顶上开枪。我们铸就了一种命运，那即是永不调转方向的阿特洛波斯^②。（以此命名你的机车吧。）公告上说，这些弩箭将在某时某刻射向罗盘上的某些特定

---

① 《取缔暴动法》（*The Riot Act*），英国法律，颁行于1715年，规定民众不得非法集会、扰乱治安，否则将先被宣读这项法律，继而治以重罪。
② 阿特洛波斯（Atropos），希腊神话中三命运女神之一，掌管死亡，负责切断生命之线。她的名字意为"不调转方向"。此处和上文的命运、下文的弩箭一样，喻指火车。

刻度；但它不会干扰人们办事，孩子们上学走的也是另一条路。我们的生活因为它而变得更加稳定。我们也由此被教育成了退尔①的儿子。空中满是不可见的弩箭。除了你自己那条之外，每条路都属于命运。那么，就沿着你的路走下去吧。

在我看来，商业的可取之处在于它的勇气和进取精神。它不拱手向朱庇特祈祷。我发现，这些人每天都是在以或多或少的勇气和满足感忙着自己的生意，他们甚至比预想的做得更多，比有意计划的做得更好。有人在布埃纳维斯塔②前线上坚持了半个小时，但这种英雄气概，并不比那些把铲雪机当作冬屋的人所表现出的持久而乐观的勇气更让我动容；他们不仅具有被拿破仑称为极其罕见的"凌晨三点钟的勇气"③，而且他们的勇气也不会极早歇息，只有当暴风雪沉睡了，或者他们铁马的筋脉都冻僵了，他们才会睡去。暴雪之日，早上，风雪多半仍在肆虐，寒气透入了人们的血液，火车寒瑟的呼吸形成厚重的雾障，车头发出被抑制的嘶鸣，宣告着列车的到来。新英格兰东北的暴雪已然使出了否决权，但火车并没有长时间延迟。我看见那些铲雪的人，身上蒙着雪花和冰霜，头部在铲雪板上方凝视着，被铲雪板推掉的，不仅有雏菊和田鼠洞，还有内华达山上那样的砾石，那种在宇宙表面占据一席之地的石块。

---

① 威廉·退尔（William Tell），瑞士民间英雄，曾被迫射击儿子头上的苹果。

② 布埃纳维斯塔（Buena Vista），美国和墨西哥战争期间的一个战场，美国在这个战场获胜。

③ 拿破仑·波拿巴（Napoléon Bonaparte）认为，人们在凌晨两点表现出来的勇气是"毫无准备的勇气"，极为罕见。梭罗的"凌晨三点"应为"凌晨两点"之误。

商业出乎意料地自信、沉静、机警、富于冒险精神，且又不知疲倦。它的一切手段都非常自然，远在许多异想天开的事业和感情用事的实验之上，所以能够获得非凡的成功。火车隆隆地从身旁驶过，让我感到振奋而舒阔；闻着那些被从长码头运到张伯伦湖的货物一路散发的气味，我想到了国外、珊瑚礁、印度洋、热带气候和辽阔的地球。那些棕榈叶，将在来年夏天戴在很多新英格兰人亚麻色的头发上，看到它们，还有马尼拉麻、椰子壳、旧帆船、黄麻袋、废铁和生锈的钉子，我越发感觉自己像个世界公民。这一车厢的旧船帆在现在看来，比把它们造成纸、印成书更好懂，也更有趣。试问比起这上面的裂缝，还有谁能那么活灵活现地描绘出它们所经历的风暴的来龙去脉？它们本就是无须修正的校样。这一车从缅因州森林运过来的木料，都是上次山洪暴发的时候没被冲走的，现在每千棵涨了四美元，因为有些已经被冲走或者开裂了；它们中包含松木、云杉、雪松，分成一、二、三、四等，但就在不久之前它们还毫无等级差别，同样在狗熊、麋鹿、驯鹿的头上摇曳。下一列滚滚而来的列车，装着上等的托马斯顿石灰，在被加工成熟石灰之前，它们还要经过重重山峦。这一车大包小包的碎布，颜色不一，材质各异，是棉、麻布料最卑下的境遇，是服装最终的下场——人们再也不会夸炫它们的图案了，除非是在密尔沃基①；这些明艳夺目的服饰，这些来自英、法、美的印染、格子或平纹布料，仿佛被从各地聚集在一起，不论是来自时尚之都还是贫寒之地，都将变成单色或者深浅不同的

----

① 密尔沃基（Milwaukee），位于美国中西部的威斯康星州。

纸张，那上面会依据事实，写或高贵或卑贱的真实的人生故事。这节密闭的车厢散发出咸鱼的味道，一股强烈的新英格兰味儿和商业味儿，让我想到了纽芬兰的大海滩和捕鱼业。谁能没见过咸鱼呢？为了这个世界，它被腌得透透的，再没什么能使它变质了，坚韧不拔的圣人在它面前也只能自惭形秽。你可以用它来扫大街、铺马路、劈柴禾，司机也可以把它放在他和货物上方，好遮烈日、挡风雨，商人生意开张的时候，则可以把它挂在门口——康科德就有商人这么做过——直到最后，就连他最老的顾客都说不清它究竟是动物，还是蔬菜或是矿物质。如果把它放在锅里煮，就成了一条美味的干鳕鱼，正好做星期六的正餐。接下来是一车西班牙牛皮，牛尾还卷着翘在后面，那角度和牛顶着这身皮在西属南美大草原上奔跑时的角度一般无二——这是典型的固执，表明秉性上的劣癖几乎是无药可救的。我承认，实事求是地说，一旦了解了别人真正的脾性，我就不曾奢望在目前的生存状态下使它变得更坏或者更好。正如东方人所说，"我们可以把一条野狗的尾巴加热、挤压，然后再用绳子绑上，但就这样保持了十二年，它还是会回到原来的形状。"对待这些尾巴所表现出来的那类痼疾，唯一有效的办法就是把它们制成胶，这样它们就黏在那儿不动了，我相信人们通常也是这么对付它们的。那件是一大桶糖浆，要不就是白兰地，是运给佛蒙特州卡廷斯维尔镇的约翰·史密斯先生的，他是格林山区的一个商人，进些货物卖给他驻地附近的农民。这会儿，他说不定正站在隔离墙上，惦念着这批刚到岸的货，想着它们会怎么影响他的价格，同时还告诉顾客们说，他料想下一列火车会给他运来些上等货，这话他在这天早上之前就已

125

经说了有二十遍了，广告都上了《卡廷斯维尔时报》。

就在这些货物被运进乡村的时候，另一些东西被运往城市。一阵嗖嗖的声音传来，我从书上抬起头，看见从遥远的北部山区砍伐下来的高大的松树，像长了翅膀似的经格林山地和康涅狄格州一路飞驰而来，在不到十分钟的时间内，箭一般地穿过小镇，几乎没再被别的什么人看到；它们即将

> "成为桅杆，矗立
> 在某艘大型军舰之上"

听！运牲畜的火车来了，在空中拉载着上千个山岭、羊圈、马厩、牛棚里的牲畜，还有拿着棍子的牧民，以及混在羊群中的牧童，除了山上的草场，火车上什么都不缺，它打着旋儿似的飞驰而过，像被九月的大风从山上涤荡而下的落叶。空中到处是牛犊的哞哞声和绵羊的咩咩声，还有牛群的推挤声，就仿佛一个放牧的山谷正疾驰而过。当走在前面的老头羊叮叮当当地晃响了铃铛，群山都跟着他跳跃，高的就像山羊，矮的则像羔羊。其中还有一车厢牧民，和他们的牧群处于同一高度，此刻已经没了职业，仍然须臾不离那已然无用的手杖，把它视作职业的标志。但是他们的狗在哪儿？对他们来说，这是场大溃退；他们被甩下了，找不到那气味儿了。我似乎听见他们在彼得伯罗山脉①的后面吠叫，或者在格力山西面的山坡上气喘吁吁。他

---

① 彼得伯罗山脉位于新罕布什尔州南部，和康科德接壤。

们不会出现在宰杀牲畜的现场。他们也失业了。此时他们的忠诚和机警也失去了价值。他们将灰溜溜地偷着跑回狗窝，或者变成野狗，跟狼和狐狸混在一起。你的放牧生涯也就这般飞逝不返了。可是铃声响了，我必须离开铁轨好让火车通过——

> 铁路对我有何意义？
> 我从来不曾跑去看，
> 它到哪里结束。
> 它填充几处洼地，
> 为燕子修岸筑堤，
> 它使沙尘扬起，
> 也使黑莓生长。

但我就像穿过林间小路一样穿过铁路。我不会让它的黑烟、蒸汽和嘶鸣遮蔽了我的双眼，或者伤了我的耳朵。

此时火车已经走远，整个不安的世界都随之远去，湖里的鱼群也不再感受到那隆隆的轰响。比之于平时，我更是孑然一身。在余下的这漫长的午后时光，除了远处公路上经过的车辆或马队那微弱的嚓嚓声，再也没有什么能够打断我的冥思。

在星期天，如果风向适宜，我有时会听见来自林肯、阿克顿、贝德福或康科德教堂的钟声，那声音微弱、甜美，有如天籁，很值得在这旷野上传扬。在森林上空足够远的地方，这些声音转变成嘤嘤的颤动，仿佛天地接合处的松针正是它所拂动的那张竖琴的琴弦。一切的声音，在距离的极限处听来都是同样的效果，即宇宙琴弦的颤动；这正如同介于中间的空气，将远处的山峦涂上了一抹蔚蓝，从而看上去更加悦目。此时传入我耳鼓的旋律，经过了空气的净化，曾和林中每一片叶子、每一枚松针交谈，属于那部分曾被万物吸收、调节，又继而回荡在山谷之间的旋律。在某种程度上，这回声也是原创的，自有其魔力和迷人之处。它不仅重复着钟声中值得重复的部分，还加入了些许树林的声音，与林中仙女日常的唱词和旋律一样。

傍晚时分，林地尽头视野极处牛儿的低鸣，听起来悦耳动听，起初我还以为是那些游荡在山谷、不时为我唱响小夜曲的行游诗人的歌声；但很快，那声音被拖长，成了牛儿们廉价的天然乐音，我有些失望，但并不觉得有丝毫的不快。当我说我明显感觉有些年轻人的歌声近似于牛的鸣叫，我其实毫无嘲讽之意，而是在表达我对他们歌声的欣赏，毕竟牛的叫声也是自然中的声音。

夏季里有段时间，当夜间火车驶过之后，夜鹰便会在七点半左右准时落在我门前的树桩上，或者飞上房子的屋脊，唱半个小时的晚祷曲。每天晚上，他们都根据具体的日落时间，在五分钟内开唱，准得跟钟表似的。我就这样得到了难得的熟悉他们习性的机会。有时我听见四五只夜鹰同时在林子的不同地方歌唱，偶尔一只会比另一只落后一小节。他们离我那么近，我不仅听得见每段旋律后面的叽喳声，也常会听到像苍蝇落到蜘蛛网似的那种嗡嗡声，只不过声音相应大些罢了。有时在林子里，某只夜鹰会在距离我几英尺的地方一圈圈地盘旋，好像被一根绳子拴住了，这时多半是我离他的蛋太近了。整个夜里他们的歌声都断断续续，只有在黎明之前或者黎明时分才重又婉转起来。

等其他的鸟儿都安静下来了，长耳鸮便接上了旋律，"呜—噜—噜"地发出了古老的叫声，像是女人的哀号。那叫声的确如本·琼生所描述的那般凄切。[①]他们就是睿智的午夜女巫啊！他们的叫声不同于诗人们朴质率真的"嘟耶—嘟呼"，反而属于最严肃的墓园哀歌，就好像一对自杀的恋人，在地狱的墓穴中忆起神圣的爱情所带来的打击和愉悦，彼此安慰；这并非玩笑。但我喜欢听他们的哀鸣，听他们以哀声唱和，沿着树林的边缘发出颤抖的音符；有时，他们的叫声会让我想起音乐和鸟儿的呜啾；他们的叫声仿佛是使人忧伤流泪的那部分音乐，那种希望被唱出的悔恨和叹息。他们是精灵，是卑下的精灵和忧伤的预兆，是曾以人形行走于大地、做过龌龊勾当的堕落的灵魂，如今，他们在犯罪现场，以哀号和挽歌赎罪。他们让我对我们共同栖居的自然是如何的丰富和包容有了新的认识。"噢—噢—噢—噢—噢——！我从未降生—生—生—生！"一只长耳鸮在湖的这边叹息，他因绝望而深感不安，盘旋着飞向灰突突的橡树，寻找着新的栖处。这时，在遥远的另一边，另一种长耳鸮以颤抖的真诚回应，"我从未降生—生—生—生！"接着，从遥远的林肯森林里又隐约传来"降生—生—生—生"的呼应声！

雕鸮也为我唱过夜曲。在近处听，你可以把那当作自然中最哀戚的声音，仿佛她想以这种方式将人类弥留时的哀吟定

---

① 典指英国文艺复兴时期著名诗人、剧作家本·琼生（Ben Johnson，1572—1637）的《巫女之歌》（*Witches' Song*）。

型，并永远保存在她的歌声中——那哀吟是人类脆弱的可怜遗迹，人们把希望留在身后，发出动物一般的号叫，但在人们啜泣着进入死亡之谷的刹那，某种悦耳汩汩之声^①使这号叫更其可怕——我发现，在试图模拟这种声音时，我首先想到了含有字母"gl"的单词^②——这哀号表现了在一切健康、勇敢的思想坏死的过程中，人的头脑已经到达了胶着、霉变的状态。它让我想到食尸鬼、白痴、疯子的号叫。但现在，一只鸮从远处的树林里做出回应，那声音因为距离而变得着实好听——呼，呼，呼，呼儿，呼；确实，不论白天还是晚上，夏天还是冬天，多数时候那声音只是让人产生了愉快的联想。

鸮的存在让我欣喜。就让他们来代替人类发出愚傻、癫狂的号叫吧。这种声音极适于沼泽和没有日照、光线昏暗的森林，使我们想起了那片广袤的尚未被人类认识的原始自然。他们象征着我们每个人都有的荒凉晦暗、未被满足的想法。整个白天，阳光照着某处荒芜的沼泽，云松披挂着松萝兀自挺立，幼鹰在空中盘旋，山雀在常青藤间呢喃，鹧鸪和山兔则藏来躲去；但现在一个更阴沉、适宜的晨曦已经开启，另一种不同的生物已经醒来，表达着自然的意义。

夜色更浓了，我听见马车从远处桥上驶过的辘辘声——在夜里，这声音几乎比其他一切声音都传得更远——还有狗的叫声，时而还传来远处牛栏里牛儿悻悻的哞叫。与此同时，牛蛙的号

---

① 据古希腊神话，地狱有冥河流过，此处应指冥河水声。
② 指表示"汩汩声"的"gurgling"一词。

角也响彻了湖岸，这些顽固的古老酗酒者的精灵啊，仍然不知悔改，竭力在他们的冥湖上传唱——把它称为冥湖，是因为瓦尔登湖里几乎没什么水草，却有不少青蛙，但愿幽居于此的水泽仙女们①能够原谅我这个比喻——尽管他们的声音严肃刻板，沙哑得像封了蜡一般，却仍一心要将古代宴席上欢闹的规矩保留，嘲弄着"欢乐"，葡萄酒也失了味道，变成了单纯让他们腹部鼓胀的饮品，甜蜜的醉意从未涌来，好淹没他们对过去的回忆，他们只是被浸透、充水，大腹便便。其中最具领导派头的那只青蛙，把下巴放在一枚心形的叶子上，就好像在滴着涎水的颌下垫了张餐巾；他在湖的北岸痛饮了一大口那曾遭蔑视的酒水，突然发出"特—尔—尔—尔—龙—克""特—尔—尔—尔—龙—克""特—尔—尔—尔—龙—克"的叫声，然后将酒杯传了下去；立刻，水面上传来了对口令的重复，远处某个水湾里一只地位和腹围都仅次于他的青蛙已把他的那份酒水吞饮而下；仪式绕着湖滨进行了一周，典礼官随后满意地发出"特—尔—尔—龙—克"的叫声，每只青蛙又依次重复，直到肚子最瘪、漏酒最多、肚皮最松的那只青蛙，中间没出一点差错；随后，杯子又一圈一圈地传递下去了，直至朝阳驱散了晨雾，最后只剩青蛙的族长还没醉得溜进湖里，仍在一遍又一遍地喊着"特尔龙克"，然后停下来，徒劳地等待着回应。

我不确定是否在林间的空地上听见过公鸡啼鸣，但要我看，哪怕只把他们作为歌唱的鸟儿，专门为了那音乐而养上一养，

---

① 据希腊神话，湖泽、山林都有仙女（nymph）栖居。

也很值得。这种印第安鸡原为野鸡，叫声在所有鸟类中最为出挑，如果无需圈养他们就能适应本地的气候，那他们的叫声一定会超过大雁的嘎嘎声和猫头鹰的号叫，成为林中最有名的音乐；还可以想象，"夫君"的号角一停，母鸡们咕咕的叫声也能填补这停顿的间歇！难怪人们要把他们驯养了——更何况还有鸡蛋和鸡腿呢。冬天的早晨走在林里，小鸟四处都是，这可是他们生于斯、长于斯的树林；野鸡在树上啼鸣，声音清脆而尖利，数里之内都有回响，淹没了其他鸟儿微弱的鸣唱——想象一下这样的情景吧！他会使各个民族保持警觉。谁还会不愿意早起呢？起得再早些，在他余下的生命里每天都更早一些，直到他变得无以言说的健康、富有和智慧？这种来自异域的鸟儿的鸣唱，和他们本族的鸟儿一道，受到了所有国家诗人的颂扬。一切气候均与勇敢的雄鸡相宜。他甚至比地产的鸟儿更本土化。他永远健康，肺力旺盛，精神从不萎靡。即使远在大西洋或太平洋上的水手，也被他的叫声唤醒；但他尖锐的叫声却从不曾把我从沉睡中唤醒。我没养狗啊、猫啊，或者牛啊、猪啊什么的，也没养母鸡，所以你可以说我这儿没多少家庭生活的声音；也没有搅乳器或纺车的声音，甚至也没有水壶的呜呜声、茶壶的嘶嘶声或者孩子们的哭声能给人以慰藉。在这种生活面前，一个老派的人要么会疯掉，要么就会死于无聊。甚至我的墙里连只老鼠都没有，都被饿跑了，再不就是从没被吸引过来——只有松鼠爬上了房顶或者钻到了地板下，夜莺则落上了房脊，蓝色的樫鸟在窗下尖声地鸣唱，兔子或者土拨鼠待在房下，长耳鸮或者猫头鹰则待在屋后，一群野雁或者一只笑叫着的潜鸟游弋在湖面上，还有狐狸在夜里发出吠叫声。甚至种植园里常见的温和云雀和黄鹂，也不曾光顾过我林中的空地。院子里听不见公鸡的啼鸣或母鸡咯咯的叫声。根本就没有院子！只有没有墙篱的大自然，一直延伸到你的窗台边。一片幼林在你的草甸下生长，野漆树和黑莓的藤蔓探进了地窖，结实的油松因为缺少空间挤擦着木瓦板发出嘎吱嘎吱的响声，它们的根则一直伸到房子下面。一阵狂风吹来，被吹落的不是煤斗或者窗帘，而是你屋后的一株松树被啪地折断，或者被连根拔起，成了燃料。在暴雪天气，并非没路通向前院的大门——根本就没有大门——也没什么前院——而是无路通往那个文明的世界。

独处

　　这是一个美好的夜晚，全身只有一个感觉，每个毛孔都浸透着喜悦。带着一份奇异的自由，我在大自然中徘徊，成为她的一部分。天气阴凉，乌云时现，微风轻拂，我只穿着衬衫，沿着满是石砾的湖岸散步，在我看来，没有什么能特别吸引我的注意，所有事物都没有什么分别。夜晚在牛蛙的鸣叫中降临，荡漾的微风送来了湖对岸夜莺的歌声。赤杨和白杨的树叶在风中摇曳，牵动了我的心神，让我屏息；我内心的宁静有如这湖水，涟漪轻泛而不起波澜。晚风中轻拍的水波，如同那平静的湖面，丝毫不见风暴的迹象。虽然天色阴沉，林中的风依旧吹着，发出呼啸声，湖面上浪花飞溅，一些动物嘶吼着以让其他动物平静。然而不可能完全沉寂，最凶猛的野兽尚未罢休，他们仍在寻找着猎物；狐狸、臭鼬、兔子，此刻在田野、林间自在地走着，毫无畏惧。他们是自然的守望者——是连接着活生生的白日的链环。

　　回到住处，我发现有客人来过，留下了他们的名片，或是花束，或是用常绿灌木编成的花环，不然就是用铅笔写在胡桃树叶或树枝上的名字。那些难得来一次林间的人，会采摘些森林中的小玩意儿一路把玩，随后又有意或无意地把它们留了下来。有人剥开了柳树细嫩的枝条，把它编成指环，扔在了我的桌上。我总是能看出我不在的时候是否有人来过，要么小树枝或者青草弯伏了，要么他们留下了鞋印；透过那些蛛丝马迹，比如一朵花，一把摘下又扔掉的青草，哪怕是被扔到了半英里以外的铁轨附近，或者萦绕不散的雪茄或烟卷味儿，通常我也会知道他们的性别、年龄和品性。不止如此，根据烟斗的味道，我也总能知道六十杆以外正有一个旅行者沿着公路走过。

我们周围的空间通常足够开阔。我们的地平线从不挨在肘边。茂密的森林或湖泊都不近在咫尺，开门所见的总是一块儿我们熟悉并经常踩踏的空地，被我们从大自然那儿侵吞，围上这样那样的墙篱，再开发利用。然而，究竟因为什么，这么一大片广袤的区域，好几平方英里人迹罕至的森林，被人们留给了我，任我独自享用？离我最近的邻居也有一英里远，如不是登上半英里外的山顶，无论从哪儿眺望，也看不见一栋房子。以树林为界，之内是我的视线所及；向远处眺望，一面是铁路向湖边延展，一面是林边公路的护栏。但大体来说，我住处的孤寂，如同处在大草原。这里是新英格兰，但也可以是亚洲或者非洲。我仿佛拥有自己的太阳、月亮和星辰，拥有一个完全属于个人的小世界。晚上，从没有旅者路过我的房子，或者敲过我的房门，就好像我是第一个或者最后的那一个人；除非到了春天，每隔很长时间，会有人从村子里过来钓鲶鱼——来瓦尔登垂钓，他们不过是垂钓自己的天性罢了，而黄昏则成了鱼钩上的诱饵——但很快他们就退去了，那鱼篓通常都轻飘飘的，将世界"留给了黑暗和我"①，那夜晚的精髓，从未被任何一个邻人亵渎。我相信，多数人还是有些怕黑的，哪怕巫师已经被绞死，基督教和蜡烛已经进入了我们的生活。

然而，我时常体会到，任何一件自然物都可以成为那种最美好、动人、纯洁而又最鼓舞人心的陪伴，哪怕对那些可怜的厌世者和最忧郁的人也是如此。一个人如果生活在自然之中，又感受力完备，就不会感受到阴沉的抑郁。耳朵纯洁健康，风暴便会消隐，那只是风神埃尔洛斯②的演奏。没有什么可以理所当然地迫使一个朴实而勇敢的人陷入庸俗的悲伤。当我享受着四季的厚谊，我便相信没有什么会让生活成为我的负担。温柔的雨水灌溉了我的豆地，也使我整天不得出门，但我并不觉沉闷或者忧伤，因为它对我也有诸多益处。雨水使我不能锄草，但其价值却大过除草本身。如果雨下个不停，种子都烂在了地里，低处的土豆也遭了殃，但它对高处的青草总有好处；有益于青草，也就是有益于我了。时而我会和别人比较，仿佛觉得我得到了神祇更多的恩惠，超过理所应得的份额；就好像众神手里有一张我的保单，而我的同胞却没有，所以我受到了特别的指导和庇佑。并非我自我夸耀，如果可能，倒是他们抬举了我。

---

① 引自英国18世纪感伤主义诗人托马斯·格雷（Thomas Gray）的《墓园挽歌》："The ploughman homeward plods his weary way/And leaves the world to darkness and to me.（农夫脚步沉重、疲惫地踏上归途/将世界留给了黑暗和我）"
② 埃尔洛斯（Aeolus），古希腊神话中的风神。

我从来不曾觉得孤单，或者受到了哪怕一丁点孤独感的压迫，除了那么一次。那是来林地几周之前，有那么一个小时左右，我心中产生了怀疑：想过一种安静、健康的生活，一定要附近没有居民吗？离群索居并非乐事。同时，我也意识到我的情绪有些失常，又隐约地觉得我能康复。这种思绪在绵柔的雨丝中蔓延，我突然意识到，在大自然之中，在雨滴的轻轻敲击中，在我住处周围的每一点声响和景观中，存在着多么惬意、多么有益的陪伴，一种央央无极、无以计数的友好情愫立刻像空气一般维系着我，使人所习惯的毗邻而居的好处不再重要，此后我再也不曾有过类似的想法。每一枚小小的松针都带着同感之心延展、壮大，和我成为朋友。我非常清楚地意识到，这里有些东西是与我血脉相连的，哪怕是那些我们习惯上认为蛮荒或凄清的景物，而血缘上与我最近、最富于人性的也并非一个人或者一个村民，由此，在我看来便没有陌生之地了。

> "不合时宜的哀恸将销蚀悲伤；
> 在生者的土地上，他们时日无多，
> 托斯卡尔的美丽女儿啊。"[1]

春天或秋天，风雨连绵不尽，人出不了门，整个下午都是，甚至连上午也是，风不停地低吼，雨不停地下，那之中有我最愉

---

[1] 引自奥西恩（Ossian）的诗篇《克罗玛》（*Croma*）。奥西恩为传说中的古凯尔特英雄，同时也是一位诗人。

快的时光。又或者一个早早到来的黄昏，带来了漫长的日暮时分，此时，我太多的思想有了时间扎根、伸展。当东北风裹挟着雨水，考验着村中的房子，女仆们拿着拖把和水桶站在门口，时刻准备着把雨水挡在外面；在我四处都是出口的小房子里，我坐在门后，彻底享受它的保护。

一次雷雨甚大，一束闪电击中了湖对岸一株高大的油松，从上到下留下了一大片规则的螺旋形凹痕，有一英寸多深，四五英寸宽，好像手杖上的刻痕。那天我又路过那里，抬头看见那刻痕，八年前，曾有一道可怕的、无可抵御的闪电从并无恶意的天空劈下，而今那刻痕比以往更加清晰，我油然而生一种敬畏之情。人们常对我讲："我想你在那儿一定很孤单，想离人们近点儿，尤其在雨雪天。"对于这些我会答道，我们所生活的地球不过是宇宙中的一点。想想看，在那边那颗星球上，即便两个相距最远的居民彼此又有多远呢？我们的仪器都量不出那星球的宽度。为什么我要觉得孤独呢？难道我们这颗行星不在银河系中吗？你讲的在我看来并非最重要的问题。什么样的空间才会将一个人和同胞们分割开来，使他倍觉孤单呢？我已经认识到，双腿的跋涉并不会拉近两颗心灵的距离。

我们最想住得靠近什么呢？一定不是人多的地方，车站呀，邮局呀，以及酒吧、会议室、校舍、商店、灯塔山、五点区等这些人群最密集的地方，而是我们永恒的生命之源。我们在全部经验中发现，生命就是从那里流出的。这就好比柳树要近水而生，向着水源的方向伸展着根须。生命之源会随着个性的不同而有所变化，但这里才是一个智者挖掘宝藏的地方……有天晚上，在瓦尔登的路上，我赶上了一位走在我前面的乡邻，据说他已经攒了一笔"可观的财产"——虽然我从没正眼瞧过——他正赶着两头牛往市场走，问我怎么会想到放弃那么多生活中的舒适。我回答说，我非常确定我很喜欢现在的生活；我没开玩笑。就这样，我回家睡觉了，剩他在那儿摸黑在泥泞中赶路，小心翼翼地前往布莱顿（Brighton）——或者说光明之城（Bright-town）——等他到那儿，估计天都亮了。

对于死者，只要存在苏醒或者复生的希望，地点和时间都无关紧要。能够使这种事情发生的地方，对我们的所有感官而言，永远都是不变的、无法言喻的愉悦。大多时候，我们只允许表面的、短暂的情景占据我们的时间。事实上，它们正是我们分心的原因。离万物最近的，是那创造了万物的力量。我们身边一直有最崇高的法则在起作用。离我们近的，不是那受雇于我们、又总让我们喜欢与之交谈的工人，而是一位匠人，我们都是他的作品。

"鬼神之为德，其盛矣乎！"

"视之而弗见，听之而弗闻，体物而不可遗。"

"使天下之人，斋明盛服，以承祭祀，洋洋乎，如在其上，如在其左右。"[1]

我们是一个实验的对象，而我对这个实验非常感兴趣。在这些情况下，难道我们就不能把那个家长里短的社会稍微放一下，用我们自己的思想自我鼓舞？孔子说得不错，"德不孤，必

[1] 引自《中庸》第十六章。

有邻"[①]。

通过思考，我们可以头脑清醒地跳出自己之外。通过心灵自觉的努力，我们也可以超然于行动及其后果之上；所有事物，不论好坏，都像急流一样从我们身边经过。我们并非全然深陷于自然之中，我既可以是溪水中的浮木，也可以是从天空中俯视着它的因陀罗[②]。我可以被一次戏剧表演打动，也能对似乎与我更相关的真实事件无动于衷。我知道自己是一个实实在在的人类个体，也可以说，是思想与情感融合而成的景观；我意识到我可以一分为二，并由此得以站在离我很远的地方，就好像我距离别人一样。不论我的经历多么强烈，我能觉察到另一部分我的存在，以及他对我的批评。他不是我的一部分，而是一个观察者，他不分享我的经历，而是对之进行记录。他不是我，就如同他不是你。当生活的戏剧谢幕——那可能是个悲剧，这个观察者也就离场了。在他看来，人生不过是一场虚构，仅仅是想象力的作品而已。有时，这种双重自我使我们很难成为好邻居或者好朋友。

我发现，大多时候独自生活都是有益的。而与人为伴，哪怕是最优秀的人，也很快变得乏味、空耗精力。我喜欢独自生活。我从没发现比独处更好的伙伴。随众人一起出游相比于一个人待在家里，前者往往更让我们孤独。如果一个人在思考、工作时总是孑然一身，那就任他去吧。孤独并非以一个人和他的同胞之间

---

① 引自《论语·里仁篇》。
② 因陀罗（Indro），印度教的主神，掌管空气、雷雨、土地及战争。

的空间距离来衡量。剑桥大学拥挤的宿舍里的勤奋学子和沙漠里的托钵僧一样孤独。农民在田里、林间除草、伐木，独自忙了一整天也不觉得孤独，因为他有事儿可干；而晚上回到家，他却必须待在"看得见同伴"的地方消遣一番，他以为这是孤独了一整天的犒劳；所以他理解不了学生怎么能独自在房间里待了整晚和大半个白天却丝毫不觉得无聊和郁闷；他不曾意识到，虽然待在房间里，但和他一样，学生也是在自己的土地上耕耘，在自己的森林里砍伐，所以一样寻求娱乐和社交，只不过形式上更加浓缩罢了。

社交往往没多大价值。我们没隔多久就要聚一下，还来不及获得什么新的价值跟对方分享。每天吃饭我们就要碰面三次，也只能让对方再尝尝我们这些发了霉的奶酪有了什么新味道。我们必须就一系列的规则达成一致，将之称为礼仪、礼貌，好使这种频繁的会面容易忍受，或者不致引发战争。我们在邮局、社交场所相遇，或者每晚围坐在壁炉前；我们住得稠密，彼此妨碍，互相绊脚，我想正是因此我们失去了对彼此的尊敬。减少会面的频率，一定可以满足所有重要的、知心的交流。想想那些工厂女工吧——她们就不曾孤独，哪怕是在梦里。最好一平方英里内只有一个居民，就像在我生活的地方。人的价值并不在于他的皮肤，我们不必非触得到他才行。

我曾听说，有个人在森林里迷了路，又累又饿，奄奄一息。他倒在了一棵树下，因为体力虚弱而被一种病态的想象环绕，他从中看到了怪异的幻想，竟信以为真，内心的孤独由此得以缓解。所以，因为具备身体和心灵上的健康和力量，我们也可以持续受到一种相似的、但更健康和自由的陪伴和鼓舞，进而渐渐认识到我们并不孤独。

我的房子里有大量的东西可以引以为伴，尤其是在无人拜访的早晨。让我稍作一番比较吧，或许能说明我的状况。我并不比湖里那只高声鸣叫的潜鸟孤单，也不比瓦尔登湖更寂寞。请问，那孤独的瓦尔登湖可有伙伴？可是，它那蔚蓝的水波里并没有蓝色的魔鬼出没，而只有蓝色的天使。太阳也是孤单的，除非云层厚密，它也仿佛现出了重影，但总有一个是虚幻的。上帝是孤单的——而魔鬼却从不孤单；他总看得见一大群伙伴，那是一个团伙。我也不比草原上那株孑然一身的毛蕊或蒲公英寂寞，不如一片豆叶、一株酢浆草、一只马蝇或者一只黄蜂孤单。我的孤单超不过磨坊溪，或者风向标、北极星、南风、四月的阵雨、一月的融雪，以及我新房子里的第一只蜘蛛。

在漫长的冬季夜晚，当雪花飘洒、林风呼啸，我偶尔会有客人来访。那是这里的老住户，这里最早的业主，据说他为瓦尔登湖挖过淤泥，砌过石岸，在湖边栽种过松树。他给我讲过去的故事，或者关于"永恒"的新故事。就算没有苹果或苹果酒，我们也能共度一个愉快的夜晚，这其中既有交友之乐，也有愉快的观点交换——这是一位最睿智、最幽默的朋友，我非常爱戴，他行踪隐秘，比格夫和威利 ① 还有过之；人们认为他已经离世，但却没人说得清他葬在何处。我附近还住着一位老妇人，大多数人都难得见到

---

① 威廉·格夫（William Goffe）和爱德华·威利（Edward Whalley）均为英国内战时期克伦威尔手下的将军，参与审判查理一世并对其行刑，后逃往美国。二者还是翁婿。

她。有时，我喜欢到她的草场散步，收集些药草，也听她讲讲故事。她天赋的丰富异乎寻常，她的记忆能延伸到比神话还久远的过去，她能告诉我每个传说的起源，以及基于什么史实，因为这些事都发生在她年轻的时候。老妇人面色红润，身体硬朗，任何天气、任何季节都精神抖擞，或许会比她的孩子们还要高寿吧。

如此无以言喻的自然之纯真与友爱啊——来自那太阳、那风、那雨，以及夏季和冬季——它们又赋予我们多少健康、多少欢乐！它们对我们人类是那么富有同情心，如果有人悲伤，而且理由正当，整个自然都会深受触动，太阳不再明媚，风发出人一样的叹息，乌云坠雨如泪，森林落叶萧萧，正值仲夏也身着孝服。难道我不该与大地声息相通吗？难道树叶和蔬菜没有部分地塑造了我的身体吗？

什么才是那保障了我们健康、安宁和满足的药剂呢？并非你我曾祖父的老药方，而是我们的曾祖母大自然那万能的植物方剂，她用以永葆青春，比那些老帕尔①还长寿，植物消弭了自己的丰腴之姿，却滋养了她的健康。我的灵丹妙药，可不是采点儿冥河和死海的水混起来，装在骗人的小瓶子里，再从那种常见的被用来运送的又长又浅、黑帆船似的货车里拿出来。还是让我大吸一口货真价实的清晨的空气吧。清晨的空气！如果人们尚不肯在一日的源头处啜饮它，那我们为什么还要为了世界上这些已经失去了清晨预订票的人，把它装在瓶子里，放到商店出售呢？请记住，

---

① 托马斯·帕尔（Thomas Parr），15、16世纪英国人，据说活到152岁，因此常被称作"老帕尔"。

就算放在最阴凉的地窖里，它也保存不到正午，在那之前它就会冲出瓶塞，向西一路追随曙光女神的脚步了。我并不崇拜海吉雅①，她是老草药神埃斯科拉庇俄斯②的女儿，在雕像中，她一手握着蟒蛇，一手拿着蟒蛇喝水的杯子；我崇拜的是青春女神赫柏，那个朱庇特的执杯者，她是朱诺和野莴苣的女儿，具备让神和人恢复青春活力的神力。她多半是唯一一位曾在地球上行走的健全、健康而又健壮的青春女性，她走到哪里，哪里就是春天。

---

① 海吉雅（Hygeia），古希腊女神，掌管健康、清洁和卫生。
② 埃斯科拉庇俄斯（Asclepius），古希腊医神，手执蛇杖。

访客

　　我想我和大多数人一样喜欢交际，一旦有血气方刚的人出现在我面前，我就像吸血的水蛭，时刻都有可能吸附在他身上。我并非天生的隐士，但若有必要，我很可能在酒吧待到最久坐的那位常客都出了门。

　　我的房间里有三把椅子。一把用以独处，两把用来酬友，三把就是用来社交了。如果客人多得超过了预期，那就只能一起共享那第三把椅子了，但他们通常选择站着，以节省空间。一间小屋容纳了那么多男男女女重要人物，也颇可称奇。曾经有二十五个或三十个灵魂连同他们的肉身一同出现在我的屋檐下，但分开的时候，我们常常不觉得彼此曾挨得过于拥挤。我们的很多房子，不论是公家的还是私人的，对里面的居民而言都大得浪费。里面的房间几乎多得数不清，厅堂也超大，还有用来放酒和和平时期其他储备的地下室。它们那么宽敞，那么华丽，相形之下，居民则不过是些寄居于其中的害虫。特里蒙特、阿斯特、米德赛克斯等大酒店前，当侍者发出通报，我惊讶地发现不是房客，而是一只滑稽的老鼠从游廊上小心地窜过，旋即迅速地钻进人行道上的老鼠洞里。

我有时也会感到，这么小的房间的一个不便之处，是当我和客人都开始用些大字眼表达宏大思想的时候，彼此之间很难拉开足够的距离。你希望你思想的航船到达港口之前能有足够的空间在航道上跑一两程。而你思想的子弹也必须先克服侧斜和回弹，才能落入最终那稳定的轨道，到达听者的耳朵，否则它就会沿着听者脑袋的侧面划过。此外，我们的句子也需要空间，在其间铺展并形成自己的方阵。和国家一样，个人之间也需要划定适当的、宽广而自然的边界，甚至可以是面积不小的中间地带。我发现，隔着湖和对面伙伴的交谈极为奢侈。但在我的房子里，我们距离那么近，却开始听不见彼此——我们无法将音调降得足够低，好让彼此听见；这就好像你往水里扔了两块石头，只是它们距离太近，破坏了彼此的涟漪。如果我们只是些喋喋不休高谈阔论的说客，彼此站得这么近，脸颊贴着下颌，听得见对方的呼吸，那倒也没什么；但如果我们说话含蓄，需要深思熟虑，则希望彼此有些距离，好让那些动物式的体热和潮气得以蒸发。如果我们想享受彼此间那份无须言说或超越于言说之上的亲密，则不得不沉默，而且通常还得拉开身体上的距离，好无论怎样都不可能听见对方的声音。根据这个标准，语言是为了方便那些听力不好的人；但有很多美妙的事物我们反倒无法高声说出。所以，当谈话的语气变得崇高而宏阔，我们就将椅子逐渐推远，直到挨上两个相对的墙角，那时空间就不够用了。

我"最好"的那间房，也即我的退隐处，是我房后的松林。那里浓荫蔽日，阳光从来不曾照上地面。夏季，当贵客来访，我就带他们去那儿，一位分文不取的家佣早已为我们清扫了地面，除去了家具上的尘埃，让一切变得井然有序。

如果来客只有一个，有时就会和我一起吃顿简餐。聊天的同时拌个速食布丁，或者看着面包在火上烤熟，也不至于分心。不过，如果坐在我房里的客人达到了二十个，就算我可能还有些面包，足够两个人吃，也没人会提吃饭的事，好像那个习惯已经被抛弃了，我们都很自然地开始节食。这并非有悖于待客之道，而是最恰当、最合理的做法。物质生命的耗损和衰退通常是需要补充的，但在这种情况下也奇迹般地放缓了，生命的活力守住了阵地。我可以用这样的方式款待二十人，也可以款待一千人。如果有人发现我在家，结果却饿着肚子失望地离开，他们至少可以这样想：我起码分担了他们的心情。虽然很多管家理事的人未必同意，但建立新的、更好的习俗取代旧习俗，其实非常容易。你不需要将名誉建立在你所提供的餐食上。拿我来说，使我不再常去拜访某人宅邸的，往往不是"地狱看门狗"，不论它是什么品种，而是主人为款待我而张罗的盛大宴席，在我看来那就是礼貌而委婉的暗示，让我永远不要再麻烦他们。我想我绝不会再次拜访那些地方。我的一位客人在一枚黄核桃叶上写下了几行斯宾塞的诗，作为卡片送给了我，我很骄傲地把它们作为了我居室的箴言：

　　"他们到达，挤满了小屋，
　　不找乐子，那儿本来也没有；

休息是他们的盛宴，一切都很遂愿：
　　　最高贵的心灵最容易满足。"[1]

　　后来担任过朴次茅斯总督的温斯洛，当年曾跟一个同伴一起去参加印第安酋长马萨索伊特的仪式。他们步行穿过树林，到达酋长驻地的时候又累又饿，酋长很热情地接待了他们，但对吃饭的事只字未提。到了晚上，用他们自己的话来说："他安排我们和他们夫妻同睡一张床，他们在这边，我们在另一边。而所谓的床，不过是在距地面一英尺高的地方放了些木板，上面再铺上一张薄薄的席子。因为没地方，他们另外两个头领只能挤在我们旁边，甚至压到我们身上；所以，比起长途跋涉，这住宿更让我们疲惫不堪。"第二天一点，马萨索伊特"带来了他捕杀的两条鱼"，有三条鲷鱼那么大。"鱼被煮上了，至少有四十个人等着分上一份；多数人都吃到了。一天两夜的时间，这是我们唯一的一顿饭。如果不是我们中有人买了只鹧鸪，就只能空着肚子上路了。"他们不仅没怎么吃东西，而且因为"野蛮人"那粗野的歌声（他们有唱着入睡的习惯），睡眠也不足。他们担心路上头重脚轻，希望趁着还有力气赶快到家，就动身离开了。说到住宿，对他们的招待确实不怎么样，但让他们感到不便的地方，无疑本也是出于尊重；但饮食方面，我就看不出印第安人怎么做才能更好了。他们自己都没什么可吃，也明

---

[1] 引自英国文艺复兴时期诗人埃德蒙·斯宾塞（Edmund Spenser, 1552—1599）《仙后》第一卷。

智地认识到对于客人来说道歉可以代替食物；所以他们勒紧了裤腰带，绝口不提吃饭的事儿。温斯洛再去拜访他们的时候，正是物资丰富的季节，在这方面就没有短缺了。

说到人，哪儿都不愁没人。住在森林里的这段时间，我接待的客人比我生命中任何其他时期都多；我是说我还真有些客人。我在那儿见到的几位，碰面的环境好过在其他任何地方。来看我的人很少是为琐事而来。从这点来看，从这儿到城里的距离反倒成了一道屏障，帮我过滤了往来的伙伴。目前我所孤独隐居的大海，社会的河流已注入其中。但从个人需要的角度出发，多数情况下，只有那些最好的沉淀物才落在我的周围。另外，地球另一边一些未被开发、尚未开化的大陆的证据也漂荡了过来。

今早到我小屋来的是一个真正荷马式的或帕夫拉戈尼亚人一般的人物——他的名字恰当而富有诗意，但很抱歉我不能写在这里——一个加拿大人，伐木，做桩子的，一天能挖五十个用来立桩子的坑洞。他上一顿晚餐吃的就是他那只狗抓到的一只土拨鼠。尽管他可能好几个雨季都读不完一本书，但听说过荷马，觉得"要是没书的话"，还真"不知道下雨天该干点儿什么"。在遥远的他家乡的教区里，几个会讲希腊文的牧师曾教他读过《圣经》中的诗篇。现在，他手拿着书，我则必须为他翻译：阿喀琉斯因为帕特洛克罗斯面带愁容而责备他道——"你干吗哭哭啼啼，帕特洛克罗斯，像个小姑娘？"——

"还是你独个儿从弗提亚那听到了什么消息？

他们说阿克托的儿子门诺提乌斯仍然活着

阿尔克斯的儿子佩勒乌斯也活着,在密尔弥多涅人那儿,

不论他俩谁去世,我们都会非常悲伤。"[1]

　　他说:"好诗。"他腋下抱着一大捆白桦树皮,这是他星期日早上替一个生病的人采的。"我想今天[2]做这样的事儿毫无害处吧。"他说道。尽管他并不清楚这些作品的内容,但在他看来,荷马是个伟大的作家。很难找到更质朴、更真实的人了。邪恶和疾病给世界投上了严肃的道德色彩,可在他看来,这一切都算不了什么。他大约二十八岁,十二年前就离开了他父亲的家,开始在美国工作,想挣钱最后买个农场,也许回他的祖国之后吧。他是在最粗糙的模子里锻造出来的;身体健壮而迟缓,气度却很优雅,脖子很粗,晒得黝黑,一头浓密的黑发,一双不太有神、睡意蒙眬的蓝眼睛,偶尔也目光炯炯、表情丰富。他戴着灰色的平顶帽,身上羊毛色的大衣有些脏,脚上是一双牛皮靴子。他特别能吃肉,常把饭装在锡桶里带着,到离我的房子几英里远的地方干活——他砍伐了整个夏天了;他带的是冷肉,多是土拨鼠肉,还在一个石壶里装上咖啡,用绳子挂在腰带上;有时他也请我喝一口。他总是过来得很早,从我的豆圃上穿过,但并不急着去工作,一副北方佬的做派。他不想累伤了身体。就算挣的钱只够吃住,他也并不在意。如果他的狗在路上逮到

---

[1] 引自荷马史诗《伊利亚特》。阿喀琉斯和帕特洛克罗斯均为书中的人物,二者为好友。
[2] 指星期日。在虔诚的宗教文化里,星期日为礼拜日,亦称"主日",人们应减少甚至停止其他活动,去教堂礼拜上帝。

了土拨鼠，他常常会把食物放在灌木丛，然后跑一英里半路回去，把它收拾干净，放进他住处的地窖里，但这样做之前他总要先想上半个小时，忖度一番他能否把土拨鼠浸到湖里，在那儿安全地放到天黑。早晨他路过的时候会说："鸽子很多呀！如果我的职业不是每天都得干活，光捕捕这些鸽子、土拨鼠、兔子、鹧鸪，就够我吃肉的了。——天啊！只一天我就能搞定一周所需的肉。"

他是一个熟练的伐木工，热衷于在这门手艺上弄出些花样。他伐树的时候贴着地面平砍，这样再抽出的新枝就可能更苗壮，雪橇也能从树桩上过去；他不是在整棵树上拴根绳子把它拽倒，而是把它砍到只剩最后一层薄片，最后用手就能推倒。

我之所以对他感兴趣，是因为他非常安静、独来独往，还总是乐呵呵的，眼神里透着一副好脾性和满足感。他的欢乐没有丝毫杂质。有时我看见他在林子里工作，把树放倒，他会用一种无法形容的满足的笑和加拿大腔的法语和我打招呼，尽管他英语讲得也不赖。等我走近了，他就会停下手里的活儿，半压抑着高兴的心情，顺着他刚砍下的松树干躺下，扒下里层的树皮，把它卷成卷，一边说笑一边咀嚼。他有着动物般旺盛的精力，听到了使他思考或惹他发笑的事儿，就会倒在地上笑得打滚。他会看着周围的树林声感叹："真的啊！在这儿砍砍树我就够高兴了；我不需要什么更好的娱乐。"时而闲下来，他就拿着把手枪，每走出相同的距离就鸣枪向自己致意，就这么在森林里待上一整天，自得其乐。冬天，他生起火堆，中午时把咖啡壶放在上面热热；他要是坐在木头上吃饭，有时就会有山雀飞来，落在他的胳膊上，啄食他手上的土豆；他说他"喜欢这些小家伙在身边"。

他身上主要发展的是人的生物性特征。就身体的耐受力和满足感来说，他是松树和岩石的亲戚。有次我问他，干了一天的活儿，到了晚上是不是也有累的时候。他神情认真而又严肃地回答："上帝作证，我这辈子就没觉得累过。"但所谓的智力、精神层面的人，在他体内就像在婴儿体内一般沉睡着。他所接受的唯一教育，是以天主教牧师教导土著居民的方式进行的，既不纯粹，也没效果，这种教育除了教给孩子们一定程度的信任和尊重之外，根本无法达到启智开蒙的作用；接受了这种教育，孩子们没有成熟为人，反而被束缚停留在童年。大自然在创造他的时候，给了他强壮的身体和对命运的满足，再以敬畏和信赖构成他各个方面的支撑，使他能孩子似的过完他的七十岁人生。他那么质朴，毫不世故，以至于你根本不必介绍他，就像你不必把土拨鼠介绍给你的邻居。他们必须跟你一样自己去发现他。他从不装腔作势。人们为他的劳动付给他报酬，使他能够有吃有穿；但他从不和人们交换想法。他如此质朴，天生的谦卑——如果无所追求也可以称作谦卑的话——以至于谦卑已经不是他明显的特质了，他自己都觉察不到。对他来说，聪明人就是半个神仙了。如果你跟他讲有位这样的人士要来，他表现得就像这么隆重的事儿不可能指望他什么，一切自有进展，还是让他被遗忘吧。他从没被表扬过，他尤其敬重作家和牧师，认为他们的所作所为都是奇迹。

我跟他说我也写了不少东西，但很长时间以来他都以为我指的不过是写字而已，他的字就写得非常不错。有时我会在公路边的雪地上看到他故乡教区的名字，字体漂亮，带着准确的法语重音，便知道他从这儿走过。我问他有没有想过写下自己的思想。他说，他曾经替那些不识字的人念过信，也写过信，但从没试过把自己的思想写下来——不，他做不到，他不知道该先写什么，这会要了他的命，况且同时还得注意拼写。

我听说一位著名的智者、改革家曾经问他是否希望世界有所改变。他并不知道有人已经对此做过考虑，惊讶地笑了笑，用他的加拿大腔回答道："不，我觉得够好了。"如果一个哲人跟他交往，一定会得到很多启示。在陌生人看来，他对一般的事都一无所知，但有时我也在他身上看到一个我所不认识的人，竟不知道他究竟是如莎士比亚一般睿智，还是和孩子一样无知，是富有极佳的诗性感受力呢，还是冥顽不灵？镇里有人说曾见他戴着那顶又小又紧的帽子在村里闲逛，还信口吹着口哨，那场景让他想起了便装出行的王子。

他仅有的书是一本年历和一本算术，对后者还相当精通。在他看来，年历类似百科全书，其中包含了人类知识的概要，在相当程度上也确实如此。我乐于试探他对当今各种改革的看法，他无一不以最朴素、实际的眼光看待。而此前他对这些闻所未闻。我问，你可以没有工厂吗？他说，他以前就穿自制的佛蒙特灰布衣服，也很好啊。那你离得开茶和咖啡吗？他说，除了水之外，这个国家难道还供给别的饮品吗？他曾把铁杉树的叶子泡水，觉得天热的时候比水好喝。当我问他没钱成不成的时候，他说明了钱带来的便利，那表述不仅让人想起而且也契合于有关金钱起源最具哲学性的解释，以及"pecunia"①一词本身的演变。他认为，假设他的财产是一头牛，而他希望得到商店里的针和线，如果每次都相应地抵押牛身体的某个部位将很不方便，也不现实。他为很多机制所做的辩护，和任何一位哲学家相比都更加有效，因为他从它们相关于自身的角度进行描述，指出了这些制度得以流行的真正原因，他就不曾设想过别的原因。有一次，他听说了柏拉图对人的定义——没有羽毛的两足动物，还听说有人展示了一只拔了毛的公鸡，叫它"柏拉图式的人"，他认为这之中的一个重要区别在于膝盖弯曲的方向不同。

有时他会喊道："我多么爱讲话啊！天啊，我可以讲上一整天！"有一次隔好几个月不见，我见面后便问他那个夏天有没有什么新想法。"上帝啊，"他说，"如果一个人必须得像我这样工作，还没忘记以前的想法，那就做得很好了。没准和你一起锄地的人想要比赛呢；那样一来，天啊，你的心思必须在那儿；你得想着那些杂草。"这种时候，他时而也会先问我有什么进展。某个冬季的一天，我问他是不是一直对自己很满意，想趁机建议他用一种内在的东西代替外在的牧师，并找到某种更崇高的人生目标。"满足！"他说，"有些人因为这事儿满足，有些人因为那事儿满足。如果一个人拥有的足够了，也许会满足于整天后背对着炉火、肚子冲着桌子，真的！"但是，不管我用什么办法，始终不能让他从精神的角度看待事物；似乎他能想到的最高层面就是纯粹的便利，和你期待动物们所能理解的差不

---

① 拉丁文，本意为"牛"，后用以表示"金钱"。

多；而实际上，大多数人都是如此。如果我建议他在生活方式上做出任何改变，他只是回答说"太晚了"，但并不表现出任何遗憾。然而，他完全信奉诚实以及其他类似的美德。

在他身上可以发现一种积极的创造力，尽管有些微弱。偶尔我发现他在独自思考，还发表自己的观点。这种现象非常罕见，所以不论什么日子，我都愿意走上十英里去观察，那相当于重新追溯了许多社会制度的源头。虽然他会犹豫不决，甚至表述不清，但那背后所蕴含的思想值得分享。不过，那些还只是他初步的想法，而且浸润在他那动物性的生活里。正因如此，相比于一个除了博学再无所长的人，尽管他的思想更有前途，也极不可能成熟到可以被记载、报道的程度。然而，他表明生活的最底层也可能存在天才，尽管他们永远身份卑微，没有学识，但一直都持有自己的观点，或者不会故作无所不知；尽管他们肤色黝黑，满是泥浆，但就像人们眼中的瓦尔登湖，深不见底。

许多旅行者绕道过来看我和我房间的布置。作为借口，他们会讨杯水喝。我跟他们说我喝的就是湖水，并指着那边的湖，提出可以借他们一个长柄勺。尽管住得偏远，但到了每年人们开始走动的时节，我想约从四月一日起吧，我也免不了被拜访；虽然来访者中不乏想要猎奇的怪人，但我的运气还算不错。有些智力低下的人从济贫院或别的地方过来看我，我就尽力让他们调动全部智慧，和我坦诚交流；这时，我们的话题就围绕智慧展开，我也由此得到了报偿。的确，我发现他们中有些人比所谓的"贫民监察官"和镇行政委员更有智慧，我想是时候让他们彼此换换位置了。

说到智慧，我发现愚笨和聪明之间并没有太大分别。一天，一个不惹人厌但头脑简单的穷人来看我。过去我常见他和别人一起被当作栅栏，在地里或者站着，或者坐在一个一蒲式耳那么大的容器上，防止牛群或他自己走失。他说想像我那样生活。他用极其质朴、真诚，大大超过或者说低于任何可以被称为谦卑的态度告诉我，他"智力低下"。这是他的原话。上帝把他造成了这样，但他相信上帝对他和对别人同样在乎。"我一直这样，"他说，"从小的时候；我从来都没什么头脑；我和别的孩子不一样；我的智力弱。我想这是上帝的意志。"他就在那儿，证明着他的话。对我来说他是一个哲学上的谜。在我们这片充满希望的土地上，我从来没有碰到一个他这样的同胞——所有他说的话都如此质朴，如此真诚，而且真实。真的，他越是表现得谦卑，就越崇高。起初我还不曾意识到，但这是明智的结果。似乎以这位贫穷而智力低下的人的真诚和坦荡为基础，我们的交流会胜过圣人之间的交流。

　　我还有一些客人，通常并不算镇上的穷人，但他们应当是穷人；无论如何，他们是世界上的穷人。他们并非要得到你的款待，而是你的救济；他们热切地渴望帮助，但一开始就表明，首先，他们决定不再自己取食了。我要求一位客人不能真的饿着肚子，尽管他可能拥有世界上最好的胃口，不管这胃口是怎么形成的。人们不知道他们的访问该什么时候结束，尽管我又开始忙自己的事儿，对他们的回答也越来越心不在焉了。迁徙的季节，各种智力水平的人都来拜访我。有些人智商不低，却不知道怎么用；有些是逃跑的奴隶，带着种植园的行为习惯，就像寓言故事里的狐狸，不时要听一听，仿佛听见了远处的猎狗正沿着他们的足迹追踪，然后恳求地看着我，好像在说——

"啊基督徒，你会把我送回去吗？"

其中有一个真正的逃跑的奴隶，我帮他向北极星的方向逃去。一个人如果脑子里只有一个想法，他就像带了一只小鸡的母鸡①，甚至有可能还是只小鸭；而脑子里有上千个想法的人，就好像那带了一百只小鸡的母鸡，小鸡们追逐着虫子，每天还会有二十只在晨雾中走失——结果母鸡变得羽毛卷曲，肮脏不堪；人依赖于思想，而不是依赖于脚，不是一种高智商的蜈蚣，追着你到处跑。有人建议我备个签名册，来访的客人都可以写上他们的名字，就好像在怀特山②那样；但是，天啊！我记性太好了，根本无需这个。

我不能不注意到访客们的一些特性。通常女孩、男孩以及年轻女士们看起来很喜欢待在树林里。他们看看湖水，赏赏花朵，时间过得很愉快。生意人，甚至农民，则只想到了孤独，想着他们的活计，以及他们的住处离这儿或那儿有多远；虽然他们也说喜欢偶尔来林子里散步，但显然事实并非如此。不停地忙着的人们，其时间都被"获得某种生活"或"保持某种生活"占据；谈

① 这里套用的是一个英语成语"like a hen with one chicken"，表示小题大做，或大惊小怪。只带了一只小鸡的母鸡必然会过分关注。
② 怀特山（the White Mountains），美国阿巴拉契亚山脉的一部分，位于美国东部，主要山峰均以美国历届总统的名字命名。

论着上帝的牧师，好像很享受把这个话题大包大揽下来，无法容忍五花八门的意见；医生、律师、那些趁我不在窥探过我的柜子和床的不安分的管家婆——不然某某夫人怎么知道我的床单不如她的干净？——不再年轻的年轻人，因为他们已经得出结论，在职业上，走别人走过的路才最安全——所有这些人都说，处于我这样的位置，不可能有这么多的好处。

唉！阻碍就在这里。①那些年纪大的、意志弱的、胆子小的——不论什么性别和年龄——想得最多的就是疾病、突发事故和死亡；对他们而言生活似乎处处都是危险——如果你根本不想，又谈什么危险呢？——他们认为，谨慎的人会小心地选择最安全的地方，在那儿，B医生②可以随请随到。在他们看来，村子就是一个共同体，一个共同防御联盟，你可以设想不带上医药箱他们是不会出门采越橘的。总的情况是，只要一个人活着，他就可能会死亡，这个危险一直存在，当然，如果他本来就半死不活，这种危险必然相应地减少。一个人不论坐着还是跑着，面临的危险同样多。最后，还有那些自诩为改革家的人，所有人中要数他们乏味，他们认为我一直在唱：

这是我建的房子；
这是那个住在我建的房子里的人；

---

① 源自莎士比亚《哈姆雷特》第三幕第一场哈姆雷特的内心独白："Ay! That's the rub."
② 可能是指曾给梭罗哥哥看过病的医生巴特利特（Dr. Josiah Bartlett, 1796—1878）。

但他们不知道第三行是：

> 这即是那些家伙，烦扰着
> 住在我建的房子里的人。

我不害怕骚扰鸡的鹞鹰，因为我不养鸡；我害怕的是那些骚扰别人的人。①

比之于最后一种，我还有一些令人快慰的访客。采浆果的孩子、星期天早晨穿着干净的衬衫散步的铁路工人、渔夫和猎人、诗人和哲学家；总之，都是些诚笃的朝圣者，他们来森林里寻找自由，把村庄真正抛在了身后。我时刻准备好了迎接他们——"欢迎，英国人！欢迎，英国人！"②，因为我和这类人打过交道。

---

① 鹞，一种样子凶猛的鸟，常捕食小鸟、家禽。英文中，鹞统称harrier。梭罗原文为"hen-harrier"，动词词根harry另有骚扰义。原文后半句用的是"man-harrier"一词。
② 殖民地早期，印第安酋长萨摩赛特（Samoset）致英国移民的欢迎词（"Welcome, Englishmen! Welcome, Englishmen!"）。

豆地

我种的豆子一垄垄加起来已有七英里长了，此时正急需锄草松土，因为晚种的还没下土，早种的却已经长得很高；实在不能再拖了。这样一桩赫拉克勒斯式的小劳役，有固定的程序，且不容怠慢，有什么意义呢？我也说不清。但我渐渐爱上了这一垄垄豆田，爱上了我的豆子，虽然它们在数量上远超过我的需要。它们把我和大地相连，使我可以像安泰①那样汲取力量。但为什么我要种豆子呢？只有上帝知道。整个夏天，我满是好奇地从事着这项劳动，让这片原本只生长着委陵菜、黑莓、狗尾草这类植物以及甜甜的野果和漂亮的花草的地表，长出了豆苗。我从这些豆子上，或者豆子从我这儿，能学到些什么呢？我珍惜它们，为它们锄草，从早到晚地照看着它们；这就是我一天的工作。它们的叶子宽宽的，很好看。露珠和雨水是我的助手，它们滋润着干涸的大地，还有泥土本身蕴含的肥料，虽

---

① 安泰（Antaeus），古希腊神话中的巨人，力量来自大地，后被赫拉克勒斯举在空中掐死。

然这是一片贫瘠的土地。而虫子、寒冷，尤其土拨鼠则是我的敌人。后者曾把我四分之一亩的豆子啃得干干净净。可是，我又有什么权利驱逐了狗尾草和其他植物，就这么毁了它们古老的草料场呢？好在用不了多久，剩下的豆子就茁壮得土拨鼠再也啃不动了，也就开始有了新的敌人。

我记得很清楚，在我四岁大的时候，正是穿过了这片树林、这片田野，从波士顿被带回到我的这个故乡小镇①，带到了湖边。这是我记忆中铭记的最早的情景之一。此时，就在今夜，我的笛声又在这片水域之上唤起了回声。那些比我还要年长的松树依然屹立；或者，也有几株倒下了，留下的残株成了我煮饭的燃料，而四周都是新生的树苗，为新一代的眼睛准备着新的景象。草原上那些不变的狗尾草，靠多年老根再次迸发出几乎完全一样的新绿，甚至我，也终于帮忙装点了我童年梦中的那片美好风景，豆叶、玉米叶和土豆藤蔓，就是来自我的存在和影响的一个结果。

我在山坡上种了大约两亩半地。因为这片地上的树木十五年前才伐光，我自己就挖到了两三考得树根，所以就没再用任何肥料。但夏天铲地的时候，我竟然挖出了一些箭镞，看来早在白人来采伐之前，某个已经销亡的古老种族就曾经在这里定居过，还种了玉米、大豆，所以也在某种程度上致使地力枯竭，再也种不了这类作物了。

当土拨鼠或松鼠还没上路穿行，太阳也不曾照上矮橡树丛，晨露正浓，尽管农民们曾告诫我不要在露水中干活，我还是开

---

① 梭罗出生在康科德，后曾随家人暂居波士顿。

始铲平豆地里那一排排高傲的杂草了，还在它们头上盖了土——如果可能，我建议你趁着晨露未散就干完所有的活计吧。一大清早，我赤着脚干活，湿漉漉地站在浸了露水的散沙中，活像一个雕塑家，但再晚些时候，太阳就会灼烤得脚上都起了水泡。锄草的时候，太阳为我照明，它沿着黄色鹅卵石的山坡，在长达十五杆的绿色田垄间缓慢地前后移动，田垄的一端是矮橡树丛，我可以坐在那儿的荫凉下休息，另一端是块黑莓田，我每走一个来回，那些青绿的黑莓就又加深了一层颜色。锄掉杂草，在豆秧的周围培上新土，促进我种的作物生长，让这片黄土不以苦艾、胡椒、栗草，而以豆秧的花和叶表达它夏天的情思，让大地不再吐露杂草，而是菜豆的翠绿——这就是我每日的工作。我很少使用牛马，也不常雇短工或小孩，更没有什么改良的农具，所以进展很慢，但也因此和我的豆子比寻常更亲近些。但双手的劳动，哪怕近于苦役，或许也从来不是虚掷光阴的最糟形式吧。这之中包含一个永恒不灭的道理，对于学者而言，还能生发富有代表性的成果。

对于那些一路向西穿过林肯和韦兰德，不知道要去向哪里的旅人而言，我是一个典型的农民；他们悠闲地坐在马车上，胳膊肘抵着膝盖，缰绳彩带似的松散垂着；我则是本地足不出户的勤劳农夫。但很快，我的家宅就越出了他们的视线，被他们抛在脑后了。在路两旁，有很长一段距离，唯有我这片田地是开阔的、垦殖过的，所以他们当然要善加利用；人在田里，有时能听到旅客们的传言和评价，虽然那本就不是说给他听的。"菜豆种的真晚！豌豆种的真晚！"——因为别人都开始锄草了，我还忙着播种——我这位牧师型农夫汉①却从没想过这一点。"玉米，孩子，作饲料用的；作饲料用的玉米。""他住在这儿吗？"那个穿灰上衣、戴黑帽子的人说；神情严肃的农夫也勒住他那满怀感激的老马，问我在这垄沟间不见粪肥的田里干什么，还建议我撒点碎木屑，或者任意什么废料，要不就弄点灰烬或石灰。可是，这些垄沟总共有两英亩半，我只有一把锄头来代替马拉的小车，也只有两只手来拉它——我讨厌别的马车和马——而碎木屑又离得很远。

有些旅行者一边驾车经过，还一边大声地比较着这片豆地和他们之前路过的农田，我由此就知道我在农业界的地位了。科尔曼先生的报告并没有提到这块地。而且，顺便说一句，那些长在还未经人类改良的自然荒地上作物的价值，由谁来评估呢？英国干草的重量是经过仔细称量的，还计算了湿度、硅酸盐、碳磷钾的含量；但是，在林间谷地及水池边，在牧场和沼泽之上，生长着大量种类丰富的植物，只是人类未曾收割。而我的农场，可以作为未垦殖的荒地和垦殖过的农田之间的链环；正如一些国家是开化的，另一些国家是半开化的，还有一些国家还处在蛮荒状态，所以我的菜地属于半垦殖的，但这并非贬义。我培育的是愉快地回到原始蛮荒状态的豆子，我的锄头为它们演奏着牧歌。

在身边那棵白桦树的顶枝上，有一只棕色的鹎鸟——有人喜欢叫他红画眉——整个早上都在婉转啾鸣，快乐地与你相伴，

---

① 1838—1849年，一名亨利·科尔曼的牧师曾发表过四次农业调查报告，梭罗后文也有提及。梭罗以此说明自己务农更多的是一种实验。

如果不是你正好在这儿，他也会找到另一处农田。你若播种，他就叫道："撒下去，撒下去——培上土，培上土——拔起来，拔起来，拔起来。"但这毕竟不是玉米种，不怕他这样的敌人。你也许会奇怪，他那单调冗长、在一根或二十根弦上弹奏出来的业余的帕格尼尼式音乐，和你播种又有什么关系。然而，你可能还是更喜欢听他演唱，而不是去把草灰或石灰了。它是我完全信赖又物美价廉的顶级肥料。

用锄头在田垄周围挖掘新土的时候，我惊扰到了一个史籍里没有记载，但远古时代就生活在这片天空下的民族留下的灰烬，他们战斗和狩猎时使用的小型器具也得见于今日的阳光。它们混迹在天然石块之间，有些石块上可以看到印第安人用火或太阳暴晒留下的痕迹，还有近代土地开发者带来的陶器和玻璃。当我的锄头撞击到石块，发出叮叮的响声，当这种音乐在森林和天际之中获得回响，它们便成为我劳作时的伙伴，可以立即生产出无以计数的作物。此时我不再是给豆苗锄草了，那锄草的也并非我了；如果还记得起来的话，此时我是满怀着同情和骄傲，忆起了我那些去城里参加清唱剧的熟人。

阳光明媚的下午，夜莺在头上盘旋——这会儿我多半已经收工了——就好像一颗黑色斑点，出现在我的或者天空的眼眸中，时不时俯冲下来，发出的声音宛如撕裂了苍穹，使它完全成为碎屑或者布条，然而，天空仍然是件完好的斗篷，不见一条接缝；他们精灵般地遍布空中，把蛋直接下在光秃秃的沙滩或岩石上，很少有人能够找到；他们像湖上泛起的涟漪，优雅、纤细，像随风扬起的落叶，在空中浮游；大自然中如此的血亲啊。鹰是波浪在空中的兄弟，他翱翔于上，俯瞰一切，他那被空气托起的完美的羽翼，回应着大海那原初的、没有羽毛的双臂。或者，我有时也会观察盘旋于高空的一对鹞鹰，他们一升一降，时远时近，仿佛就是我思想的化身。或者，我被野鸽子所吸引，他们正从一棵树飞向另一棵，动作急促，发出轻微的簌簌的响声；或者，从一棵朽树根底下，我用锄头翻出了一只懒洋洋的、怪模怪样的蝾螈，身上长着异域的斑纹，那是埃及和尼罗河的痕迹，但他却和我们处在同一时代。当我靠在锄头上歇息，我在田间各处听到的声音、见到的景象，都是乡野给予的无尽的娱乐的一部分。

节庆日里，城里鸣响了礼炮，回声传到树林，就像玩具枪发出的声音，偶尔也会传来军乐的片段。远在位于小镇另一头的豆地里，对我来说，大炮的声音就如同马勃菌爆裂；如果有一场军事行动我一无所知，我有时就会模糊地感觉地平线好像在瘙痒，或者得了某种疾病，似乎疾病会突然爆发，不是猩红热就是溃疡皮疹，直到最后一阵和风迅疾地刮过田野，沿着韦兰德公路向上吹去，给我带来了士兵们操练的消息。那嗡嗡的声音远远听来，就好像谁养的蜜蜂倾巢涌出，而邻居们正依照维吉尔的建议，敲响了家里最响的器皿，发出了微弱的叮当声，好竭力把他们唤回蜂巢。当叮当声沉寂下来，嗡嗡声也停止了，最宜人的风也不再讲故事了，我便知道那最后的工蜂也安全地回到了米德尔塞克斯郡的蜂房里，现在，他们的心思都集中在那些涂满了蜂巢的蜂蜜上了。

了解到马萨诸塞州和我们祖国的自由得到如此安全的保障，我感到骄傲；当我回过身继续锄草，内心充满了无以言喻的自信，带着对未来冷静的信心，愉快地从事我的劳动。

几个乐队同时演奏的时候，整个村庄听起来就像一只巨大的风箱，喧嚣中，一切建筑都时而扩张，时而塌陷。但有时传入树林的是真正崇高而鼓舞人心的旋律，是歌颂荣誉的号角，让我觉得我能欣然地将一个墨西哥人干掉①——因为，为什么小事我们就该容忍呢？——于是我四下寻找土拨鼠或臭鼬，想施展一下我的骑士精神。这些军乐听起来和巴勒斯坦一样遥远，让我想起了十字军在地平线上的行军，村子上空高悬的榆树树梢摇曳着，发出轻微的沙沙声。这是一个美好的日子；虽然从林间空地望去，天空仍是无异于它日常装扮的永恒的伟大面容，我看不出任何不同。

我和豆子之间培养起来的长期关系，是种奇特的经历，播种、锄草、收割、去皮、挑选、出售——所有之中，后者最难——还可以加上食用，因为我的确尝过。我决心了解豆子。在他们生长的季节，我常常早晨五点就起来锄草，直到中午，一天中剩下的时光就用来忙别的事了。想想人和各种杂草之间建立起来的亲密而奇妙的关系——记述这个要忍受些重复，因为这种劳动本身就包含了大量的重复——残忍地破坏他们纤弱的组织，用锄头进行可恶的分辨，把某个种类的杂草整批拔掉，孜孜不倦地培育另一个品种。那个是罗马苦艾——那是灰菜——那是酢浆草——那是芦苇——攻击他，捣碎他，把他的根翻上来，在阳光下曝晒，别留一根纤维在荫凉里，否则他会从另一面长出来，用不了两天就跟韭菜那般嫩绿了。一场漫长的战争啊。

---

① 梭罗在瓦尔登湖居住期间，美国和墨西哥之间爆发了著名的美墨战争（1846—1848）。

不是和仙鹤作战，而是和杂草，和这些拥有阳光、雨水和露水支持的特洛伊人作战。每天，豆子看着我以锄头为武器，前来解救他们，削弱他们敌人的地盘，在垄沟之间布满死亡的莠草。许多壮硕的赫克托耳①立于矮他一英尺的同伴中间，头盔上的羽饰飘扬，却终于倒于我的武器之下，滚入了尘埃。

在那些夏日时光，我的同代人中有的在波士顿或罗马献身于艺术，有的在印度致力于冥思，还有的在伦敦或纽约从事着商贸，而我，和其他新英格兰农民一道，致力于农事。并非因为我想要豆子吃，因为我生来就是个毕达哥拉斯②派，所以说到豆子，不论曾被用来煮粥还是计票数③，我却只用来换大米；但是，哪怕只是出于隐喻和表达的需要，也必须有人在田里工作，因为说不定哪一天寓言家们会用得上。总的来说，这是一件难得的乐事，但如果持续的时间过长，也可能反成浪费。

虽然我没用肥料，也没全部锄完一遍，但锄过的地方我通常都锄得不赖，最终也得到了回报。正如伊夫林所说："任何堆肥或者粪肥都比不上不停地用铁锹挖土、翻土，这是真的。"在别处他还说道："泥土，尤其新鲜的泥土，本身便具有磁性，能吸引盐分和力量，或者说美德（两种说法，任选其一），而它们又赋予泥土以生命，这就构成我们一切劳动的逻辑基础，并促使我们持续下

---

① 赫克托耳（Hector），《荷马史诗》中的特洛伊王子，特洛伊最勇敢的武士，后被阿喀琉斯所杀。

② 毕达哥拉斯（Pythagoras，约前570—前495），古希腊哲学家、数学家，认为豆子不洁净，曾告诫弟子不吃豆类。

③ 豆子在古代被用来计算票数。

去，以维持生命；所有粪肥和其他肮脏的东西也只不过是这种土壤改善方式的替代品罢了。"况且，作为一块"耗尽了地力，正在享受休耕的闲置田地"，或许它正像狄格拜爵士①认为的那样，从空中吸收了"生命力的精灵"。我共计收获了十二蒲式耳豆子。

但我还需要更加具体，因为有人抱怨说，科尔曼先生报告中所提及的，大多是乡绅们做的那些昂贵的实验。我的支出包括：

斧头	0.54 美元
耕、耙、犁	7.50 美元（太贵）
豆籽	$3.12\frac{1}{2}$美元
土豆种子	1.33 美元
豌豆籽	0.40 美元
萝卜籽	0.06 美元
乌鸦篱笆上的白线	0.02 美元
三小时的小工和马拉播种	1.00 美元
用以拉收成的马和车	0.75 美元
	———————
总计	$14.72\frac{1}{2}$美元

我的收入包括（"家主应习惯于出售，而非购买"②）：

_____

① 凯内尔姆·狄格拜爵士（Sir Kenelm Digby，1603—1665），英国外交官、自然哲学家，曾发表《植物生长志》一书。
② 引自加图的《农业志》，原文为拉丁文。

售出 9 蒲式耳 12 夸脱豆子	16.94 美元
5 蒲式耳大土豆	2.50 美元
9 蒲式耳小土豆	2.25 美元
青草	1.00 美元
茎蔓	0.75 美元
总计	23.44 美元

结余的资金收益，正如我所说，有八美元七十一美分半。

以下为我种豆的经验总结：六月一日前后将普通的白色矮菜豆种下，垄长三英尺，垄距十八英寸；要精心挑选新鲜、饱满、没有掺杂的种子。首先要当心虫害，缺苗的地方要补种。其次要提防土拨鼠，碰到没什么遮挡的地块，土拨鼠路过的时候会把刚长出的嫩芽啃咬得干干净净。当藤蔓刚长出来的时候，如果他们看到了，会像松鼠似的坐直，连花苞带豆荚全部咬断。但最重要的，还是尽早收割，这样你就能够逃过霜冻，收获上乘、好卖的豆子，可以挽回不少损失。

我还进一步获得了如下经验：我对自己说，下个夏天我就不再这么勤劳地种豆子和玉米了；如果它们的种子并没有丢失，我就要播下真诚、真实、简单、信赖、纯洁等这样的种子，我要看看即便没有投入那么多力气或肥料，它们能否在这片土壤里生长，并维持我的生活，因为对于这些作物而言，地力无疑还没有耗尽。唉！我是这么对自己说的，可如今又一个夏季过去了，第二个、第三个夏季也过去了，我不得不告诉你，我的读者，我种下的这些种子，如果真的是上述美德的种子的话，已经生了蛀虫，或者失去了生命力了，所以从来不曾破土。

通常情况下，父辈勇敢后人方能勇敢，父辈懦弱后人则懦弱。几个世纪前印第安人就种玉米和豆子，还教给了最初的移民，如今每到新的一年，我们这代人定会同样种下玉米和豆子，就好像命定如此。我有一天见到一位老人在用锄头挖洞，让我惊讶的是，他至少挖了七十次，而且不是为了让自己躺在里面！新英格兰人为什么不该尝试新的冒险呢？不那么看重他的谷物、土豆、草料和果园等这类东西——为什么不培植些别的作物？为什么对我们的种豆那么关注，对培养一代新人反而无动于衷？如果我们遇到一个人，确信我提到的某些品质，那些我们都认为比其他产品更有价值，却大多只是散布、飘扬于空气中的品质，在他身上生根、成长，那就真该觉得满足和欣喜了。沿着大路走过来的，正是譬如真理和正义那类的微妙而难以言喻的品质，尽管其量甚微，或者只是一种新的变体。我们的大使应被告知运些这样的种子回来，由国会协助分发全国。对待真诚，我们永远不应敷衍应酬。如果存在可贵和友好的种子，就永远不要出于偏狭而欺骗、侮辱或排斥别人。我们不该如此急于相见。大多数人我都不曾见过，因为看起来他们也没时间；他们在忙着自己的豆子。有种人我们就不要与之打交道了，他整天都在埋头苦干，工作的间歇就把锄头、铁锹当拐棍靠一会儿，那样子不像蘑菇，因为只有部分是从土里长出来的，也不只是直立而已，倒像是燕子落到了地面上，在走来走去：——

"他说话时，翅膀不时地

展开，似要起飞，却又合拢了——"①

　　这样一来，我们会疑心是在和天使对话。面包可能不会一直为我们提供营养，但对我们总有好处，它去除了我们关节的僵硬，使我们灵活而轻快，在我们不知道病痛因何而起的时候，使我们认识到人和自然的慷慨，分享任何纯粹而崇高的快乐。

　　古代诗歌和神话至少表明，农事曾是一项神圣的艺术；但我们以有失虔敬的急躁和粗心经营农事，唯一的目标就是拥有大型农场和大量农作物。我们没有庆典，没有游行，没有仪式，即便牛市和感恩节也不例外，但这本可以使农民表达这一职业的神圣，或者忆起它神圣的起源。如今吸引他的，只是奖金和美食。他供奉的不是克瑞斯②和人间朱庇特，而是财神普路托斯③。因为贪婪和自私，以及无人能免的把土地视为财产的卑下习惯，更主要的是因为获得财富的手段，山水变了形，农事随着我们堕落了，农民过着最为卑贱的生活。他以掠夺者的身份认识自然。加图说过，农业的收益是尤为神圣和公正的（maximeque pius quaestus），根据瓦罗④的说法，古罗马人"称大地为母亲和

---

① 引自英国诗人弗朗西斯·夸尔斯（Francis Quarles，1592—1644）的《牧羊人的神士》。

② 克瑞斯（Ceres），罗马神话司掌农业、谷物、丰饶的女神，为十二主神之一。

③ 普路托斯（Plutus），希腊神话中的神祇，谷神德墨忒尔与英雄伊阿西翁之子，掌管财富，音近罗马神系中的冥王普鲁托（Pluto）。

④ 马库斯·特伦提乌斯·瓦罗（Marcus Terentius Varro，前116—前27），罗马学者，著有《论农业》。

克瑞斯，认为耕种土地的他们过着虔诚而有益的生活，他们是农神萨图恩①留下的唯一后裔"。

我们常常忘记，太阳照在我们开垦过的土地上和照在草原及森林上并无分别。它们同样吸收和反射着太阳的光线，在太阳一日的运行中，农民只是他所见的景观中很小的部分。在他眼中，地球就像个花园，各处的垦殖情况并没什么不同。所以，我们应该以相应的信任和宽宏接受他的光与热带来的好处。即使我看重豆种，也在秋天进行收割，那又怎样呢？这片我注视过这么久的广袤的豆地，并没有将我看作它主要的栽培者，而是撇开我，朝向那灌溉了它、使它葱翠的更为合宜的力量。有些豆子果实并非由我收割。难道它们中的一部分不是为土拨鼠而生长的吗？麦穗（麦子的拉丁文是 spica，古语拼作 speca，词源为表示"希望"的 spe）也不应该成为种田人唯一的希望；谷粒（拉丁文 granum 源自 gerendo，意为"结出果实"）并非它的全部果实。如此，我们又怎么可能歉收呢？野草肥美，它们的种子不正好作鸟儿的谷仓吗，我又怎么会不高兴呢？田产是不是填满了农民的谷仓，相对而言并不重要。真正务农的人不会焦虑，就如同松鼠，对于今年林子里产不产毛栗子，他们显得漠不关心。他只是完成每日的劳作，放弃之于他的田产的任何诉求，他在心里不仅献出了自己的第一批果实，而且还献出了最后的那批果实。

---

① 萨图恩（Saturn），罗马最古老的神祇，在希腊神话的影响进入罗马之前便已存在，后被混同为朱庇特的父亲。

村庄

　　锄完了草，或许还读了书写了字，下午，我通常会再下一次湖，从其中一个水湾穿游过去，除去劳动后身上的尘垢，抚平读书后新又留下的皱纹。这样的下午是完全自由的。每隔一两天，我就会到村里逛逛，去听听那些永无休止的流言。流言经众人之口传播，或者在报上接连报道，如果每次只以顺势疗法①取微小剂量，它也会像沙沙的树叶或鸣叫的青蛙，使人精神一振。我在林间漫步，看见的是小鸟和松鼠；当我徘徊于村落，看见的是大人和孩子；松针间的林风是听不到了，取而代之的是马车的咔嗒声。沿我的房子出发向村庄的方向，在河边的草地上，住着一窝麝鼠；而在另一边的地平线上，处于榆树和悬铃木树林的荫蔽之下，是一座忙碌的村庄，村民们就像草原犬鼠，或

---

① 顺势疗法（Homeopathy）是替代医学的一种，由德国医生塞缪尔·哈内曼创立，是一种通过在病人体内使用能够引起同样症状的药剂，以达到治疗某种疾病的疗法。在实践中，为避免损伤机体，只取微量药剂。

各自坐在洞口，或跑去邻居家门前闲谈，让我很是好奇。

我常去村里观察他们的习惯。在我看来，村庄就像一间大型新闻采编室，为了支持它的运转，在它的一侧，像位于政府街的雷丁公司曾做过的那样，存放着坚果和葡萄干、盐和玉米粉等其他杂货。对于前面那种商品，也即新闻，有些人的胃口超级好，而且消化器官强大，他们可以一动不动地在公路边一直坐下去，让那些新闻像季风一般吹过，发出呼啸或者低语；又或者，他们像吸入了乙醚，虽然不致影响意识，但变得麻木，浑然不觉得疼痛——否则新闻常是要以痛苦来承受的。每次我从村里走过，都会看见一排这样的"重要人物"，或者坐在梯子上晒太阳，身体前倾，眼睛不时沿着马路左顾右盼，一副甚是享受的样子，或者手插在裤兜里，靠着谷仓站着，仿佛一根根支撑着它的女像柱①。由于老待在室外，但凡风里有什么声音，他们都听得见。他们是最粗糙的磨坊，所有的流言都要先经过他们的初步消化或碾压，然后倒进室内更精细的漏斗里。

我观察发现，商店、酒吧、邮局和银行是村里的核心部门；此外，作为一架机器的必要部件，他们还有一只大钟、一杆枪和一辆救火车，都放在便于使用的地方；房屋的布局也充分利用了人的特点，都分布在巷子里，在巷子两侧门户相对，所以每位游客都得承受夹道袭击，男人、女人、小孩都可以上来揍他一下。当然，那些被安置在离巷口最近的人看得最清，也最

---

① 女像柱（Caryatides），建筑中用于代替柱子支撑屋顶的女性雕塑，最早见于古希腊、埃及建筑。

容易被看到，他们可以率先发出袭击，所以要为他们的地点付出最昂贵的价钱；少数人则散居郊区，队伍在那儿开始出现大的裂隙，游客可以翻过围墙，或者拐进旁边的羊肠小道，就这样逃走，所以这部分人稍微付点儿土地或窗户税①就可以了。四面都挂着招牌，引诱着他。有的要挑起他的胃口，比如饭店、食品店；有的要让他觉得新奇，比如干货店、珠宝店；有的靠的则是头发、脚、裙子等，比如理发店、鞋店和裁缝店。

此外还有一种更可怕、持久的邀请，那就是拜访每家每户，而那时总会出现一群人。大多时候我都成功地逃离了这些危险，用的或者是人们推荐给那些面临夹击的人的办法，即刻勇敢而不加迟疑地往前走，直奔目标，或者将思想集中在崇高的事情上，像俄耳甫斯②那样，"和着竖琴，高声歌唱，赞美众神，最终淹没了塞壬③的歌声，避开了危险"。我有时会突然逃离，谁也说不出我的下落，因为我既不会优雅地驻足观望，也不会在篱笆的空隙前犹疑。我甚至也习惯于突然造访某些人家，在那里受到很好的款待，在了解了最重要的新闻和筛选过的最近新闻之后——比如什么风波已经平息了，战争和和平有着怎样的前景，世界是不是有望更加团结等——我就被从后门送出，又逃回林间。

当我在镇里逗留得很晚，出门投身于夜色是非常愉快的，尤

---

① 1696年，英国通过《解决削边钱币不足法案》（*Act of Making Good the Deficiency of the Clipped Money*），开征窗户税，即根据每户拥有窗户的数量征税。

② 俄耳甫斯（Orpheus），希腊神话人物，国王奥阿格罗斯与缪斯女神之一卡利俄帕之子，诗歌和音乐天才，曾以琴声和歌声驯服海妖。

③ 塞壬（Siren），希腊神话中人首鱼身怪物，住在荒岛，以歌声惑人。

其如果天色漆黑、风疾雨骤，从某个明亮的客厅或者讲堂出航，肩上扛着一袋麦子或印第安玉米粉，驶向我林中舒适的港湾，将船舱外面每样东西都系牢，带着一些愉快的思想进入船舱，只留我的躯壳掌舵，如果船行平稳，甚至干脆就停了舵。"行船的时候"，在船舱的炉火边，我产生过很多愉快的想法。尽管遭遇过几次严重的风暴，但不论天气如何，我都没有出过事，也不曾遇到严重的风险。在林中，哪怕只是寻常的夜晚，也比很多人想象的还要黑暗。我常常需要看路的上方两棵树之间的空隙来确定路线，没有车道的地方，就用脚去试探我之前踩出的不明显的小路，或者用手摸索着寻找某些特殊的树，靠它们之间已知的关系来确定方向，比如，即便在最黑的夜里，在林中也会路过两棵相距不过十八英寸的松树。有时，在漆黑闷热的夜晚，我很晚才回到家里，一路上用脚试探着眼睛看不见的路，如梦似幻，神于物游，直到必须伸手打开门闩的刹那才清醒过来，竟也回忆不起我走过的任何一步。我曾想，或许我的身体被主人抛弃了也能找到回家的路，就像手无需任何帮助就能找到嘴巴一样。

有几次，客人碰巧来到了傍晚，暮色渐浓，我需要把他送上房子后面的车道，指出该走的方向，但保持这个方向他得靠脚的引导，而不能靠眼睛探看。有天晚上，天特别黑，我用这种方法给两个在湖边钓鱼的年轻人指路。他们就住在从树林过去一英里远的地方，对这里的路很是熟悉。一两天后，他们中的一个告诉我，他们在外面流浪了大半个晚上，都已经离他们的住处很近了，却于天将亮时才到家，而那晚又下了几场大阵雨，树叶湿漉漉的，他们也都淋透了。当夜色特别浓重，就像谚语中所说，浓得可以用刀片切割，据我听闻，在村里的街道上就有很多人迷路。有些人住在郊外，赶着车来镇里买东西，后来只好留在城里过夜；有些绅士、淑女外出访友，不过偏离原定路线半英里，也只能用脚试探着人行道，不知该什么时候转弯。

不论什么时候，在林间走失都是一份新奇难忘而有价值的经历。常是在暴雪天气，哪怕是白天，人们踏上一条非常熟悉的路，结果却发现找不出哪条路通往村庄。尽管他知道这条路他走过上千遍，还是看不出一个它的特征，这条路对他来说那么陌生，就好像是一条远在西伯利亚的路。到了晚上，这份困惑更无限地放大。在最随意的闲逛中，虽然出于无意，我们总是像领航员那样，借助某些著名的灯塔和海岬调整方向，如果偏离了惯常的路线，我们脑中仍会记得几个邻近的海角。只有当我们完全迷失了方向，或者转了一圈——因为人们只需闭上眼睛转个圈儿就会迷路——才能彻底地欣赏大自然的广博和神奇。不论是从睡眠中苏醒，还是从恍惚中缓过神来，人们都必须知道罗盘指针的读数。只有迷失之后，换言之，只有失去了世界，我们才开始寻找自我，并意识到我们身在何处，以及我们关系范畴之限域。

第一年夏天快结束的时候，有天下午，我到村里鞋匠那儿取鞋，就在这时我被捕了，被关进了监狱，而原因我在别的地方也曾讲过[①]，我拒绝为一个像卖牲口一样在它的议会门口贩卖

---

① 1848年，就在离开瓦尔登湖畔不久，梭罗发表了反对奴隶制的著名演讲《公民不服从》（*Civil Disobedience*），其中对其被捕一事略有提及。

男人、女人和孩子的州交税，我拒绝承认它的权威①。我是带着其他目的来林间生活的。但一个人不论去了什么地方，人们总会用肮脏的社会机构追踪他、抓捕他，如果可以，还要迫使他加入他们那绝望的、共济会式的社会。不错，我本来可以以强力抵抗，那多少会有些结果，我也可以"疯狂"地和社会作对；但是，我宁愿社会来"疯狂"地反对我，因为它才是那绝望的一方。不过，第二天我就被释放了，拿着修好的鞋，及时回到了林中，在费尔黑文山上享受了一顿越橘大餐。除了那些代表政府的人之外，我没有受到任何侵扰。除了放稿件的那张桌子，我就再没有什么锁或栓了，我的门闩或窗户上一个钉子也没有钉。不论白天还是夜晚，我从不插门，哪怕要出门好几天，甚至第二年的秋天在缅因森林待了两个星期也是如此。但我的房子所受到的尊敬，却强过被一队卫兵围护起来。疲惫的旅客可以坐在我的炉火旁休息、取暖，文人雅士可以借我桌子上的几本书消遣一番，那些好奇的人，也可以打开橱柜的门，看看我在里面剩了些什么吃的，或者会拿什么当晚餐。然而，尽管各个阶层的人们都会来到湖边，但并没有带给我什么严重的不便，我也没有丢过什么东西，除了一本书，一卷荷马史诗，或许上面的镀金太夸张了吧，但现在，我相信我们营里有个士兵已经把它找到了。我确信，如果所有人都像我一样简单地生活，偷窃、抢劫就会销声匿迹了。这些行为只发生在有些人得到的过多，

---

① 在此约3年前，梭罗开始拒绝缴付人头税，作为对正在进行的墨西哥战争及相关的蓄奴势力的抗议。

而另一些人却还不够用的社会。蒲柏^①的荷马很快就会适当的流行起来。——

"Nec bella fuerunt,

Faginus astabat dum scyphus ante dapes."

"人们不会以战争相扰，

当他们需要的只是山毛榉木做的饭碗。"^②

"子为政，焉用杀？子欲善而民善矣。君子之德风，小人之德草。草上之风，必偃。"^③

---

① 亚历山大·蒲柏（Alexander Pope，1688—1744），18世纪英国著名诗人，新古典主义文学的重要代表，以英雄双韵体翻译了荷马史诗。梭罗曾翻译过他的译本。
② 出自古罗马诗人阿比乌斯·提布卢斯（Albius Tibullus，约前55—约前19）的《挽歌》。
③ 出自《论语·颜渊篇》第十九章。

湖

有时社交和闲谈太多了，和村里的朋友们也走动得过勤，我就会从平常的住所信步向西，来到镇上更少人去的地方，"那里有新鲜的树林和草场"；要不就在太阳落山的时候，到费尔黑文农场享受一顿蔓越橘和蓝莓的晚餐，还可以储存些，在随后的几天享用。水果真正的香味并非是为买家散发出来的，也不是为了那些种它们，把它们拿到集市上卖的人。要闻到那味道的办法只有一个，但却鲜有人那么做。如果你想知道蔓越橘真正的味道，就去问问牧童和鹧鸪吧。如果你从没动手摘过蔓越橘，却自以为尝过它的味道，那就犯了一个庸俗的错误。蔓越橘从没到过波士顿；它在那儿不为人知，因为它是长在波士顿外的那三座山上的。通往集市的马车磨掉了它们外皮上的粉霜，同时也就磨掉了这种水果香甜而关键的部分，它们不过成了饲料而已。只要永恒的正义依然掌管一切，就没有一颗纯洁的蔓越橘能从乡村的山上运到城里去。

干完了一天锄草的活儿，我偶尔也会到湖边加入某个捕鱼人的行列。他一大早就在那儿了，早就失了耐心，那安然和一动不动的劲头活像只鸭子和飘落的树叶；他实践了各种"哲学"，等我到的时候，已经很自然地得出结论：他属于古老的修士派①，因为根本就没鱼上钩嘛！还有位年长者，是位捕鱼高手，还精通各种木工活，总愿意认为我之所以把房子建在那儿，就是为了渔夫们方便；看着他坐在我的房门口整理钓线，我也觉得同样高兴。有时候，我们也会一同坐在湖边，他在船的这头，我在那头；我们不太讲话，因为他上了年纪后有些失聪，但偶尔他也会哼上一首赞美诗，这一切都和我的哲学那么相合。我们的交流也因此成为一幅完全不受打扰的和谐画卷，相比于语言，它留下了更愉快的回忆。很多时候，我没什么人可以交流，这时，我便会摇起放在船边的短桨，它的回声环旋、扩散，充满了周边的树林，把它们都搅动了起来，就好像动物园的看守搅醒了他的那些野兽，直到从长满树林的每一片山坡和低谷都传出隆隆的低吼。

温暖的黄昏，我常会坐在船上吹笛子，鲈鱼也像被我魅惑，围着我游来游去，月亮在湖水的波纹中穿行，湖里还散落着森林中的碎屑。以前，在幽暗的夏夜，我也常会跟个同伴一起来湖边探险。我们在近水的地方生上篝火，以为这样可以吸引鱼群，再把蚯蚓用线串成串儿，来钓大头鲶鱼；等这些做完，夜已经深了，我们拿起燃烧的木头扔向高空，它们看起来就像冲天的

---

① 原文作Coenobites（修士），在读音上与"see no bites"相近，所以一语双关，表示没鱼上钩。

烟火，旋即又落到了水里，发出巨大的嘶嘶声，接着就熄灭了，我们骤然跌进一片漆黑，暗中摸索。就这样，我们打着口哨，又回到人群聚居之地。但现在，我已经靠岸安家了。

有时，造访过村里某家的客厅，等主人家休息了，我也回到了林间，会趁着月光花上个把小时坐在船上来个午夜垂钓，猫头鹰和狐狸为我奏响小夜曲，还有不知名的鸟儿不时地在身边鸣唱。这在我是极为难忘和珍贵的经历——在离岸二十到三十杆、水深四十英尺的地方抛下锚，有时会有上千条小鲈鱼和银鱼聚拢过来，在月光下摇着尾巴，使水面生出道道波纹，我就用一根长长的亚麻线，和夜里这些生活在水面四十英尺以下的神秘鱼群交流着。

瓦尔登湖的风景是素朴的，尽管很美，也谈不上绮丽，如果不常来，或者不曾倚湖而居，就不会与它有多大关系；然而，它又是极为幽深和纯净的，值得好好描绘一番。它是一汪碧绿而清澈的深潭，有半英里长，整个合围的湖岸达一又四分之三英里，面积约有六十一英亩半；它也是一股清泉，在松林和橡树的环绕下四时不歇，除了浮云和蒸汽，再不见任何进水和出水的孔道。四周山崖陡峭，高达四十到八十英尺，在东南和东面离湖四分之一和三分之一英里的地方甚至分别达到了一百和一百五十英尺。山上全都被丛林覆盖。

康科德的水面至少有两种颜色，离远了看是一种，走近了看是另一种，而近看的颜色要更纯正些。前者更多地取决于光线，颜色随天空而变幻。夏季里如果天气晴朗，稍微离远些看水面一片蔚蓝，特别是有浪的时候，如果距离很远，看起来就没什么分别了；碰上暴雨天气，水有时就呈深蓝灰色了。而据说海水则会一天湛蓝一天翠绿，哪怕在天气上感受不到任何变化。我曾见过冰雪未融时的河流，水和冰几乎像草一般葱翠。有人认为蓝色"就是净水的颜色，无论是液态的水还是固态的水"。但如果从船上直接看向水面，就会发现它呈现不同的颜色。哪怕是从同一个方向看去，瓦尔登湖也是时而发蓝、时而又泛绿了。它处于天地之间，兼有天地之色。从山顶俯瞰，它反射着天空的湛蓝；而如果离得近，近岸泥沙可见处它则约略泛黄，随之是淡淡的绿色，那绿又一路深将下去，越往里越变成清一色的墨绿了。而如果光线合适，即便从山顶看去，它在近岸的地方也呈现鲜活的绿色了。有人说，这是因为它映照了周围的苍翠，可铁轨沙坝附近的水域也同样鲜绿呀！在春天，当叶子还来不及舒展，这可能只是弥漫的蓝色和沙子的黄色两相映照才形成的效果。这就是它的虹膜①的颜色。也正是在这块地方，春日暖阳的热量经湖底反射和大地传输而使冰层受热，冰层开始消融，在封冻的湖心周围形成窄窄的沟渠。

　　和其他水域一样，若是晴天泛起大浪，天空就会以垂直的角度倒映在浪花表面，或者因为更多的光线交汇其中，在稍远处看来水波比天空本身的颜色还要深一些；每逢此时，游弋于湖水之上，向视野的不同处看去，我看见水中的倒影，分辨出一种无与伦比也难以言传的浅蓝，就是那种泛着水光的丝绸或变化多端的剑锋的颜色，比天空本身的湛蓝更有过之，与波浪另

---

① 梭罗将湖泊比作地球的眼睛，这在下文有提及。

一面现出的原本的深绿色交相闪现，衬得后者反倒黯淡了。在我的记忆中，那是一种玻璃般的绿蓝色，就像冬季日落时分透过西天云层的缝隙所见的片片天空。但如果将一杯湖水举向日光，它会像一杯空气一样毫无颜色。大家都知道，一大片玻璃才会现出绿色，按生产者的说法，这是因为它的"体积"，而同样的玻璃如果切成小片就是无色的了。那么得取多少水才能让瓦尔登湖里的水现出绿色呢？对此我从没考证过。如果从水面直接向下看，我们河里的水呈黑色或非常深的褐色，和大多数湖泊一样，如果有人在里面游泳，就会被染上一抹黄色；但瓦尔登湖的水却如水晶般澄澈，潜泳其中的人，肌肤都泛着石膏样的洁白，更不寻常的是，他们的四肢被放大、扭曲，那样子活像个怪兽，值得米开朗基罗之类的人去好好研究一番。

　　这里的湖水是那么清澈，一眼可见二十五到三十英尺以下的湖底。泛舟湖上，能看到水面下许多英尺处的鲈鱼和银鱼，他们成群地游着，长度或许才刚有一寸，但鲈鱼身上长着横纹，所以很好辨认。你一定认为他们是生活在那里的苦行鱼。在许多年前的一个冬天，一次，我在冰上凿了些抓梭鱼的洞，后来上岸的时候我把斧头往后一扔，可就像有什么魔鬼引导着似的，它竟滑进了四五杆外的一个洞里，那儿的水足有二十五英尺深。出于好奇，我趴在冰上向洞里看，直到在其中的一侧发现了斧子，它头朝下立着，竖着的斧柄随着水波轻微地左右摆动；要是我不打搅的话，它就会一直立在那儿，不停地摇摆着，直到斧柄在时光的流逝中糜烂。我用冰凿在它正上方挖了一个洞，用刀砍断了附近能找到的最长的桦树枝，又做了个套索系在一端，然后小心地放下，把它套在斧柄的把手上，再搋着桦树枝上的线往上拉，就这样把那柄斧头拉了上来。

除了一两段不长的沙滩，铺路石似的白色圆石砌成了瓦尔登湖的整个堤岸。湖岸很陡，在许多地方你只要纵身一跃就能跳进一人多深的湖水。要不是湖水特别澄澈的缘故，除非探到湖底，否则你是不可能看见湖底的。有人甚至觉得它深不见底。它无一处浑浊，随意看去，人们会说里面根本不长水草；至于显眼的植物，除了在那块最近被淹的本就不属于它的小草坪，你再仔细查看，也找不到一株香蒲或芦苇，甚至也看不见黄的或白的睡莲，只有几棵不大的鱼腥草、眼子菜，或许再加上一两棵莼菜；但即便这些，那在湖里游泳的人可能也视而不见；它们干净、透亮，和它们生于其中的湖水一般无二。石堤向水里伸出约一两杆那么远，再往前便是纯净的沙底，除了最深处通常有些沉积物，多半是历年秋季漂浮至此的树叶朽败而致，还有一种亮绿色的水藻，即便隆冬时节也会被船锚带出水面。

我们附近还有一个类似的湖，叫白湖，在向西大约两英里半处的九亩角；但就算我熟悉方圆十几英里内的大多数湖泊，如此纯净得如井水一般的湖，却再也找不出第三个。或许有不同民族曾相继以之为饮，瞻仰其美，并量度其深，又都一个个遁了行迹，而它的湖水依旧碧翠、清澈，一如往昔。它可不是间歇泉呀！或许，早在亚当和夏娃被逐出伊甸园的那个春天的早晨，瓦尔登湖就已经存在了；那时，晨雾未散，南风习习，柔和的春雨打皱了湖面，无数只野鸭和大雁游弋其上，他们沉醉于湖水的纯净，丝毫没有听到过人类的坠落。即使在那时，湖水已经开始有涨有落，并澄净着自身的水波，带上了现有的色泽；它获得了上天的专许，成为大地上独一无二的瓦尔登湖，成为天国雨露的净化器。谁能数的清，在多少被忘却的民族的文学中，它就是那卡斯塔利亚泉水①？或者在黄金时代②，哪些水泽仙女曾执掌于此？它是康科德王冠上的一颗最璀璨的宝石。

　　然而，这口泉边最早的来客或者也留下了些他们的足迹。我曾惊讶地发现，在陡峭的山坡上有一条狭窄的小路像架子似的环绕了整个湖面，哪怕是在刚伐过的密林处也如此，它忽而上升，忽而下降，时而近水，时而远离，它也许跟人类一样古老，经土著猎人跋涉而成，这片土地上如今的居民也时常不经意地踏了上去。冬季，刚下过一阵薄薄的小雪，这条小路看起来就像一条清晰的白色波浪线，从湖心望去格外明显，没了杂草和树枝的遮蔽，许多在夏天近在咫尺也很难分辨的地方，从四分之一英里外望去也非常清楚。可以说，雪以清晰的白色浮雕将其复印了下来。有朝一日，这里也会建起别墅，那装修过的庭院也会保有它的一些痕迹吧。

　　湖水时涨时落，但涨落是否规律，在什么样的周期内完成，这些都没人知道，尽管照惯例定会有很多人不懂装懂。一般说来，冬天水位偏低，夏天则又高了，但这和通常所说的干湿度之间并不存在对应关系。我还记得和我住在湖边时相比什么时候水

① 卡斯塔利亚泉水（The Castalian Fountain），希腊神话中掌管音乐的阿波罗与掌管文艺的缪斯所居住的帕尔那索斯山上的山泉，被誉为灵感的来源。
② 希腊神话中将人类历史分为金、银、铜、铁四个时代。

位低了一两英尺，什么时候又高出了至少五英尺。有一条狭窄的沙洲伸向湖里，沙洲的一侧水很深，大约在一八二四年，我曾在离主岸差不多六杆远的地方帮人煮过一锅杂烩，二十五年来，这再也不可能了；但另一方面，我也曾跟朋友们说起在距他们所知的那条唯一的湖岸十五杆远的地方，曾有一泓森林掩映中的僻静的湖湾，在那之后的几年我常乘船去那里垂钓，如今则早变成一片草场了，他们听了都感觉难以置信。但这两年瓦尔登湖的水位持续上涨，到现在，也就是在一八五二年夏天，水位比我住在那儿时上升了五英尺，可以说这也正是它三十年前的高度，那片草场上又可以钓鱼了。从岸上看，这前后的水位差达到了六七英尺，但从周围山上流下的水量并不大，涨水的原因一定在于那些影响了地下深泉的因素。今年夏天湖水又开始下降了。很显然，不论水面的涨落是否呈周期性，似乎总是需要许多年才能完成。我曾经观察过一次涨水和两次部分的回落，我料想十二或十五年后水面会回到我曾经见过的低位。位于东面一英里处的弗林特湖，尽管进水、出水造成了某种干扰，也和介于中间的小湖一道，和瓦尔登保持一致，并在最近和瓦尔登湖同时达到了最高水位。据我观察，白湖也是如此。

瓦尔登湖水位的涨落总有很长时间的间隔，这至少起到了一个作用，即如果湖面有一年或者更长的时间处于高位，绕湖行走就会变得很难，那些继上次水位升高后沿湖边长出的灌木和树木，如北美油松、白桦、桤木、山杨等，也都被淹死了，等湖水再次回落，就只剩下了通行无碍的湖滨；因此，不同于很多湖泊和所有那些日有潮汐的水域，瓦尔登水位最低的时候湖岸也最干净。挨着我房子的那侧湖滨上原本长着一排十五英尺高的北美油松,结果像被撬翻了似的,全部淹死了,它们对湖岸的侵占也就此终结;但它们的体积表明,从上次水位线涨到这个高度到现在,中间已经流失了多少岁月。湖水涨涨落落,宣布着它对岸的主权,湖岸也因此被刮得干干净净,树木也无法因为占有而将它据为己有。它们是湖的嘴唇,唇上不生一根胡须。湖水不时舔舐着它的面颊。水位升高时,桤木、柳树和枫树的水下根茎就会从四周发出大量几英尺长的红色纤维状根须,长到离地面三四英尺的高度,以此奋力维持自己的生命;我还发现,那种长在湖岸上的高大的蓝莓灌木平常是不结果子的,在这种情况下却大获丰收。

很多人都弄不清瓦尔登的湖岸怎会铺砌得如此规整。我们镇上的人都听过这样一个传说——那些年纪最长的人说,这是他们年轻时听来的——古时候,印第安人正在此处山上举行仪式,那山凌于空中的高度,正是瓦尔登湖陷于地下的深度;故事中说他们说的很多话亵渎了神灵——其实印第安人从无这等恶习——所以在仪式正在进行的当口,山体晃动,随后突然下沉,只有一个名叫瓦尔登的印第安妇女幸存了下来,瓦尔登湖便是以她的名字命名的。有人推测,当山体晃动的时候,这些石头沿山坡滚下,就形成了现在的湖岸。不论情况如何,可以肯定的是,瓦尔登湖本是不存在的,现在却存在了。不论从哪个方面看,这则印第安传说和我之前提过的那位古代移民的故事都不矛盾。那位移民清楚地记得,当初他带着魔杖第一次来到这里,发现草皮上有薄薄的蒸汽冉冉上升,魔杖直指地下,他于是就在这儿挖了一口井。至于那些石头，如果说是波浪冲击山体所致，很多人会觉得牵强；但据我观察，周围的山上满是同样的石头，所以在铁路离湖最近的地方，他们不得不沿铁路两侧将石头堆砌成墙；不仅如此，我还发现湖岸最陡的地方，石头也最多；所以，很不幸，这件事在我看来也无神秘可言了。我发现了铺砌石岸的人。如果这湖的名字不是来自某个英国地名——如萨弗伦·瓦尔登之类——那么你可以认为它原本就叫作"围湖"①。

　　这湖就是我现成的水井。湖水一年里有四个月份都是沁凉的，就像它永远都那么纯净一样；我想，在那段时间，即便它不是最好的水井，也不比镇里的任何水井逊色。冬天，所有露天的水比起有所遮蔽的泉水和井水都要冷些。一八四六年三月六日，温度计上的温度时而会达到华氏六十五度甚至七十度，正午时分，在某种程度上得益于屋顶太阳的照射，我前一天下午五点打回来放在屋里的湖水的温度是华氏四十二度，比村里最凉的那口井里刚打出来的水还要低一度。同一天"沸腾泉"的水温是华氏四十五度，即便这已经是我所知的夏天里最低的温度，却也是我测过的最高的温度，因为那层浅浅的、不流动的表层水不和泉水混合。不仅如此，在夏天，因为深度的关系，瓦尔登湖的水温从没像其他大多数暴露在阳光下的水的温度那么高。在最热的那段时间，我通常就在地窖里放桶湖水，水在夜里变凉，第二天全天仍是凉的；不过我也从附近一处泉里汲水喝。哪怕放了一周，水也和刚打上来一样好喝，没有水泵的味道。夏天若有人要在湖畔露营一周，

---

① 英文原文为"Walled-in Pond"，即"以墙围起来的湖"。

只需在营地荫凉处几英尺深的地方埋桶水，就可以不再依赖冰块带来的那份奢侈享受了。

人们在瓦尔登湖里曾捕到过梭鱼，有一条重达七磅——更别提还有一条梭鱼裹着一卷钓线就跑了，那速度极快，渔夫也没能看清，但他很肯定地说那家伙足有八磅重；还捕到过鲈鱼和大头鱼，有的也有两磅多重，此外还有银鱼、鳊鱼（Leuciscus pulchellus）、少量的鲤鱼、两条重四磅的鳗鱼——我所以写这么具体，是因为鱼的重量就是他唯一的名望，而这两条鳗鱼，也是我在这里听到过的仅有的两条鳗鱼——另外我还模糊地记得一种五英寸长的小鱼，侧面是银色的，后背有些发绿，具有某些鲅鱼的特征。我在这里提起他，主要是想把我讲到的事实和传说联系起来。但即便如此，瓦尔登湖的产鱼量并不大。梭鱼尽管数量不多，也是它能炫耀的主要渔产了。

有一次我躺在冰上，见到了至少三种不同的梭鱼：一种生在浅水，身形长长的，呈钢灰色，最像河里抓到的那种；一种呈亮金色，反着绿莹莹的光，待在很深的水里，这种在这里最为常见；还有一种也是金色的，形状和前一种相似，但侧面长满了深棕色或者黑色的小点儿，中间还夹杂着一些血红色的斑点，和鳟鱼非常类似。在他身上，那个专属的学名 reticulatus 似乎并不适用，倒该叫作 guttatus 才对。①这些鱼都生得结实，从体积上竟看不出会有那么重。事实上，因为水质更纯，这里的银鱼、鳕鱼、鲈鱼，甚至所有的鱼类，和河里以及大多数湖里的鱼相比都要更干

——————————————

① 在拉丁文里，reticulatus表示网纹，guttatus表示斑点。

净、更漂亮，肉质也更密实，很容易就能区别开来。说不定很多鱼类学家可以从他们中培育出新的品种来呢。湖里面还有一种干净的青蛙和乌龟，以及一些河蚌；麝鼠和水貂在它的周围留下了痕迹，偶尔还有一只过路的鳄龟来访。有时我早晨推船，就会惊动一只躲在船下过了个夜的大鳄龟。春秋之际，野鸭和大雁常游于湖上，白肚腹的双色燕（Hirundo bicolor）掠过湖面，整个夏天斑鸠（Totanus macularius）沿着石岸跳来跳去，有时，我也会惊起一只端坐在水上白松上的鱼鹰；但我不能确定海鸥的翅膀是否曾经亵渎过这里，就像在费尔黑文一样。它每年最多容纳一只潜鸟。如此常到这湖里来的重要动物都囊括其中了。

赶上风平浪静，你从船上能看见一些圆形的石堆，分布在八到十英尺深的东侧沙岸附近及湖里一些别的地方。它们的直径有三英尺左右，高一英尺，体积比鸡蛋稍小，周围全是光秃秃的沙子。开始你会奇怪，以为一定是印第安人为了什么目的先搭在冰上的，冰化了，它们也就沉到了水底；但它们建得太齐整了，有的还完全是新搭的，不可能是印第安人所建。它们和河里发现的石堆很像；但这里既没有胭脂鱼，也没有八目鳗，我想不出它们会是什么鱼建的。也许是齐文鱼的穴吧。这赋予了湖底某种令人愉快的神秘色彩。

瓦尔登的湖岸变化多端，完全不会让人觉得单调。浮现在我脑海中的，有西侧深湾形成的锯齿状的湖岸，还有更加陡峭的北岸，以及呈美丽的扇形、有岬角连绵交叠、仿佛间隔着些未经探测的水湾的南岸。湖水的尽处便是群山，从群山环抱中的小湖中心看去，森林再没有比这更好的背景了，也不可能如此别致俊秀；此时，森林映入湖水，构成画面最美丽的前景，而蜿蜒的湖岸，便是那最自然、最合宜的边界。它的边缘毫无粗糙或不完美之感，不像斧子砍伐过的或者毗邻着田地的那片地方。树木近水的一侧有足够的空间伸展，每棵树也向那个方向生出最富生机的枝丫。大自然织就了天然的花边，从湖滨低矮的灌木到最颀长的树木，这只"眼"均匀地逐渐升高，几乎不存在人类之手斧凿的痕迹。湖水冲涤着湖岸，千年不变。

湖是自然风光中最美丽、最富于表现力的所在。它是大地之眼；观者凝望着湖水，也是在量度自身秉性的深度。生于湖边的树木，是长在它边缘上的纤长的睫毛，周围的山丘和崖壁，是悬在它上方的眉毛。

在一个美好的九月午后，站在湖东端平滑的沙滩上，一阵薄雾使对面的湖岸依稀难辨，我由此明白了"波平如镜"的来历。当你头朝下观望，湖水仿若精美薄纱上的一根丝线，在山谷之间绵延穿过，在远处松树的映衬下闪闪发光，将大气层分隔开来。你会以为可以浑然不着水迹地穿过湖底到达对面的山丘，而那一掠而过的燕子也可以停栖在湖面上。的确，他们时常会潜入水下，看着就像误打误撞，结果发现也并没有上当。当你越过湖面向西看去，会不得不用手蒙起双眼，遮挡那真正的和映在水中的太阳，因为它们同样耀眼；在两侧光芒的映照下细看湖面，它的确平滑如镜，除了均匀分布在整面湖上的水黾跳来跳去，在阳光的映照下生出想象中最美的光华，又或者有一只野鸭正梳着羽毛，再不然就像我之前提过的，一只燕子低空掠过，触碰了湖面。也可能是远处的一条鱼凌空画出三四英尺长的弧线，它出水处一道闪光，入水处又是一道闪光；有时整条银色的弧线都显现出来了；又许是蓟草的冠毛浮在水面，鱼群疾冲过去，漾起圈圈涟漪。湖面就像熔化了的玻璃，已经冷却但还没有凝结，上面的尘埃也好比玻璃上的微瑕，纯净而美丽。

经常地，你也能发现一片更加平静和暗沉的水域，好像被用无形的蛛网分隔开来，那就是水泽仙女在水面上围起的水栅。从山顶俯瞰，你会看到几乎到处都有鱼儿跃起；因为没有一条梭鱼或银鱼从平静的湖面捉食昆虫时不会明显地打破整个湖面的宁静。这么简单的一件事竟可以如此精美地渲染出来，这真是太奇妙了——这桩鱼族的谋杀案暴露出来了——当涟漪的直径达到了六杆，即便我在远处也辨认得出那圆形的涟漪。你甚至看得见四分之一英里外有只水蟹（Gyrinus）正不停地滑过平静的湖面，因为它们在水上留下浅浅的沟痕，两侧的边线交叉形成了明显的涟漪，而水黾滑过水面却不会留下明显波痕。如果水上浪大，水黾和水蟹都不会出现，但很显然，如果风平浪静，它们便会离开栖所，从岸边开始，冒着风险进行短距离的前冲，直至滑过整个湖面。

在一个晴朗的秋日，充分享受着和煦的阳光，坐在这样一个高处的树墩上俯瞰湖面，观察着那不时泛起的圈圈涟漪，湖水倒映着绿树蓝天，如果不是这涟漪，还真的不容易发现——这多么令人心旷神怡呀！在这宽广的水面上，任何搅动都会立即被温柔地抚平并和缓下来，就好像装了一瓶湖水，水波荡漾着涌到了岸边，一切便又重归于平静。任何一只鱼儿跃起，或者一只昆虫落下，湖面上都会泛起一圈圈涟漪，仿佛这就是它不断涌动的泉源，是它温柔的生命脉动，是它胸膛的一起一伏。那究竟是喜悦的战栗还是疼痛的战栗，无以区分。这湖的气象是多么的宁静啊！人类的杰作也和在春天时一样的光彩熠熠。是啊，在这下午过半的光景里，每一片树叶、每一根树枝、每一块石头、每一张蛛网都像是春晨覆着晨露一般烁烁闪光。船桨或昆虫的每一次移动都会激起一道闪光；而当船桨落下，那回声又是多么甜美！

九、十月份，碰上如此天气，瓦尔登湖便像一面完美的林中明镜，四周镶嵌着在我看来非常罕见和珍贵的宝石。在地球的表面，或许再没有别的什么可以像湖泊似的，如此美丽、纯净，同时还如此辽阔。天空之水呵！它不需要修筑墙篱。各民族来来走走，从不曾将之玷污。它是那样的一面镜子，任何石头都无法将之击破，那上面的水银也从不会滚落，它表面的镀金被大自然不断地修复；它的表面永远都是新的，任何风暴和尘埃都不能使它黯淡——出现在这面镜子中的所有杂质都将沉没，太阳会以雾做的刷子——一块轻盈的除尘布——拂落尘埃、去除污垢，那上面的呼吸也了无痕迹，而是化成云浮游在它的上空，同时倒映在它的胸怀里。

一片水域泄露了天上的精灵。它不断地从上方承接新的生命和新的律动。它本身即是大地与天空的中介。大地上，只有草木会随风摇曳，而水本身却会在风中泛出涟漪。湖上斑驳的水纹或片片的波光，使我一望可知风从哪里穿过湖面。能在湖面向下俯瞰，真是非同寻常。也许最终我们也可以从空气的表面俯瞰，从而标记出那更难把握的精灵从水上掠过的位置。

十月下旬降了严霜，水黾和水蜢终于销声匿迹了；那段时间，以及在随后十一月里，如果天气晴好，通常不会有任何东西在湖面漾起波纹。十一月的一个下午，几天的暴雨过后一切归于静谧，天空依然乌云密布，周遭迷蒙着雾气，这时我发现湖面异常平静，平静得几乎看不出它的表面；映入湖水的，也不再是十月明媚的颜色，而是四围山脉十一月里萧条的颜色。我尽可能轻柔地滑过水面，但小船生出的微波几乎一直漾向我视野的尽头，水中的倒影也现出粼粼波纹。但当我沿着湖面远眺，发现远处不时现出微弱的闪光，仿佛从严霜中逃脱出来的水黾又在这里聚集，要不然可能就是平静的湖面以此显示哪里有泉水从湖底汩汩流出。我轻轻地摇桨过去，惊讶地发现被无数条小鲈鱼重重包围，这些鲈鱼身长约五英寸，在碧绿的水波中现出鲜亮的铜色，他们在那里嬉戏，不断地浮出水面，激起了涟漪，有时还留下些水泡。湖水是那样澄澈通透，湖底也好像并不存在，浮云掩映其中，我就如同乘着热气球漂浮在云端，梭鱼的游动也被我看成飞行和遨游，仿佛他们化身为一群密集的鸟儿，在我身下忽左忽右地飞来飞去，他们的鳍也成了帆，在身体的四周张开。湖里有很多这样的鱼群，使湖面看起来时而像有微风拂过，或者有雨滴坠落，很显然，他们是要在寒冬为他们辽阔的天窗拉上冰幕之前，提升一下这个短暂的季节。如果我的靠近不小心惊到了他们，就好像有人拿着长着叶子的树枝击打了水面，他们就会用鱼尾倏地溅起一阵水花和涟漪，立马潜入深水躲藏起来。终于，起风了，雾也浓了起来，浪花开始奔腾，鲈鱼跳得更高了，半个身子露出了水面，一时之间，上百个三英寸长的黑点同时跃动在水面上。有一年，甚至都已经十一月五日了，我见水面上出现了些水涡，空气里也浓雾弥漫，我估计马上会有一场大雨，便连忙坐到船桨旁边往家划去；我不曾觉得有雨打在脸上，但雨好像已经越下越大，预计我要浇成落汤鸡了。但突然间水涡消失了，原来是梭鱼搅起的，他们听见了我的船桨声，早就掩了声息，躲到深水中去了，我还隐约地见到了他们消失的背影；结果，我干干爽爽地过了个下午。

有一位老人在大约六十年前就常来湖边，那时的瓦尔登湖因四周丛林密布而光线深幽，他对我讲，在那段日子，有时他见了野鸭或者别的水禽，再加上附近盘桓的飞鹰，就觉得整个瓦尔登湖鲜活起来了。他是来这儿钓鱼的，乘的是一只他在湖边找到的独木舟。那独木舟由两根白松原木制成，先把中间掏空，再钉起来，两端被削成了方形。它的做工非常粗糙，但也用了很多年，直到后来开始渗水，后来许是沉了底吧。他不知道这是谁的独木舟；应该是属于这湖的吧。他原来总是把一条条的胡桃树皮系在一起做锚绳。一次，一位独立战争前就住在湖边的老陶匠告诉他，湖底有个铁箱，他见到过。有时，铁箱也会漂到岸边，但你一走近，它就又沉到深水里不见了。听说有这么一条独木舟，我很高兴，它代替了印第安人那同等材质的独木舟，但制作更加美观，它原本可能就是岸上的一棵树，后来似乎落了水，在水上漂了二三十年，是湖上最适宜的船只了。我记得第一次向湖的深处看去的时候，隐约看到湖底躺着许多高大的树干，它们不是之前被风刮到了这里，就是上次砍伐的时候因为卖不上价而扔在冰上的；但现在这些树干大多消失了。

我第一次在瓦尔登湖上泛舟的时候，茂密而高大的松树和橡树林把它完全环绕，某些水湾处，葡萄藤缘近水的树木攀爬而上形成凉棚，船可以在底下通行。构成它的堤岸的山峰是那么陡峭，山上的树木也那么颀长，当你从西岸向下俯瞰，它看起来就像一个圆形的露天竞技场，用以表演森林奇观。年轻的时候，我会在夏日上午把船划到湖心，然后便任风载着在湖上漂浮，自己则仰躺在座位上，似梦似醒，直到在船触上沙滩的震动中惊醒，才爬起来看命运把我带到了怎样的岸边，我就这样度过了好多时光；在那段时光，无所事事便是最具吸引力同时也最富有收益的事业。我宁愿如此度过一天中最宝贵的光阴，于是就这般偷闲地度过了许多个上午；因为如果在金钱上我并不富有，就明媚的时光和夏季的美景来说我是富有的，可以尽情挥霍；我也不会为没能将它们花在作坊里或者老师的讲桌旁而感到遗憾。但自从我离开了那片湖岸，伐木工人便使它们成了荒地，到现在已经有许多年不能再在林间小路上漫步了，也不能透过树林偶尔瞥见那湖光天色了。如果我的缪斯因此而沉默，也情有可原。如果鸟儿们的树林已经遭到了砍伐，你又怎么能期待他们啼唱起来呢？

现在，湖底的树干、老旧的独木舟、周遭幽暗的树林都不见了踪迹，村民们没几个知道瓦尔登湖在什么地方，也不再来湖边洗澡或者汲水喝，而是想办法用一根管子把这至少和恒河一样神圣的湖水引进了村子，用它来冲洗碗碟，他们只需拧下水龙头或者拔下活塞，就获得了自己的瓦尔登湖啦！那魔鬼般的铁马，发出了整个镇子都听得见的震耳欲聋的嘶鸣，它用脚污染了沸腾泉的泉水，也正是它，把瓦尔登湖岸边的树木咬噬得精光，这匹希腊人引进的、肚子里装了上百人的特洛伊木马啊①！这个国家的第一勇士，那位摩尔厅的摩尔人在哪儿？②在深谷迎战它吧，把复仇的长矛刺进这胀鼓鼓的瘟神的肋骨间吧！

即便如此，就我所知道的那些特色来说，或许瓦尔登湖仍是最好的体现，同时它也最好地保持了自身的纯净。很多人曾被比作瓦尔登湖，但很少有人能受之无愧。尽管伐木工人砍光了一面又一面的湖岸，爱尔兰人在湖边搭起了窝棚，铁路侵入了它的边界，而采冰人也曾采过湖面的冰块，但湖本身丝毫未变，它仍是我年轻时所见的那片水域；所有的变化都发生在我的身上。它曾泛起过无数涟漪，但没有一条成为永久的皱纹。它青春永驻：站在湖边，我会看见燕子掠过水面，衔起一只昆虫，这一切都一如往昔。今晚，它再次将我打动，仿佛二十年来我几乎日日和它会面——哦，这就是瓦尔登，我多年前发现的那面林中之湖；这里上个冬天刚伐过一片森林，如今湖边则又发出一片新芽，同样地茂盛而茁壮；同样的思绪涌现在和那时毫无分别的湖面；对它自己和对于它的造物，那是同样流淌着的喜悦和幸福，那或者也是我的喜悦和幸福。它是勇敢者的作品，在他身上没有一丝狡诈！他以自己的手臂围起这片水域，在思想中将之拓深、净化，并在遗嘱中将它献给了康科德。我

---

① 指特洛伊战争中有名的"木马计"，即希腊联军将勇士藏在木马之中，从而实现里应外合，获得特洛伊战争的胜利的故事。此处指火车。
② 指英国民谣《旺特利龙》中的主人公，通过击打恶龙身上的唯一致命之处而将之杀死。

从它的面容上看到，来此拜访它的是同样的倒影；我几乎可以说，瓦尔登，那是你吗？

> 我的梦想
> 并非装饰诗行；
> 我不会比栖居于瓦尔登湖
> 更接近于上帝和天堂。
> 我是它石砌的岸，
> 是掠过湖面的风；
> 我的手心里
> 是它的水和沙，
> 它最幽深的境地
> 高居于我的思想之上。

火车从不曾停下来观赏过瓦尔登湖；但我想，那些司机、司炉、司闸员，以及持有季票、常能看见它的乘客，更懂得欣赏这湖光水色。即使是在夜里，司机也不会忘记——或者说他的天性不会忘记，他至少曾有一次在白天见到过这静谧而纯洁的景象。虽然仅只一次，也帮他洗去了州府街和火车机车的烟尘。有人建议就把它叫作"上帝的水滴"。

我曾说过，瓦尔登湖没有可见的进水口和出水口，但它的一端经由一连串小湖和远处海拔更高的弗林特湖蜿转相连，另一端则明显地直接连通着地势更低的康科德河，中间同样连缀着一串相似的小湖，说不定在另一个地质期瓦尔登湖就曾流经这些小湖，而如果不是上帝禁止，只需稍事挖掘，它还可以再次流经那里。如果说长期森林隐士般克制而简朴的生活使瓦尔登湖获得了令人惊异的纯洁，那么谁又会不遗憾于相对浑浊的弗林特湖的湖水竟混入其中了呢？又或者不遗憾于它竟将自身的甜美虚掷给了海浪？

距瓦尔登湖以东一英里左右的弗林特湖又被称为沙湖，它位于林肯镇境内，是这一带最大的湖，堪称内海。它面积达到一百九十七亩，比瓦尔登湖要大得多，渔产也更加丰富，但那里的湖水较浅，也没有这般纯净。穿过树林一路步行到达那里是我常做的消遣，哪怕只是感受着风自由地抚弄着面颊，注视着波浪奔涌向前，再怀想一下水手的生活，便已经觉得很值了。秋天，赶上刮风，掉进湖里的栗子会被冲到我脚下，这时我便去那里捡栗子。一天，我正小心地走在它长满莎草的岸边，清新的浪花飞溅在脸上，这时，我碰到了一艘船腐烂的残骸，船帮没有了，隐约能看见平平的底板躺在一簇灯芯草中间；然而船的模样依然清晰可辨，就如同一张烂掉的荷叶，筋脉仍是在的。它曾和我们所能想象的在海边碰到的船骸一样让人印象深刻，也一样蕴含着有益的寓意。但在那一刻，它只是和湖岸没什么分别的腐殖土了，灯芯草和菖蒲穿透它生长着。

我常常观赏涟漪在北岸沙底上留下的波痕，受水压作用，涉水者的脚踩上去会觉得它们又硬又坚固；对应着这些波痕，成排生长的灯芯草排成了浪线，一行又一行的，就好像波浪把它们种了下来。我在那儿还发现了大量奇怪的圆球，直径从一英寸到四英寸不等，非常规则，显然是由纤细的草或根须形成的，说不定就是谷精草吧。浅水中这些球被冲得在沙底上滚来滚去，有时还到了岸上。它们要么是结结实实的草球，要么就是中间裹进了些沙子。最初你可能会说，跟卵石一样，它们是在水波的运动中形成；但那种最小的半英寸长的球，也由同样粗糙的材料构成，而且一年之中只一个季节才有。再说要我看，对于这种已经定型的物质，波浪的作用更多的是磨损，而不是建设。只有保持干燥，它们才会在很长时间内保持它们的形状。

"弗林特湖！"我们的命名体系是多么贫瘠呀！那位又脏又蠢的农夫，田产紧挨着这方天水，残忍地把湖岸砍得精光，他有什么权利用自己的名字给这面湖命名？这个一毛不拔的家伙，他更喜欢的是美元硬币反光的表面，还有那晃眼的分币，在那上面看得见他自己无耻的嘴脸；那些停憩在湖上的野鸭，在他看来也是侵占了他的地盘；他长时间像哈比①那样攫掠，手指也成了鳞峋、弯曲的爪子——这不是我要的湖名。我去那里不是为了见他或者听人说起他；他从未见过这湖，从没在里面洗过澡，也没有爱过它、保护过它或者说过一句赞美的话，他也没有因为上帝创造了它而表示感恩。还不如用湖里的鱼、常来的飞禽或者野兽、湖滨的花儿，或者把自己的经历跟湖的历史融在一起的野人或孩子来为它命名；而不是由他这样一个除了哪位臭味相投的邻居或立法机构给的那纸契约之外再也拿不出别的来的人来命名——他想的都是这湖的金钱价值；他的存在可能给所有的湖岸都带来了厄运；他已经耗尽了湖周围的地力，还想

---

① 哈比（Harpy），希腊神话中的鹰身女妖，长着女性的头部，鹰的身体。

排空湖里的水；他唯一遗憾的就是这湖竟不是长满英国干草或越橘的草地——的确，在他的眼里这湖一无是处，他宁愿把它抽干，好把湖底的淤泥拿去卖。这湖水不为他推磨，观赏湖光水色在他看来也不是什么荣幸。

我不尊重他的劳动，也不尊重他那每件东西都定了价的农场；只要能换回点什么，他会把风景和他的上帝都拉到市场上卖；他去市场其实就是为了他的上帝；在他的农场，没什么能自由生长，他的田里不长庄稼，草地上不长花儿，树上结的也不是果子，而是金钱；他不爱果实的美，对他来说，果实只有变成了钱的时候才真正成熟。给我那种能享受真正的富有的贫穷吧。在我看来，农民有多贫穷，就有多值得尊敬，就会让我产生多少兴趣——贫穷的农民啊。模范农场！那儿的房子得像蘑菇那样立在厩肥堆上，人、马、牛、猪的住处，干净的，不干净的，全都紧挨着！人畜不分！那是一块儿大油渍，散发着粪肥和酸酪的味道！全都得处于高级农耕状态下，以人的心和大脑做肥料！就好像你要在教堂的院子里种土豆！如此才是模范农场！

不，不；如果最美的风光真要以人的名字命名，那就只用那些最高尚、最杰出的人物的名字吧。让我们的湖泊被授以真正的名字吧，至少像伊卡洛斯之海那样，一次"勇敢的尝试依旧在它的海岸回响"[①]。

----

① 引自苏格兰诗人威廉·德拉蒙德（William Drummond，1585—1649）的《伊卡洛斯》。传说中伊卡洛斯因飞得过高翅膀被太阳烤化而坠入爱琴海，所以爱琴海中有一片海域也被称作伊卡洛斯之海。

鹅湖位于去弗林特湖的路上，面积不大；费尔黑文湖在西南方向，距此一英里，是康科德河向外扩展而形成的，水域面积据说有七十亩；从费尔黑文过去再走一英里半便是白湖，占地约四十。这就是我的湖区。它们和康科德河一道，构成我享有特惠的水域；日复一日，年复一年，它们将我带去的谷物细细打磨。

自从瓦尔登湖遭到了伐木工、铁路以及我本人的玷污，所有湖中堪称林中瑰宝的就要数白湖了，也许它并不是最美的那个，但多半是最有魅力的；白湖，一个寻常得可怜的名字，也许是来自它极为澄净的湖水，要不然就是来自湖沙的颜色。就这些来说，以及在其他方面，它都是稍逊一筹的瓦尔登湖的双生同胞。它们非常相似，相似到你认为它们必定在地下相连。它们拥有同样的石岸，以及同样颜色的水面。和瓦尔登一样，在闷热的三伏天气，透过树林俯瞰一些不深的湖湾，湖底折射的光线涂抹了湖湾的颜色，那里的水面现出朦胧的蓝绿色或者绿灰色。多年前我常去那里采沙子，一车车地运回来做砂纸，后来也常去游玩。那里有个常客建议把它称作碧湖，考虑到下面的情况，或者该叫作黄松湖吧。大约十五年前，一棵油松的树冠从距湖岸很多杆以外的深水中伸出来，虽然不是什么特别的品种，但这一带把它称作黄松。有人甚至认为，以前湖里水位很低，而这棵黄松就是原来长在这里的原始森林的遗留。

我甚至发现早在一七九二年，有位当地居民就写了篇题为《康科德镇地形志》的文章，收在《马萨诸塞历史学会文集》中。在描述了瓦尔登和白湖之后，作者进一步写道："如果水位特别低，白湖的湖心会露出一株树来，它好像是原来就生长在那的，但根扎在了水面五十英尺以下，树冠已经折断，折断处的直径计有十四英寸。"我一八四九年春天曾和萨德伯里镇住得离湖最近的那个人聊过天，他告诉我，就在大约十到十五年前，就是他把这棵树从湖里拉上来的。据他记忆，这棵树离岸边约有十二到十五杆的距离，那里的水深达到三十到四十英尺。那是在冬天，他一上午都在采冰，决心下午让邻居们帮忙把老黄松拽上来。这时他发现冰上有个凹槽通到岸边，于是就用牛把它拽到了冰上；但没多久他就发现这树已经大头朝下了，树枝直指着下面，细的那一头牢牢地扎在沙底上。粗的那一头的直径有一英尺，他本想锯成一块儿上好的原木，结果它已经烂透了，只能用来烧火了。那会儿他还剩些搁在棚子里呢。树根的地方有斧头和啄木鸟的痕迹。他想那可能就是岸边的一棵死树，后来被刮到了湖里，等树尖都泡烂了，树根仍然是干爽的，也不重，就顺水漂走了，倒立着沉到了水里，他那八十岁的父亲也记不清那棵树在湖里有多久了。湖底现在还沉着几段漂亮的树干，在湖面的荡漾中，它们看起来就像巨大的移动着的水蛇。

白湖少有船来，因为它没什么能吸引渔夫的，因此也少了一份玷污。纯净的湖面看不见白色的睡莲，因为睡莲需要淤泥，也没有寻常开白花的菖蒲，而是开着蓝花的菖蒲（Iris Versicolor），从环湖的石底上稀稀落落地钻出水面，在六月的时节迎接蜂鸟的拜访；它那蓝莹莹的叶片和花瓣，尤其是它们的倒影，和蓝绿色的湖水格外相宜。

白湖和瓦尔登湖是嵌在地球表面的两颗水晶，是光之湖。如果它们永远凝成固体，再小到足可盈握，便很有可能像宝石一样被奴仆们带走，去装饰君王的冠冕；但它们是液体的，而且如此广大，所以被永远地交托在我们和我们后代的手上，我们却如此的轻慢，反而汲汲于追求柯伊诺尔钻石①。它们太过纯洁，不具备市场价值；它们毫不污浊。比起我们的生活，它们要美丽多少呵；比起我们的性格，它们要清澈多少呵！我们从没听说过它们有何卑劣之处。比起农户门前鸭子戏游其间的池塘，它们要美丽多少倍啊！因为来这儿的都是野鸭。大自然还没在它的人类居民中找到欣赏者。鸟儿身披羽毛，歌声婉转，这一切和花朵相得益彰，但又有哪些少男少女是和大自然粗犷苍郁的美相协调的呢？她多是在远离人类定居的城镇独自繁茂的吧。还侈谈什么天堂！你让大地蒙羞。

---

① 柯伊诺尔钻石（Kohinoor），世界上最古老一颗巨大的钻石，原产印度，又名"光之山（mountain of light）"，后被献给英国女王。

贝克农庄

有时，我信步走入松林，松树身姿挺拔，亭亭如盖，宛若庙宇，又像装备停当的海上舰队，枝干如波浪般弯曲，泛着光的涟漪，那般柔美青翠，便是德鲁伊①们也要抛下橡树，转而向它们顶礼膜拜了；有时我也会漫步在弗林特湖畔的杉木林下，那里的树干颀长耸峙，即便立在瓦尔哈拉②大殿前也毫不逊色，树的枝干上覆满了一层灰白的蓝色浆果，匍匐的杜松以缀满果实的环形藤蔓覆盖着大地；有时，我徜徉在沼泽地带，那里的松萝像花彩一样从白云杉上垂落下来，伞菌成了沼泽诸神的圆桌，铺展在地上，更加漂亮的小蘑菇装点着树桩，像蝴蝶，像贝壳，像植物界的滨螺；那里生长着沼泽石竹和山茱萸，红红的杞果像小恶魔的眼睛一样闪闪发亮，南蛇藤缠绕层叠，木质

----

① 德鲁伊（Druid），古凯尔特祭师的统称，传说他们具备与神对话的能力，以橡树为圣树。
② 瓦尔哈拉（Valhalla），北欧神话中主神奥丁的神殿之一，战场殒命的英雄的亡灵在此安息。

206

最硬的树也被留下刻痕，遭到了磨损，野冬青的果实美得让见者流连忘返，还有一些叫不出名字的野生"禁果"，漂亮得非凡人可食，让他目眩，备受引诱。我没有去拜访专家学者，而是多次查看了这一代罕见的特别树种，它们有的在草原的中心，有的在森林或沼泽的深处，有的在山顶；比如黑桦树，我们就有几棵直径达两英尺的漂亮标本；还有它的表亲黄桦，穿着宽松的金色马甲，散发着和黑桦一样的香味；而山毛榉的树干则分外光洁，青苔在上面画下漂亮的彩绘，每个细节都堪称完美，除了散布的一些样本之外，我只知道镇里还有一小片山毛榉林，树形相当高大，据说是附近的山毛榉果吸引了鸽子，鸽子们造就了这片树林；劈山毛榉木的时候，里面银色闪光的颗粒很值得一看；还有椴树、鹅耳枥、朴树等，朴树也称假榆树，这里只有一棵长得还不错；此外，有棵松树像桅杆一样挺拔，有棵树能用来做木瓦，有株铁杉完美得超乎其他同类，宝塔似地矗立在林中；其他的树，我还可以说出很多。它们就是我不分冬夏前去拜谒的神迹。

有一次，我恰巧站在彩虹的拱座上，彩虹贯穿大气的底层，周围的草和树叶都着了色，我仿佛在透过彩色水晶观看，觉得眼花缭乱。这里成了一片虹光之湖，有那么一会儿，我就像一只海豚，生活于其间。如果它持续得再长一点儿，也会为我的工作和生活染上颜色。当我走在铁路堤道上，常常惊讶于那环绕着我的影子的光晕，便欣然地将自己想象为一名上帝的选民。我的一位访客声称，他曾看见几个走在他前面的爱尔兰人就没有这种光晕，那是本地人才有的特征。在他的回忆录中，本韦努托·切利尼①告诉我们，羁押于圣安杰洛城堡②期间，他曾有过一个可怕的噩梦或幻象，自那时起，在清晨和黄昏，他影子的上方便会出现灿烂的光晕，当露珠打湿了青草，这光晕便尤其明显，不论他是在意大利还是在法国。这和我提到的几乎是同一种现象，早晨尤其容易观察到，但其他时间也会出现，哪怕是在月光中。虽然这是一个持续的现象，但一般不被觉察，切利尼那富于激情的想象，足以构成迷信的基础。此外，他说他只向寥寥几人指出过他头上的光晕。但是，那些意识到自己头上顶着光晕的人，难道不是真正的与众不同吗？

一天下午，为了弥补蔬菜的短缺，我穿过树林去费尔黑文钓鱼，途经毗邻贝克农场的"怡乐草场"，那是一位诗人曾经吟咏过的僻静之处，诗的开头是这样的——

入口是一片怡人的田野，
生着青苔的果树，也为
泛着光泽的小溪让路，
麝鼠在水面滑行，
银色的鲟鱼
四下里窜来窜去。

前往瓦尔登湖前我曾想过到那里生活。我"钓"过苹果，跃

---

① 本韦努托·切利尼（Benvenuto Cellini，1500—1571），意大利文艺复兴时期著名的金匠、画家、雕塑家和音乐家，他的《回忆录》享有盛名。
② 圣安杰洛城堡（the castle of St. Angelo），著名古城堡，位于意大利罗马，切利尼曾因涉嫌侵占教皇珠宝被囚禁于此。

过小溪，吓唬过那里的麝鼠和鲟鱼。有时，午后的时光似乎无比漫长，什么都有可能发生，我们在自然中的生活大多发生在此时。那正是在这样一个下午，但我出发的时候，时间已经过半。途中突降阵雨，我不得不在一棵松树下站了半个小时，层层叠叠的树枝遮在头上，手绢也被拿来挡雨；后来，我站在齐腰深的水中，越过梭鱼草抛出钓钩，突然发现乌云压顶，开始传来隆隆的雷声，雷声霹雳，灌满了耳朵。我想，用交叉的闪电击败了赤手空拳的渔夫，众神一定非常得意。我赶忙跑到最近的茅屋避雨，那里离任何一条路都有半英里，但离湖就近多了，已经很久没人住过了：——

> 这是一位诗人
> 建于往昔岁月，
> 看这小小木屋，
> 向着毁灭前行。

这是缪斯女神的寓言。但我发现，当时那里面住着一个名叫约翰·菲尔德的爱尔兰人，还有他的妻子和几个孩子。那个宽脸盘的孩子已经在帮父亲干活了，这会儿刚跟父亲从沼泽地跑回来避雨。而小婴儿的脸还皱巴巴的，像个女先知，脑袋呈圆锥形，端坐在父亲膝上，就好像是坐在贵族的宫殿里，透过潮湿和饥饿，用婴儿的特权从屋里好奇地打量我这个陌生来客，全然不知自己并非约翰·菲尔德家那个忍饥挨饿的穷孩子，而是某支高贵血脉最后的留存，是世界的焦点和希望。我们一起坐在不漏雨的那块天棚下面，外面雷雨交加。以前，我就来这里坐过多次，那会儿那艘载着他们全家漂洋过海来到美国的大船还没造好呢。约翰·菲尔德诚实、勤劳，可是没什么能力；他的妻子很勇敢，在架得高高的炉子上接连做了那么多顿饭；她的脸圆圆的，闪着油光，前胸裸露着，仍在想象着哪天能过上好日子呢；她手里总拿着拖把，但其效果在家里任何地方都看不出。鸡也在房子里避雨，像家庭成员一样大模大样地走来走去，我想，它们也太像人了，没法烤着吃。停下来，它们会盯着我的眼睛看，或者使劲儿啄我的鞋。

这时，主人给我讲了他的故事，比如他如何辛苦地在沼泽地里给附近一个农民打工。他要用锹或者沼泽里专用的锄头翻草地，每亩得十美元报酬，再加上一年的土地和肥料使用权。他那宽脸庞的儿子兴高采烈地跟在父亲身边干活，根本不知道父亲达成的交易多么不划算。我想以我的经验帮他，就跟他讲，他是离我最近的邻居之一，我来这儿钓鱼，看上去闲散，但谋生手段和他类似；我住的房子空间局促，但明亮、整洁，造价并不比他这种破房子一年的租金贵；我告诉他如果他愿意，要怎样在一两个月内建起自己的宫殿；我不喝茶，不饮咖啡，也用不着黄油、牛奶、鲜肉，所以也无须为得到它们而工作；再者，我并没有拼命工作，也就无须拼命地吃，所以我在食物上的花费便很少；而他一开始就需要茶、咖啡、黄油、牛奶、牛肉，所以只能拼命工作来支付这笔开销，而拼命工作，就得拼命吃，以修复身体上的消耗——如此收益和花销不过半斤八两、两相消抵了，但其实还是不一样，因为他并不满足，还得把生命耗费在讨价还价上；可在他看来，来美国却是有所得的，因为这里每天都有茶，有咖啡，有肉。但真正的美国，是在这里你可以自由地追求一种生活方式从而得以摆脱上述的一切，是那里的政府不会竭力迫使你支持奴隶制、战争，以及其他直接或间接因类似事情而起的额外的花销。

　　和他对话，我有意把他当作一位哲人，或者一位希望成为哲人的人。如果作为人类开始自我救赎的结果，地球上的牧场都荒芜了，我会很高兴。一个人不需要通过学习历史来弄清楚什么对他的文化最为有益。但是唉！爱尔兰人的文化居然是一种需要以道德的沼泽锄从事的事业。我对他说，他在沼泽地干活这么卖力，得穿厚靴子和耐磨的衣服，而且用不了多久就得又脏又破，但我穿的鞋子和衣服都很薄，价钱便宜了一半多，尽管他可能认为我穿得像个绅士（但情况并非如此），而如果我愿意，只消一两个小时，不费什么力气，权当一种消遣，我就能抓到足够两天吃的鱼，或者挣够一个星期花的钱。如果他和家人想过一种简单的生活，可以在夏天去采越橘，怡然自乐。听了这些，约翰叹了口气，他的妻子则双手叉腰，瞪大了眼睛，两个人好像都在盘算他们资金够不够开始这样的生活。在他们看来，这等同于利用航位计算法来航行，他们看不清何以抵达港口；我因此认为，他们不具备以锋利的楔子劈开生活的巨大柱石进而从细微处将之击溃的能力，但仍会勇敢地面对生活，用自己的方式，毕尽全力——他们想以粗粝应对生活，像人们在处理蓟草那样。但他们是在极端不利的形势下奋斗的——唉！约翰·菲尔德，活着而不懂得盘算，终致如此一败涂地啊！

　　"你钓过鱼吗？"我问。"啊，钓过，我闲着的时候不时会钓几条；钓到过很好的鲈鱼。""你用什么当鱼饵？""我先用鱼虫当鱼饵钓小银鱼，再用小银鱼来钓鲈鱼。""你最好现在就去，约翰。"他的妻子说，脸上闪烁着希望的光；但约翰迟疑着。

这时，雨停了，东边树林上空的彩虹预示着一个美丽的黄昏；于是我起身告辞。来到屋外，我向他们讨了点水喝，希望借此看一眼井底，好完成对这份地产的考察；但是，天啊，井很浅，还有流沙，而且井绳也断了，桶拉不上来！这时，他们已经选好了合适的餐具，商量磨蹭了好一阵儿后，把水递到了口渴的人手上，那水看起来好像煮过——水还没凉，水里的杂质也没沉降。我想，就是这样的浑水维持了这里的生命；于是我闭上眼，巧妙引导着底层的水流，把杂质晃到一旁，为他们的真诚好客喝了一大口水。在这种情况下，如果事关礼貌，我是不会苛求的。

阵雨过后，我离开爱尔兰人的家，又跨步走向湖边，穿过了僻静的草地，蹚过泥淖和沼泽，走过荒芜和凄清之地，有那么一瞬，我似乎觉得这么急匆匆地去捉梭鱼，对于我这样一个读过书上过大学的人来说有些不值；但当我沿着山路下行，走向被余晖染红的西方，一抹彩虹从肩头延展，透过纯净的空气，不知从何处传来一阵隐约的叮当声，我的守护神好像在说——去垂钓狩猎吧，去到遥远、宽广之地，每天如此——走得更加遥远、更加宽广吧——无忧无虑地在许多小溪和炉火旁休憩吧。你趁着年幼，当纪念造你的主。①趁黎明未至，自由自在地起床探险吧。让正午发现你已到达其他的湖畔，让夜晚追逐着你四处为家。没有比这更广阔的田野，没有比这更有价值的游戏。

----

① 出自《圣经·传道书》12:1。

按你的天性无拘无束地生长吧，就像这些莎草和凤尾蕨永远都变不成英格兰干草。让雷声轰响吧；即便它使农民的庄稼受到毁灭的威胁那又怎样？这并非它派给你的差事。让他们跑向马车和棚屋，你就躲在云层之下吧。不要以谋生为职业，而要代之以游戏。享受这片土地，但无须占有。正是因为缺乏冒险精神和信念，人们才陷入这般境地，买进卖出，过着奴隶般的生活。

啊 贝克农场！
"缕缕澄静的阳光
是那风光中最丰饶的元素。"……
"没有人奔跑，作乐狂欢
在那轨道为篱的草原之上"……
"你从不与人争辩，
不因问题而困惑，
初见时就如此刻一样温顺，
穿着素朴的赤褐色华达呢①"……

"爱你的人来吧，
恨你的人也来吧，
圣鸽之子，
还有民族的盖伊·福克斯②

————————————

① 华达呢（gabardine），英国人托马斯·博柏利（Thomas Burberry）于19世纪晚期研发的一种结实、透气、防水的斜纹布料。
② 盖伊·福克斯（Guy Fawkes, 1570—1606），英国天主教徒，因图谋炸毁英国上议院而被处绞刑。

在坚硬的树橡之上

将阴谋高悬！"①

晚上，人们从附近的田野或街道，那些回荡着自家回响的地方，温顺地回到家中，他们的生命因为一再呼吸自己吐出的空气而日渐枯槁；日出日暮时分，他们的影子长过一天所走的路程。我们应当每日都从远方归来，从探险、冒险、发现中归来，带回新的经验，新的性格。

我还没到湖边，受某种新想法促动，约翰·菲尔德也改主意过来了，天黑前他不打算再去沼泽地干活了。但可怜的人啊，我都抓到了一串鱼，他才抓到了几条，他说运气如此；我们互换了位置，可运气也跟着换了位置。可怜的约翰·菲尔德！——我相信他读不到这些文字，除非他能因此而得到提升——他只想以源自故国的某种生活方式，在这个尚未开化的新国家生存——用银鱼来钓鲈鱼②。我承认，有时银鱼也是不错的鱼饵。尽管放眼四野尽属于他，但他却是一个穷人，生而贫穷，继承了爱尔兰人的贫苦，以及那种窘迫的生活，还继承了亚当的老祖母那泥沼中的生活方式，不论他还是他的后代，都不可能在这个世界飞腾，除非他们那跋涉在泥里的长蹼的双脚生出了足翼。

---

① 引自钱宁的《贝克农场》。
② 梭罗意为有更容易寻到的鲈鱼鱼饵，不必先以蚯蚓钓银鱼，再以银鱼为鱼饵钓鲈鱼。

更高的法则

当我提着一串鱼，用鱼竿探路穿过树林回家的时候，天色已经相当昏暗了。那时，我突然瞥见路上有一只土拨鼠悄然横穿而过。一种野性的快感使我不自觉地战栗，并使我强烈地想要捉住他，将他生吞活剥；并不是因为我那时饿了，只是为了他表现出来的那种野性。然而当我在湖边住着的时候，曾经就有那么一两次，我发现自己就像一条半饿着肚子的猎犬，漫游在树林里，带着一种从未有过的放纵，去寻找我能生吞下的某种野味，没有什么是我不能吃的。那些最狂野的景象莫名地变得熟悉。我曾发现在我的内心，和大多数人一样有一种追求更高的或者称之为精神生活的本能，至今也还是如此。但同时，我又有另一种本能朝着原始的队列和野性走去。我对这两种本能都心存敬畏，对野性的狂热也并不亚于善良。钓鱼中蕴含的野性和冒险仍然吸引着我。我有时候喜欢粗劣地对待生活，更愿意像动物一样过日子。也许因为在我非常年轻的时候，就已经做过这份营生，还打过猎，所以大自然就成了我最亲近的朋友。

渔猎早早地将我们介绍给大自然，并把我们留在自然风景里，否则在那个年纪，我们不会有什么好朋友。渔夫、猎人、伐木工等人，在田野树林里穷尽一生。在某个特别的意义上，他们就是大自然自身的一部分。哲学家或是诗人们往往带着预期去靠近自然。而他们却能在工作的间隙带着一种更放松的情绪去观察大自然。大自然并不害怕向他们袒露她自己。旅行者到了草原上自然是个猎人，到了密苏里和哥伦比亚的上游就成了诱捕手，而在圣玛丽大瀑布又成了一个渔夫。但如果一个人仅仅是一个旅行家，他就只能遵循半吊子的二手知识，只是一个可怜的权威。当科学报道人们早已在事实上本能地感知到的东西时，我们感到极大的兴趣，因为只有那些是真实的人性，或者说承载了人类的经验。

扬基人^①没有那么多节假日，男人和孩子又不像英国人一样有那么多可玩，所以有人错以为他们少有娱乐。其实在这里，更原始而孤独的打鱼、捕猎一类的快乐还没有让位给那些游戏呢。几乎每个与我同辈的新英格兰男孩都曾在十到十四岁左右扛过鸟枪；他们渔猎的天地并不像英国贵族的圈地那样被限制，而是广阔无比，甚至比一个野蛮人所拥有的还要无边无际。因此，他们不常去公共牧场也就不足为奇了。但现在却起了变化。倒不是因为人口增长，而是因为猎物日益稀少。也许除了人道主义协会，猎人才是猎物最好的朋友。

---

① 扬基人（the Yankee），按下文提到的新英格兰男孩，这里应指的是新英格兰和北部一些州的美国人。

此外，有时候在湖边，我会想要加条鱼来丰富伙食。确实，我也和第一个捕鱼的人一样，曾出于相同的需要而捕鱼。所有在我脑海闪过的反对捕鱼的仁慈都是不真实的。比起我的情感，这更关乎我的哲学。现在我只说了打鱼，因为长久以来我认为打鸟是不一样的，在我去树林之前我就把我的枪卖了。并不是说我比别人残忍，只是我不认为我的情感被深深触动了。我并不同情鱼儿或是诱饵。这早就是一个习惯。至于打鸟，在我带枪的最后几年，我的借口是我正在学习鸟类学，而且只找新奇或稀有的鸟类。可是我要坦白，现在我更倾向于相信，有比这更好的学习鸟类学的方式。学习鸟类学需要极为密切地观察鸟类的习性，光是为了这一点，我也不得不省掉我的猎枪了。尽管是处于人道主义问题的反方，我不得不怀疑是否有同等价值的体育活动能够代替这些；如果我的一些朋友不安地问我是否该让他们的男孩去打猎，我会这样回答，应该——我记得那是我的教育中最好的一部分——让他们成为猎人，也许一开始只是个运动员，但如果可能，最后会成为一个老练的猎人，这样他们将来就不会在这儿或是任何野地里找到大得足以捕杀的动物了——而成为人类的猎人与渔夫①。至今我还是同意乔叟②笔下的那个修女说的：

---

① 参见《圣经·马可福音》1:17："耶稣对他们说：'来跟从我！我要叫你们得人如得鱼一样。'"

② 杰弗雷·乔叟（Geoffrey Chaucer, 1343—1400），英国小说家、诗人。主要作品有小说集《坎特伯雷故事集》。下面引文出自其《坎特伯雷故事集》前言，此处修女实为修道士。

"从没听老母鸡说过，

猎人不是一个圣人。"

　　在个人与种族的历史中就有那么一个时期，猎人们被称作是
"最好的人"，就像阿尔贡金族①人称呼的那样。我们不得不同情
一个从没开过枪的男孩，他不再高尚了，因为他的教育被可怜
地忽视了。这就是我对那些潜心追求于此的年轻人的回答，并
相信他们很快就会度过这一蜕变阶段。没有一种仁慈，会在经
过了无知的年轻岁月之后，还放肆残害任何一个和他保有同等
生命地位的生物。野兔在危急的时刻哭喊得就像一个孩子。我
要提醒你们，母亲们，我的同情并不总是有世俗仁慈的区别对
待的。

　　这就是年轻人进入森林最寻常的方式，也是他自身最原初的
一部分。他起先是作为一个猎人和渔夫走入那里。到最后，假如
他心里有追求更美好的生活的种子，他就会看清更适合他的目
标，可能是一个诗人或是博物学家，然后将枪和鱼竿抛在身后。
大多数人在这一方面，尚是年轻的，并且会一直年轻着。在某些
国家，一个打猎的牧师并不是什么罕见的现象。这样的牧师可能
算是一条优秀的牧羊犬，但离成为一个好牧人②还差得远呢。我
还惊喜地发现，除了伐木、凿冰或者类似的事之外，据我所知，

---

① 阿尔贡金族（Algonquins），加拿大土著部落。
② 原文为"Good Shepherd"，也指耶稣基督，这里用了双关。

显然只有一件事还曾让镇上老老少少的公民同胞们在瓦尔登湖待上个半天，就这一件事例外，那就是钓鱼。除非他们能钓上一大串鱼，通常不会自觉是幸运的，也不觉得花费的时间值得，虽然他们已经拥有了一直欣赏湖面的机会。或许他们得去上千次才能让钓鱼这件事沉淀下来，使他们的目的更为纯粹；无疑这种净化的过程还得一直进行下去。州长和他的议员们对这湖的记忆已经模糊了，因为他们上次来钓鱼的时候还是个孩子；但现在他们年高德劭得不适于钓鱼，所以他们永远也不了解。但他们甚至还想着最后进入天堂呢。即使立法机构还记得这湖，也主要是为了规定那里准许多少个钓钩罢了；但他们不知道，那钓钩中的一个正是以立法机构作为钓饵，去钓起这个湖本身。因此，即使在文明的社群里，胚胎期的人也要经历猎人这一发展阶段。

最近几年，我不断地意识到每次钓鱼都使我对自己的尊敬减少一些。我曾一次又一次地尝试过。我对钓鱼很有技巧，而且就像我的很多同伴一样，对此都有某种不时复苏的本能，但每次钓完之后我总感觉还不如不钓。我想我并没有犯错。这是一个依稀的暗示，就好像黎明的第一道光束一样。我体内的这种本能无疑属于更低一级的生物；但每过一年，我的渔人身份就减弱一些，虽然我并没有变得更加仁慈或是更有智慧；现在我已经完全不是一个渔夫了。但是我知道，假如我要在荒野里生活，我仍会禁不住做起虔诚的渔夫与猎人的。而且，这鱼肉和所有的肉类中都有某些本质上就不干净的东西，同时我开始认识到家务是从何而来，力气又花到哪儿了，每天一身干净体面的打扮，把屋子弄得温馨甜蜜，远离破败恶臭，要花费多少心力。我已经作了很久我自己的屠夫、帮手兼厨师，同时还是一位享用这些菜肴的绅士，我能就我那不寻常的全部经历来说说话。我不吃兽肉的实际理由是它不干净；而且，当我捉了鱼，洗了，烧了又吃了之后，它们似乎并没有从本质上喂饱我。它无关紧要也没有必要，而且得不偿失。一小块面包或是一些土豆也能解饿，还少些麻烦和污秽。

就像许多我的同代人一样，我多年来已经很少食用兽肉了，或是茶，咖啡等。这主要不是因为我把某些坏的影响追究到它们身上，只是因为它们不符合我的设想。对于兽肉的反感并非受到经验的影响，而是出于一种本能。低微地生活而吃得差些在很多方面显得更为美好；即使我不曾做到过，我已为我的设想走得够远了。我相信每一个曾热衷于使自己更高尚的或诗意的官能保持在一个最好状态的人，都曾特别地趋向于避免食用兽肉，并且避免食用过量的任何东西。这是一个重要的事实，一个昆虫学家陈述道——我从柯尔比和斯班司①那里读到"某些昆虫在它们完全状态的时候，虽然具有摄食的器官，但却并不使用它们"；而且这被归为"一条普遍的规律，即几乎所有昆虫在这个阶段都比幼虫阶段要吃得少得多。当贪吃的毛毛虫在变成蝴蝶……以及贪食的蝇蛆变成苍蝇之后"靠一两滴蜂蜜或是其他甜的液体填饱自己。蝴蝶两翅之下的腹部仍代表着幼虫。就是这一小部分引诱着它步入残食虫类的命运。粗野的食客是

---

① 威廉·柯尔比（William Kirby，1759—1850）和威廉·斯班司（William Spence，1783—1860）均为英国昆虫学家，两人合著的《昆虫学导论》出版于1815年。

幼虫阶段的人；有些国家，所有的国民都是这个状态，他们的幻想与理想在大腹便便的背叛中丧失殆尽。

要准备并烹制一份如此简单而干净的饮食很难不冒犯你的理想；但就此我想，当我们的身体被喂饱时，我们的理想也该喂饱；他们应该坐在同一张桌子上。而这或许是可以做到的。有节制地进食水果并不会使我们对我们的胃口惭愧，也不会打断我们最有价值的追求。但往你的餐盘里加一些多余的佐料却会毒害你。依靠花样繁复的烹调的生活并不那么有价值。大多数人要是被人撞见自己在亲手仔细地做一份晚餐，不论是用兽肉还是蔬菜，都会觉得有些羞愧，因为这些通常都是由别人准备的。要是我们仍旧这样想，我们就算不上什么文明化，即使你是绅士淑女也不是真正的男人女人。这显然指明了我们要做出什么改变。去问我们的理想为什么与肉与脂肪不能调和也许是徒劳的。我很满意它们就是不相协调的。称人类是肉食动物难道不是一种责备吗？是的，他可以，在很大程度上也能靠猎杀其他动物生活；但这是一个可悲的方式——因为任何一个要去为兔子设陷阱、屠杀绵羊的人会认识到——要是他教会人类控制自己食用更纯净和健康的饮食，他也会被视作其种族的恩人。无论我自己是怎样实践的，我都毫无疑问地相信随着逐渐的发展，人类必然会放弃食用动物，就像他们碰到更文明的人类时会放弃互相残食一样是必然的。

假如一个人听从其天赋的最模糊但却最持久的意见，那无疑是对的。他看不清楚这条路将带他到哪个极限，或者甚至是带到疯狂里去；但当他愈发坚定地对自己的天赋忠实，路就在那里了。一个健康人感受到的最摇摆的反对意见最终会战胜人类的理论与世俗。没有人会追随他的天赋，直到被天赋误导。其结果是身体疲累，但也许没有人能说这个结果是令人遗憾的，因为它是一种合乎更高法则的生活。如果每个日夜，你都能以欢乐向它们问候，而生活就会散发出花草的芬芳，变得更灵动，更璀璨，更不朽——那就是你的成功。整个自然都是你的贺信，而你也暂时有理由去赞美你自己。最伟大的收获与价值往往最不被人欣赏到。我们轻易地怀疑它们是否存在，然后迅速地忘记它们。它们是最高的现实。也许最令人惊骇而最真切的事实从未被人们口耳相传。我从日常生活得到的真切的收获是摸不到也形容不出来的，如同朝霞或是日暮。那是被抓住的一小团星尘，我攫下来的一束彩虹。

但，就我而言，我从没有轻易地感到恶心；如果必要的话，我有时能津津有味地吃下一只油炸老鼠。我很高兴我喝了这么久的白开水，出于同样的原因，我爱自然的天空甚过鸦片制造的天堂。我愿永远快乐地保持清醒；而沉醉有无穷的深度。我相信水是智者唯一的饮品；葡萄酒也并不算是高贵的饮品；而想到用一杯温咖啡浇灭一个早晨的希望，或是晚上的一杯茶！啊，当我对它们动心时，我跌落得多么低贱啊！甚至音乐也可能是有毒的。就是这些看起来细微的原因摧毁了希腊和罗马，同样也会摧毁英格兰和美利坚。如果非要上瘾，谁不愿沉醉在他所呼吸的空气中呢？我已经找到了拒绝长时间干粗活的最严肃的理由，因为这也迫使我粗俗地吃喝。但说实话，我发现我自己现在对这些方面并不那么在意。我很少把宗教带上餐桌，也不再做祷告；并不是因为我比从前更聪明了，而是，我必须坦诚，无论多么遗憾，这些年来我已经变得越来越粗俗和冷漠了。也许这些问题只在年轻的时候被热衷，就像大多数人热爱诗歌那样。虽然我的实践是"乌有的"，我的意见却还在这里。无论如何，我也远不认为自己是吠陀所指的那一类特殊的人，"于万物主宰有真信仰者，可以食一切存在"，这就是说，不必问什么是他的食物，或谁为他准备的了；即使在他们这种情形下，还有一点是要注意的，就像一个印度的注释者指出的那样，吠陀经把这种特权限制在"苦难时间"里。

　　谁不曾在没有食欲的食物中获得过难以形容的满足感？一想到曾在粗俗野味中感受到了心灵的洞察，想到我曾受到味觉的启发，想到在半山腰品尝的那些浆果曾喂饱了我的灵性，我就激动不已。"心不在焉，"曾子如是说，"视而不见，听而不闻，食而不知其味。"那些能够分辨出食物真正滋味的人不可能是一个暴饮暴食之徒，那些不这样做的人才是。一个清教徒可以津津有味地吃着黑面包硬皮，就像议员面对甲鱼一样。放进嘴巴里的事物不会有损人格，而是他吃东西时的欲望。这无关质量或是数量，而在于对感官味觉的迷恋。当我们所食用的不是为了填饱我们兽性的一面，或是激发我们的精神生活，而只是寄生我们体内的蛔虫的食物。如果一个猎人爱吃淡水龟、麝鼠和其他类似的野味，一个端庄的淑女沉溺于小牛脚做的冻肉，或是舶来的沙丁鱼，这是一样的。他去磨坊池塘，她拿她的肉冻罐头。奇怪的是，他们怎么能，你我怎么能，过着这样一种虚伪的、吃吃喝喝的兽性生活。

我们的整个人生是如此惊人地关涉道德。善与恶之间从不休战。而善良是唯一的永不失败的投资。回荡在世界的竖琴声里，正是那固守于善的特质令我们惊叹。因为竖琴就是宇宙保险公司的行脚推销，推行它的法则，我们那小小的善良就是我们付的保险金。虽然青年最后变得冷漠，这个宇宙的法则却并不冷漠，反而永远站在那最敏感的一面。去听一听每阵西风里的责备吧，那肯定有，而听不到的人是不幸的。我们一根弦都碰不到，一个音栓也不能移动，被迷人的道德死死钉住。那许多恼人的噪音，传播到很远的地方，听起来就像音乐，真是对我们生活之卑鄙的最响亮最甜蜜的讽刺。

我们都能觉察到体内的兽性，当我们更高的本能沉睡时它就会相应地醒来。它卑鄙而淫荡，也许不能全部被祛除；就像是蠕虫，甚至在生命与健康里，占据着我们的身体。我们或许能从中抽离，但却不能改变它的本性。我恐怕它也有它自己的某种健康；我们可以是健康的，但却并不纯洁。前几天我捡到了一只野猪的下颚骨，上面还带有洁白而完整的齿和獠牙，这意味着，除了灵性之外，还有一种兽性的健康和活力。这个生物并不是通过禁欲和净化繁衍下来的。"人之所以异于禽兽者几希，"孟子曰，"庶民去之，君子存之。"谁知道我们得到纯洁之后，会产生哪一种生活呢？假如我认识一位睿智到能教会我纯粹的人，我会立刻去找他。"控制我们的激情和肉体知觉，多做善行，吠陀宣称过，这是使精神接近上帝必不可少的。"但精神能在一时遍布且控制身体的每一个部分与官能，然后将那最粗俗的欲望转变成纯洁与忠贞。当我们放纵我们的生殖力量之时，我们变得放荡而肮脏，而当我们克制之时，我们感到精力充沛而富有灵感。贞洁即人类的花蕾；而我们所说的天才、英雄、神圣等，只不过是它开出的不同的果实。人类只在纯洁的河道敞开之时才能漂流到上帝面前。纯洁鼓舞我们，而不洁使我们消沉，两者交替循环。一个人只有被确认他的兽性正一天天消灭之时，他才会被庇佑，然后建立起神性。而当他与低级与粗野的本性为伍之时，带来的只能是羞耻。恐怕我们是那种神或者只是法翁①和萨提尔②之类的半神半人的结合，或神性与野兽的结合，作为贪食的生物，这在一定程度上而言，我们这一生就是我们的耻辱。——

> "将他的野兽发配到对的地方，
> 他是多么快乐，斩除了内心的林莽。
> ……
> 让这马与羊、狼与每一只野兽干活
> 而自己不至于是一头驴！
> 人不只是猪的牧人，
> 他也是那些魔鬼
> 引他们到莽撞的愤怒与堕落。"

所有的放荡都是一样的，虽然有许多形式；所有的纯洁也是

①　法翁（Fauns），罗马神话的树林神，半人半羊。
②　萨提尔（Satyr），希腊神话中的山谷神，半人半羊，象征着欲望与狂欢。

一样的。一个人大吃大喝，姘居，或是肉欲地睡，那都是一回事。它们都来自同一欲望，我们只要看到一个人做其中任何一件事，就可以知道他是怎样一个放纵的人。污秽决不能与纯洁并立或是同坐。一只爬行动物在他的一个洞口被攻击后，就会从另一个出口钻出来。如果你愿是贞洁的，你就必须是节制的。什么是贞洁？一个人怎样知道他自己是否贞洁呢？他不会知道。我们曾听过这个品性，但我们并不知道它是什么。我们根据我们曾听过的传言异口同声地陈述它。努力会带来智慧与纯洁；懒惰则带来无知与放荡。对于一个学生，放荡就是精神的习惯性懒惰。一个不干净的人通常也是一个懒惰的人，坐在炉子边，躺着晒太阳，毫无疲惫地安睡着。如果你想远离不洁和所有这些罪恶，那就真诚地工作，即使是打扫马厩。本性难移，但也必须克服。假如你不及一个异教徒更纯粹，更能克制自身，更虔诚，作为一个基督徒你有什么优势？我知道有许多被认为是异教的宗教系统，它们的教义会使读者充满羞愧，而迫使他进行新的尝试，即使不过是履行仪式。

　　说这些事情，我有些犹豫，但并不是因为这事本身——我并不在意我的语言有多粗俗——只是因为我一旦说出口就会泄露我的不纯洁。对于一种形式的放荡，我们能自由交谈，但对另一种却只是沉默。我们竟退化到不能简单地讨论人类本能的必要行为。在早些年代，在某些国家，每一行为都能被恭敬地谈论并以法律规范。对于印度的立法者而言，没有什么事是琐碎的，无论它对于现代人有多么冒犯。他教人怎么饮食，同居，大小便等，升华卑贱的东西，而不是虚伪地以这些事情太琐碎为借口。

每一个人都是一座神庙的建筑师，那就是他的身体，完全以自己的方式去崇拜他的神，而不只是捶打大理石。我们都是雕塑家和画家，我们的原材料就是我们自己的肉、血与骨头。任何高尚的品质一开始就能改善一个人的面容，卑劣和放荡则只会使人堕落。

一个九月的傍晚，一天的辛劳之后，农夫约翰①坐在自家门口。他的心思或多或少还牵系在劳作一事上。洗完澡，他坐下来去重新创造一个更具智性的自己。那个晚上十分冷凉，他的一些邻居还担心会有一场霜降。他还没来得及赶上自己思绪的列车，就听到了有人在吹笛子了。这声音使他心情舒畅。然而他还是想起了自己的工作；虽然思绪还不断萦绕在他的脑海，他发现自己正不由自主地谋划着，但这些思维的负担却渐渐不再干扰他。就好像是皮屑，经常抖一抖就没了。然而那笛声却是从一个与他的工作完全不同的地方来到他的耳朵里的，催促他那沉睡了的某些机能活动起来。乐声轻柔地带他离开了他居住着的街道，村庄，国家。一个声音对他说——你为什么要待在这里过着如此卑贱辛劳的生活，到什么时候你才能活得更体面？那些星辰同样闪耀在另一片田野之上。但怎样才能从这境遇里挣脱出来而真正迁徙到另一处去呢？他所能想到的，只是去实践一种新的修行，让自己的精神降临到他的身体去救赎它，并对自己日益尊重。

----

① 可能只是一个泛名。

与兽为邻

有时我钓鱼有一个伴儿，他从小镇的那一头穿过村子来到我的屋里。我们结伴一起去钓鱼，就好比赴宴一样，也算是一类社交活动。

隐士。我很好奇这世界此刻正发生些什么。整整三个小时里，我不曾听见半声香蕨木上的蝉鸣。鸽子都在棚巢里睡着——翅膀纹丝不动。或许某个农夫正在林子外吹响中午休息的号声？人们为何要自寻烦恼？如果他们不吃不喝，没有口腹之欲，就用不着干活了。我很好奇他们到底得到了多少。谁愿意住在那样一个地方，猖獗狗吠吵得人压根儿不能思想。唉，还有家务！——竟然要擦亮那鬼把手，这么好的天气还要待在家里擦浴缸！还不如没有家得好。还不如栖息在那空心的树洞里，那样就不必忍受大清早的门铃和无聊的夜宴了！只有啄木鸟的啄击声。啊，那里人头攒动，太阳毒辣，在我眼里，他们都是一些庸俗之徒，都入世太深。我从泉中汲水，架子上还放着一块棕色面包。听！那树叶的沙沙声。是村里饥饿的猎狗出于本能在追逐食物，还是迷路的小猪闯入森林中来了？下雨后，我还看见过他的蹄印呢。他的脚步越来越近了,逼得我的黄栌树和野蔷薇都在颤抖了。呃,诗人先生,难道是你？你觉得这个世界如何？

　　诗人。瞧瞧那些云彩，看他们在天上是怎样的飘逸！那是我今天所看见的最伟大的事物了。在古代绘画中，你看不到这样的云，在外国也看不到——除非我们远远处在西班牙海岸。这是真正的地中海式天空。我想，既然我总得活着，而今天恰好又没有进食，那就只得去钓鱼了。这是诗人真正的产业，也是我学会的唯一谋生本领。来吧，咱们一块去。

　　隐士。我无法拒绝。我的棕色面包马上就要吃光了。我很乐意与你前往，可我此刻正专注于一次严肃的沉思。我想它很快就会结束。那就请你让我再静一会儿。为了不耽误垂钓，你可以先挖些鱼饵。因为地里从未施过肥，这附近能作鱼饵用的蚯蚓很少，作为一个物种它几乎要灭绝了。如果肚子不饿的话，挖鱼饵和钓鱼一样有意思；今天这个游戏你就自个儿做吧。我建议你带上铲子，到那边的花生地里去试试。你看见那边摇摇摆摆的狗尾草了吧，我敢保证，只要你看准草根挖去，权当是在除草，那么你每翻三块草皮，就一定可以挖到一条蚯蚓。或者，你愿意走远一点，那也未尝不是个好办法，因为我发现一个规律：鱼饵的多寡，正好与你所走距离的平方成正比。

　　隐士独白。让我看看，我身居何处？我仍深陷于心灵的条条框框之中，我还是拘泥于这样的视角来观察这个世界。我是应飞向天国还是去湖边垂钓？如果我即刻停止沉思，是否还有机会再次体验到那种美妙？刚才我几乎与万物融为一体，这样奇异的体验此生还未曾经历。我想这样的境界恐怕是难再重临了。如果吹个口哨就能唤回，那我可就要吹了。当思想朝我们涌来的时候，还不忘记说：我们再考虑考虑，这明智吗？如今我的思想已乘鹤归去，我的思路也杳然无踪。我还在想些什么呢？今天是个晦暗不明的日子。我想到孔夫子的三句语录，试图接上刚才的思路。我不知道那是一团乱麻呢，还是某种神明启示的狂喜。切记，机会永远不会有第二次。

诗人。你怎么啦，隐士，是不是太快了？我已经挖到了十三条蚯蚓，还有一些残缺不全或者未长成的；不过用他们钓些小鱼倒也凑合，不会在钓钩上过于触目。这个村里的蚯蚓真是太肥了，银鱼在水里饱餐一顿可能还不会碰到钓钩呢。

隐士。好，咱们出发吧。我们要不要到康科德去？如果水位不高的话，咱们可以在那里玩个痛快。

为何唯独由我们看到的事物构成了这个世界？为什么人类只有这些动物做他的邻居，好像除了老鼠就没有别的动物可填补这个窟窿？我想皮尔贝公司对动物真是了解得太透彻了，某种意义上，动物都负载着人类的一些思想。

经常光顾我木屋的并不是人们常见的那种老鼠，这种老鼠据说是从外地被带到野地来的，而是一些在村里很少见到的土生野鼠。我寄了一只给一位杰出的博物学家，使他兴奋不已。早在我盖房的时候，就有一只野鼠在地板下搭窝了，楼板尚未铺好，刨花也堆在房中，每到午饭时分，他就窜到我脚下来捡吃面包屑了。或许他在此之前还从未见过人，可我们很快就熟悉起来，他蹦上我的皮鞋，沿着我的裤线往上爬。他毫不费力地就蹿上了屋顶，很像是松鼠，连姿态都全无二致。后来有一天，我趴坐在凳前，双肘撑立，他援着我的衣袖，环绕着我盛放食物的纸不断转圈，我把纸拖近，躲开他，又突然把纸往他面前推，跟他玩过家家。最后，我用拇指和食指夹起一片干酪，他过来了，坐在我的手掌里，一口一口地吃完干酪，然后苍蝇一样擦擦前掌，就哧溜一声跳走了。

很快就有只月亮鸟来我屋檐下筑巢，一只知更鸟在我屋前的松树上搭窠，寻求我的庇护。六月间，连鹧鸪（Tetrao umbellus）这类胆小怕羞的鸟儿，都从屋后林子里带着幼雏掠过我的窗前，像只老母鸡那样咯咯咯地不停唤她的孩子们，这些举动说明她确实是森林中的老母鸡了。只要你一走近，她就立即释放警报，雏鸟迅速一哄而散，像一阵旋风，瞬间便无影无踪。鹧鸪的羽毛颇像林中的枯叶，往往有些旅行者，一脚踩在幼雏的巢上，只见鸟妈妈迅疾地往外飞，发出凄凉的呼声，同时还扇动着翅膀，牵住旅行者的视线，好不去注意脚下。有时母鸟会在你门前打滚，故意把羽毛弄得蓬乱不堪，让你分不清她们到底是什么鸟。幼雏们则安静地蹲着，把头埋进枯叶底下，假装睡着了，其实在用心分辨着母亲自远处发出的呼喊。即使你走近了，他们也会纹丝不动，因而也就不会暴露。甚至你的脚已经踩到了他们，目光也落在上面了，可你仍然无法弄清楚你到底踩到了什么。有一次，我随意地把他们放在我的手掌上，他们一点儿也不觉得恐惧，身子也不发抖，只是安静地蹲着，因为他们只服从自己的母亲与本能。这种本能真是太完美了，有一次我把他们放回到树叶上，其中一只不慎跌倒在地，可是我发现，十分钟后,他还是保持着原来的姿势,还是和其他幼鸟在一起蹲着。比起小鸡来,鹧鸪的幼雏长毛更快,也更加早熟。他们睁着亮闪闪的大眼睛,显得老练而纯洁,仿佛洞悉了人世间全部的智慧,真是让人难以忘怀。他们的眼睛不仅透出婴孩般的纯真,而且也传递着一种由人世经验淬炼出来的智慧。这样的眼睛不是天生的,而是与它所反映的天空同在。山林之中还从未产生过这样晶莹的宝石。一般的旅行者也不容易注意到这样一口清澈的古井。鲁莽无知的猎人往往会射杀了他们的父母,使这群哀哀无告的幼雏或者沦为到处觅食的猛禽的腹中餐,或者与遍地的枯叶一起腐化为泥。据说,一只老母鸡在孵出一窝鸡仔后,只要稍有动静,鸡仔就会四散跑开,只因为他们再也无法听到母亲的呼唤。这些鸟就是我的母鸡和雏儿。

在茂密的森林中,有多少动物隐蔽地生活着,自由而散漫,有时也到小镇周边来觅食,只有猎人才能发现他们的行踪,这是多么令人惊讶的事情!水獭又过得何其隐秘!他都长到四英尺高,像个小男孩那样了,可竟然还未曾有人见过他的真容。以前我还看到过浣熊,就栖息在屋后的森林深处,直到现在我依然能在夜间听到他们的嘤嘤之声。通常我都是上午耕地,中午在树荫下休息上一两个小时,吃过午饭,就在泉水边读读书。这座泉水发源于距我的田庄只有半英里远的勃立斯特山,附近还有一片沼泽和一条小溪。每次去泉水边,得穿过一连串草木青青的洼地,那里栽满了细小的苍松,然后才到达池沼旁的林子里。林中有一棵高大的五针松,枝繁叶茂,亭亭如盖,地上的草皮洁净而坚实,人们可以坐在上面休憩。我在泉水流出的地方，挖了一口井，井水清冽如银，即使从中打出一桶水后，它仍然那样清澈。仲夏时节，我几乎每天都去井里挑水，湖里的水实在太热了。山鹬也带着幼雏跑来了，在泥土中翻找着蚯蚓，然后又在泉水上空盘旋，幼鸟则在下面成群地跑动。可是后来他瞧见了我，便赶紧飞离幼雏，围着我打转，越飞越近，直到只有四五英尺远的时候，他装出翅膀或腿脚被折断了的样子，吸引我的注意力，好让我不去伤害他的孩子们。那时幼雏们已经开始发出微弱的尖叫声了，他们听了母亲的口令，排成一行慢慢地穿过了沼泽。也有的时候，我听到了幼雏尖细的嗓音，却不知他们的母亲隐身何处。斑鸠也会凫在泉水上，或者在我头顶的五针松树上，不停地在枝丫间跳动。红松鼠也从最近的树枝上跳下来，对我亲热又好奇。其实无需在山林中停坐多久，各种奇禽异兽就会相继跃入你的眼帘，令你应接不暇。

我还是一场林中战争的见证人。有一天，我走到那堆木料或者说树根旁边的时候，有两只大蚂蚁，一只是红色的，另一只有半英寸长，是黑色的，正斗得难解难分。他们谁也不肯示弱，互相撕咬着，在木柴堆上滚来滚去。再往远处望去，我发现到处都是这样的恶战，看来这不是什么普通的单挑，而是一场蚂蚁王国的战争。红蚂蚁与黑蚂蚁阵线分明，通常是两红对一黑。在我堆放木料的庭院中，到处都是这样的迈密登①，到处都是已死和将死的蚂蚁士兵。这是我目睹过的唯一一场战争，也是我唯一一次亲临正面战场。它当然属于兄弟间的自相残杀，红色

---

① 希腊神话中跟着阿喀琉斯去特洛伊作战的塞萨利人。

的代表共和派，黑色的代表保皇派。对于红黑两方而言，这都是一次生死决战，但是我却没有听见任何声音，人类在战争中不可能表现得如此坚毅。在阳光直射的由木堆形成的小山谷中，一对蚂蚁武士牢牢抱住对方，此刻正是烈日当头，他们准备血战到底，或同归于尽。

那个瘦小的红色勇士，像老虎钳一样死咬住敌人的脑门不放。他们在战场上翻来滚去，红色勇士始终搂住对方一条触须的根，并且把另一条触须咬断了；而那更强壮的黑蚂蚁呢，正叼着红蚂蚁甩来甩去，我走近一看，原来他把红蚂蚁身子的好些部位都啃去了，他们实在打得比狼狗还凶狠。可双方仍无丝毫罢战撤退的意思。显然他们的战争信念是"不得胜，毋宁死"。就在山谷的顶端，同时还伫立着一只红蚂蚁，他显得非常激动，要么是已经消灭了一个敌人，要么是还没投入战斗；也许是后者罢，因为他还未曾丢过一条腿。他的母亲要他拿着盾牌回去，或者躺在盾牌上由战友抬回去。也许他是阿喀琉斯式的英雄，自个儿在火热的战场外生闷气，现在来营救与自己有生死之交的帕特洛克罗斯了，也许是要来为不幸战死的好友复仇了。他从远处看见这场实力悬殊的恶战——黑蚂蚁的队伍比红蚂蚁大一倍——急忙狂奔过来，在离那一对战斗者半英寸远的地方立住，一俟时机成熟，便扑向那黑色武士，一下子就咬住对方的前腿跟，完全不顾防守。三个战斗者为了蚁族的生存紧紧地粘在一起，好像形成了一种全新的胶合力，使任何锁链和水泥都相形见绌。

此刻，如果看到他们有各自的军乐队，分列在凸出的木堆上，吹奏自己的国歌，以激励那些落于人后者，鼓舞那些奄奄一息者，我也不会感到丝毫惊讶。其实我自己也显得特别激动，就好像他们原本就是人一样。你越往下深究，就越会发现他们其实跟人类并没有什么差别。在美国的历史上，至少在康科德的历史上，无论从战争投入的兵力来说，还是从它所激发的爱国主义和英雄主义来说，从来没有任何一场战争足以与之媲美。就战争的惨烈程度而言，它几乎就是一场奥斯特里茨大战[①]，或一场德累斯顿决战[②]。康科德战役算什么！不过是死了两个爱国者，还有就是路德·布朗夏尔受了重伤。而这里的每一只蚂蚁都是一个博特林克，狂呼"射击，为了上帝的荣耀，射击"！千百个生命都像戴维斯和霍斯默一样杀身成仁。这里没有一个雇佣兵。我敢肯定，他们的战斗只是为了原则——正如我们的祖先那样，而不是为了免去那三便士的茶叶税。对于参战的两方来说，这场战役都势必要镌刻进永恒的记忆之中，就好比我们的邦克山之战[③]。

在前面我特别描写了那三个战士的混战，为了方便观察，我把木片移进小屋，置于窗台，反扣上一只玻璃杯。借助放大镜，我注意到红蚂蚁死咬住敌人的前腿上部，而且已经咬断了对方剩下的触须，同时自己的胸部也被黑蚂蚁给撕裂了，内脏外露，

[①] 1805年12月，拿破仑在奥斯特里茨战役中，消灭俄奥联军3万余人，促使第三次反法联盟解散。

[②] 1813年拿破仑在德累斯顿战役中战胜反法联盟。

[③] 1775年6月17日，英军在波士顿附近的邦克山发动进攻。由美国农民、工人、渔民、白奴等2万人组织起来的志愿民兵队，在自由之子社领导下英勇反击，一天之内击退英军的三次进攻。

而黑蚂蚁胸部的铠甲却十分坚硬，无法轻易刺穿。那只痛苦的红蚂蚁，两眼射出战争激发起来的凶光。他们在玻璃杯内又鏖战了半个小时，待我再次临近观察时，黑蚂蚁已咬断了两个敌人的头颅。但那两只尚有生命气息的脑袋仍然咬着黑蚂蚁的两侧，就好像悬在马鞍两边的战利品。黑蚂蚁的触须全无，腿也只剩一小截，我不知道他还受了什么别的伤，他仍在尽力——尽管很无力——想设法甩掉这两颗头颅，又过了半个小时，他终于成功了。我取走玻璃杯，于是他瘸着腿，挣扎着慢慢地爬过了窗槛。经此一役，他是否还能活下来，还能活多久，是否会在巴黎的某个荣军院安度余生，这我就不得而知了。但是我想，从此以后，他无论如何也做不成什么大事了。我也不知道后来到底是红黑哪一方取胜，更不清楚引起战争的根源，只是在目睹过这样一场激烈的战斗之后，心绪久久难平，有时深感刺激，有时又无比痛苦，似乎就在我家门口发生了一场人类大战。

科尔比和斯宾塞说，人类一直很崇拜蚂蚁大战，甚至还记载了大战的具体时间，但是他们又说，在现代作家中，只有胡尔贝曾经亲眼见过蚂蚁大战。他们说："埃涅阿斯·西尔维乌斯曾经详细地记述过这场战争，而且在后面注释说，这场战争爆发的时间是在教皇尤金四世时期^①，观战者乃著名律师尼古拉·毕斯托里恩西斯，他对整个战争过程都有详尽的记载。"奥拉乌斯·玛格纳斯也曾记载过这样一场战争。在那次蚂蚁大战中，小蚂蚁是胜利者，据说他们只埋葬了同伴的尸体，任由大蚂蚁

① 1431—1447年任罗马天主教教皇。

的尸体被鸟类啄食。这场战争发生在克里斯蒂安二世①被逐出瑞典之前。而我自己亲眼目击的这场蚂蚁大战则发生在波尔克总统②任期内,此时距离韦伯斯特③的奴隶逃亡法案④通过尚有五年。

村里有许多行动迟缓的老牛,原来只适合在储物窖里追乌龟的,现在也背着主人,偷偷地跑到林中来嬉戏了。他们时而在狐狸洞口嗅一嗅,时而在土拨鼠洞口闻一闻,可毕竟他们的腿脚不灵活,因而往往一无所获。带他们来林中的也许是些杂种狗,这种狗身子瘦小却灵敏,来往穿梭于森林之中,给其他动物带来了恐惧。老牛往往走在他的向导后面,一只小松鼠很快就发现了他,爬上树往下打望,而他呢,也像只猎狗那样对着树上的小松鼠哞哞地叫,迈起步子追起来,由于身子过于笨重,把灌木都要压弯了,而他还满心以为自己在追一只慌乱的跳鼠呢。有一次我还吃惊地发现,在湖边石畔上,竟然有一只猫在散步,因为她很少会来离家这么远的地方的。我和猫都惊讶地望着对方。然而,就是那只平常总是赖在地毯上,最最驯顺的猫,此刻却在森林中悠闲地迈着方步。看她那机灵自如的步伐,仿佛比土生的家禽更适应森林的环境。有一次,我在森林拾野果时,碰到一只携子出游的母猫,她的那些孩子全都野性未驯,和她一起弓起背脊,朝我大吐口水。

在我迁居林中的前几年,林肯郡紧挨着湖的吉利安·贝克

① 1513—1523年为丹麦国王。
② 美国第十一任总统。
③ 丹尼尔·韦伯斯特(Daniel Webster, 1782—1852),美国政治家、演说家。
④ 该法案于1850年由联邦通过,进一步激化了南北矛盾,1864年废除。

庄园内，有一只所谓"生翅膀的猫"。一八四二年六月间，我专程去看望她（由于我无法断定这只猫是公还是母，就暂时采用通常把猫比作女性的人称代词），她像往日一样，到林中捕食去了。她的女主人说，她是去年四月来到了这个庄园的，总在宅前屋后徘徊，后来就被收养了。她全身的毛呈棕灰色，喉部有白点，四只脚也是白色，尾巴上毛很厚，有点像狐狸。到了冬天，她身上的毛长得越来越密，披挂下来织成两条十到十五英寸长，两英寸半宽的毛带，嘴巴看起来更是像吊着个暖手筒，上面的毛比较蓬松，下面的却像毯子一样互相啮在一起。春天一来，这些保护膜就尽数脱落了。女主人送我一双她的"翅膀"，至今还保留着。这副翅膀上并没有什么薄膜。有的人说她是一只飞貂，或者别的什么禽兽，倒并不是没有可能，因为动物学家说，貂和猫杂交，能繁衍出许多新的变种。如果要我养猫的话，我就要养这一种。为什么不呢？既然诗人的马可以身披彩翼飞翔，那么为什么他的猫就不可以有一双会飞的翅膀呢？

秋天一到，潜鸟（Colymbus glacialis）又飞来了，在湖里褪毛、洗澡。我还没起身，他就在森林里发出爽朗潇洒的笑声了。一听到潜鸟的动静，磨坊水闸边的猎人们就闻风而动了，他们有的套上马车驱驰，有的徒腿步行，三三两两地，带着猎枪和子弹，还有望远镜，沙沙地穿过森林。每只潜鸟至少被十个猎人紧盯着。有的在这边放哨，有的在那边站岗，因为这可怜的鸟儿不可能同时出现在四处，只能从一处潜下去，再从另一处浮水上来。可是，十月的风把树叶吹得簌簌作响，湖面也被吹皱了，涟漪荡漾，连带着把潜鸟也吹走了。尽管他的死对头还用望远镜在湖面搜索,尽管枪声还在林中回响,可鸟儿却彻底地飞走了。翻涌的水波和浪花都充当了飞禽的天然保护屏,猎人们也只好悻然而返,回到各自的店铺,接着做完先前放下的活计。不过,他们做那种事务性工作倒是非常顺利的。每当黎明时分,我去湖上汲水的时候,常常看见这种颇具大将风范的潜鸟从小湾驶出,相距不过数杆之远。如果我划船去追,想观察他如何活动,他就潜入水中,隐身遁迹,直到下半天才重新露面。可是只要他停在水面,我就有法儿可想。他往往在一阵大雨中从湖面飞走。

十月一个静谧的午后,我沿着北岸划船,因为潜鸟往往会在这个时候出现,像大团的绒毛漂游在湖面上。我正纳闷怎么不见潜鸟,突然有一只从湖岸飞出来,朝湖心游去,就在离我几杆远的位置狂笑不已,引起了我的注意。我立即划桨去追,他也飞快地潜入水下,但是等他冒出头来,我却离他更近了。他重又潜入水下,这次我把方向估计错了,等他再次冒出水面时,距我已有五十杆。这样的远距离当然是我自己造成的,他又讥笑了半天——这次他当然更有理由笑了。他行动敏捷,矫若游龙,使我难以近身到离他五六杆的地方。每次他浮出水面,都要四处瞭望,观察湖面和两岸,显然是在挑选路线,以便下次浮出来正好处在湖面最开阔、离船又最远的位置。更令人惊奇的是,他决策非常果断,执行也相当迅速,能一下子把我引到湖心,而我却不能将他赶进湖湾。当他正在专心思索时,我也在努力揣度他的想法。

在静谧的湖泊上,一个人和一只鸟在对弈,这样的游戏真是妙不可言。他突然会把棋子下到你的棋盘底下来,而问题在于你必须弄清楚他可能会在哪里出现，好把棋子置于离他最近的地方。有时他会突然映入眼帘，毫无疑问，肯定是从我船底下穿过的。他善于长时间憋气，而且不用中途休息，即使游得很远，也可以随时潜入水下。在幽深的湖里，潜鸟像鱼儿一般游刃有余，无论你多么富有智慧，也无法想象他到底能游多深，因为他有这个能力，而且有的是时间。据说，在纽约湖深达八十英尺的地方，潜鸟曾被钓鲑鱼的钩子钩住过——不过瓦尔登湖可就深得多了。这样一个来自天空的飞禽，竟然能在水底世界来去自如，我想水中的鱼儿们看见了也会惊奇不已吧。他在水底和在湖面几乎是同样活跃，而且在水底的游动速度还要更快一些。有那么一两次，我看到他在浮出水面时激起朵朵水花，才探出脑袋四处张望了几秒，立刻又返身水底了。我在心里揣测他下一次浮出的可能位置，便停下来等待；因为有多少次当我朝一个方向死盯住不放时，他却突然在我身后大笑一声，吓我一大跳。可是我不明白，他为什么要在成功地捉弄我之后，还要开怀大笑，暴露自己的行踪呢？他白色的胸脯已经够明显的了。我想，他真是愚蠢至极。我一般都能捕捉到他出水时的声音，因而也能够摸准他的方位。可是，这样对弈了整整一个钟头后，他的劲头儿仍然不比开始时弱，反而游得更远了。他在水里用脚蹼就把羽毛梳匀整了，因而等他浮出水面时，胸口的羽毛还是齐刷刷的。这真是神奇啊！

　　他爱发出魔鬼般的笑声，一如水禽的鸣叫。但是当他成功地甩掉我，潜水到远处再浮出水面时，就会发出拖长了的怪叫，不像鸟叫，像狼嚎，像野兽的嘴贴地摩擦发出的怒号。这就是潜鸟的叫声，如此这般狂野的叫声，在瓦尔登湖还从未响过，整座森林几乎都为之震颤。我猜，他大概是用笑声嘲笑我的徒劳无功，也是用笑声在为自己的机智过人而得意。此刻虽然天色阴沉，湖面倒一派平静，我只看到他浮出水，没听到什么声响。他胸毛雪白，空气沉闷，湖水也波澜不兴，所有这一切对他都极为不利。后来，在离我五十杆远的地方，他又发出一声长啸，仿佛在祈求潜鸟神灵的护佑，很快，又刮起了东风，湖水也开始不安地翻涌，天空中也飘起细细的雨丝来，好像神灵接受了潜鸟的召唤，生了我的气似的。于是我只好划船离开，任他从波涛间翱翔而去。

在秋天里，我常常一连几个小时地欣赏野鸭在湖心中央的表演，他们避开那些猎人，在水里狡猾地穿来游去。如果换做路易斯安那的湖沼地带，他们的这套表演术就毫无用武之地了。在不得不起飞时，他们往往会飞到一定的高度，然后盘旋不已，就像天空中的黑点。在那样的高度，他们是一定能看清其他湖沼与河流的。我原来以为他们已经飞走了，没想到又疾驰而下，飞行了约四分之一英尺，最终降落在湖面幽静的一隅。可是，他们飞到瓦尔登湖中央来，除了安全起见，还有没有别的考虑呢？或许，他们也很喜爱这一片山水，理由跟我迁居湖畔没什么两样吧？

温暖小屋

　　十月间，我去河滩地摘了满满一筐葡萄，它们颜色清新，香味扑鼻，真是难得的美味。河滩上也有越橘，可我没有摘。它们挂在草地的叶子上，像一颗颗精巧的蜡宝石，又如璀璨艳丽的珍珠；农民们用草耙去摘，结果把平整的草地弄得一片狼藉，因为他们只关心越橘的产量和价钱，完全不顾其他的事情。采摘好以后，他们把这些果子当成额外的战利品，贩卖到波士顿和纽约去，然后制作成果酱，满足城里人的口腹之欲。另外，他们也用草耙四处耙野牛舌草，根本不会担心这样做是否会伤及到那些植物的生命。伏牛花果看起来也很鲜美，我也只是饱了眼福。我只摘了几只野苹果煮着吃，当地的地主和旅行者恐怕还没有注意到这些东西吧。栗子也熟了，我储藏了半蒲式耳，准备过冬吃。在这个季节里，背一只小布袋，拎一根敲坚果用的木棍，漫步在林肯郡附近辽阔的栗树林中，该是多么幸福的事呵。可惜，这些栗树现在都沦为了铁轨上的枕木。

　　往往霜降还没来，我就踏着沙沙的落叶声，听着红松鼠和樫鸟的聒聒声，一个人走在森林里了。有时，我会捡起红松鼠和樫鸟吃掉一半的果子接着吃，因为他们挑选刺果的眼光是不会太次的。有时，我也会爬到树上去摇。其实在我的屋后面，也有这类果树，其中一棵把房屋都遮盖了，每到花开时节，它自身就是一束鲜花，往院子里飘来馥郁的芬芳。不过，树上的果子却大部分被松鼠和樫鸟吃掉了。樫鸟们甚至很早就结伴而来，赶在刺果熟透落地之前，吃得一颗不剩。我把屋后的这些果树让给他们分享，自己却跑到大老远的栗树林去。对我来说，林中的果子足够代替面包了，也许还有其他的替代品吧。

有一天我到地里去挖鱼饵，结果发现一串野豆（Apios tuberosa），也就是土著们的土豆，是一种很奇怪的果子。开始的时候我还在想，自己小时候是不是挖过、吃过这种东西，假如真像人们说的那样，我在小时候挖过、吃过，那么为什么没有梦到它。其实我以前就见过它那有些卷曲的花朵，开在其他植物的梗上，好像一团红天鹅绒，不过并没有认出来。每到农耕时节，它们几乎都要被消灭殆尽。它的味道吃起来甜丝丝的，像经霜的土豆，如果拿来煮了吃，也许比烘着吃更香。这类根茎是大自然为将来预备的，未来的某一天，她将会用这些朴素的东西，来抚养自己的子嗣。今天，人们崇拜的是牛肉和麦地，这类不起眼的野豆——印第安部落过去的图腾——早已被人遗忘，只有它开花的藤蔓还在勾起人们的记忆。不过，只要让狂野的自然重新统治这块土地，那些奢侈的英国谷物说不定就会在仇敌面前消失，而且用不着人类的支援，乌鸦也会把最后一颗种子衔到印第安神的玉米地里，据说以前就是他把种子从那儿衔过来的。到那时，野豆这种现在濒临灭绝的品种，或许又会获得新生，并且不惧霜冻与贫瘠，向四野播散、蔓延，证明自己土生土长的天性，恢复自己曾经作为狩猎部落主食的尊严。一定是印第安的谷物女神或智慧女神最先发现了它，然后把它恩赐予人；当诗歌获得自己在这块土地上的统治地位后，它的叶和果就都被我们的艺术作品所模仿。

九月的第一天，我就发现在湖对岸的岬角边上，在三棵枝干粗壮的白杨下，有两三棵枫树的叶子已经变红了。呵，真不知道在这些色彩里孕育着多少故事呢！慢慢地，一个星期又一个星期地，每棵树都逐渐显示出了自己的个性，每棵树都从湖面的波光里欣赏自己的倒影。每天早晨，自然画廊的老板都要从墙上取下昨日的旧画，换上当日的新作，它们往往显得更鲜艳、更和谐，也更出色。

十月中旬，有数千只黄蜂飞到我的木屋来，仿佛打算在这里过冬。他们有的蹲伏在窗户上，有的栖息在头顶的墙上，吓得客人都不敢轻易进门。每天早晨都要冻僵几只，我就把他们扫出门外，可我不想主动赶跑他们，他们愿意在我的小屋里过冬，我自然是再荣幸不过了。他们虽然跟我同睡，但却从没蛰过我。为了逃离这难耐的寒冬，他们渐渐地在小屋里消失了，我也不知道他们搬到什么缝隙里去了。

到了十一月，我也学黄蜂那样，趁寒冬降临之前就搬到瓦尔登湖的东北角去了，那里有油松林和石岸反射的阳光，就好像在湖边架了座火炉。如果人们能用阳光来取暖，那一定比生火更愉快，也更卫生。夏天像猎人一样离开了，不过它的余热尚在，我就靠这些余热来取暖。

　　我在做烟囱的时候，仔细研究了泥瓦匠的手艺。我用的都是旧砖，必须用瓦刀刮干净，这样的劳作使我对砖头和瓦刀的特性都有了比较充分的认识。砖上的灰浆已有五十多年历史，据说时间越长，它的凝聚力就越强，不过这都是些老生常谈，未经检验。随着时间的推移，这些老生常谈也会变得越来越坚固，你必须握紧泥刀，使劲连续刮，才能粉碎它。美索不达米亚的许多村舍均是用来自巴比伦废墟的优质旧砖砌成的，那些砖上的灰浆凝固的时间更久，可能也更坚硬。不管怎样，泥刀的坚韧程度，都出乎我意料，锉了那么多旧砖，竟然没有造成一丝缺损。我砌壁炉使用的砖，都是以前烟囱里的旧砖，虽然它上面并未刻有尼布甲尼撒①的名字，但我还是尽量捡，有多少捡多少，好省些工作量。我还在壁炉周边塞进湖岸边的圆石，用湖里的白沙充作灰浆。我把炉灶看成木屋最关键的配置，为此花了不少时间。真的，我的活做得特别精细，从清早到傍晚，我只砌了数英寸高，刚够我睡地板时当枕头用。不过我发现自己并没有因此而落枕，相反，以前倒是有过这个毛病。就在那个时候，我还接待了一位来访的诗人，他在木屋里小住了半个月。他自带了一把刀，而我有两把，我们常常把刀插进地里，将它们磨得银光闪闪。他还给我做饭。看到自己的炉灶，一天一天在垒高，齐整而牢固，真是高兴坏了。我想，虽然工程的进展稍微有些慢，但是据说这样可以更牢固些。某种意义上说，烟

---

① 古巴比伦国王。

囱是个自成一体的存在，它立在地面，穿过屋顶，升向天空，哪怕房子烧掉了，它也屹立不倒，由此可见它的自主性和重要性。当时还是夏末，眼下却是十一月了。

北风开始把湖水吹凉了，不过还要再接着刮几周，湖面才会结冰——瓦尔登湖实在是太深了。头一晚在炉灶里生火，烟囱就很通畅，这种感觉异常美妙，因为那时我还没来得及给板壁涂刷灰浆，墙壁还四处漏风。不过虽然墙上裂缝不少，但我还是在木屋里度过了很多幸福的夜晚。木屋四周都是些粗糙的棕木板，上面布满结疤，天花板上也都是些没有剥皮的橡木。等刷好灰浆，在木屋里居住就会变得更加舒适了。人住的房子难道不应尽可能的高，高到让人生出恍惚之感么？那样一来，晚上火光投射的倒影就可以在橡木上跳跃不休了。这种跳跃的影子，可能比壁画或昂贵的家具，要更容易引起人的幻觉与想象。如今我可以说，我是生平第一次住在我自己的房里，第一次用它来遮风取暖了。我还找了两个旧木架来置放壁炉的柴堆，当我看到自己亲手造的烟囱背后升起的烟缕，心里是多么欣慰啊，于是比平日更加自信、更加惬意地拨火。

我的木屋很小，不会引起什么回声；但由于它远离邻居，只是一个单独的存在，因而对我一个人来说也够大了。凡是房间里该有的设置木屋内都有，它集厨房、寝室、客厅和储藏室于一身，无论父母或孩子，主人或仆人，他们在房间内能体验到的一切，我都能体验得到。加图认为，一家之主（patremfamilias）应该在乡下别墅里有"cellam oleariam, vinariam, dolia multa, uti lubeat caritatem expectare, et rei, et virtuti, et gloriae erit,"也就是说，

"要有一个储藏油和酒的地窖，尽可能多些，以备不时之需；这对他是有益的，有价值的，光荣的。"在我的地窖里，我有一小桶土豆，两夸脱豌豆和以之为生的象鼻虫，在我的架子上还有不多的米，一缸糖浆，还有黑麦和印第安玉米粉各一配克。

有时我梦想着自己能有一座更宽敞、更高大、能住更多人的房子，它由耐用的材料建筑而成，巍然屹立在远古神话中的黄金时代，没有精美的装修，只有一间房——大气、简朴、实用而富有原始特征的厅堂，没有天花板和灰浆，橡木和桁木托起低垂的天空——也足够遮风避雨了。如果你走进去，向那位躺卧着的农神致礼，那些橡木和桁木也会对你微笑的。它显得特别空旷，你要将火把置于柱上才能望见屋顶；它又无比自由，人们可以随意地待在炉边，待在窗下，待在厅堂两边，也可以待在长椅上，还可以像蜘蛛一样附着在橡木上。在这样的房间里，你可以自由出入，不必考虑什么尘世的礼节；疲倦的旅客可以在里面沐浴、进食、谈心、休息，不用急忙赶路，在那些风雨大作的夜晚，你需要的正是这样一座房屋。屋内生活用品齐备，日常家务尽免，所有财产皆一目了然，所有人们所需的东西都悬于木钉之上。它同时也是厨房、餐厅、客厅、卧室、储物间和阁楼，里面既有木桶、木梯这类必需品，也有碗柜这类便利品，你能听到水壶里开水冒出的噗噗声，你可以向煮饭的火或烤面包的炉子致意，这些家具和用具就是它的全部装饰。

在这间房里，洗好的衣物无须晾晒，火不会熄灭，女主人也不会耍脾气，厨师自己会去地窖里取东西，你不用跺脚也能分辨脚下的虚实。它像鸟窝一样透明，你从前门进后门出，可以览尽房内的人和物；客人也可以自由穿梭，并无不得闯入的禁区，也不会把他关在小屋内自得其乐——实际上那是在囚禁他。而如今，主人一般不愿意跟客人分享屋内的壁炉，而是喊来泥水匠在走廊里另建一个炉子，美其名曰"招待"，其实不过是把客人安排在屋外走廊的艺术。做饭也有诀窍，好像要往客人碗里下毒。我曾经去过很多人的屋里，最终都被变相地赶了出来，可我却记不得到底去过哪些人的屋里了。如果国王和王后住在我所梦想的那种屋里，我乐意衣衫褴褛地去觐见，如果他们住在时髦的宫廷中，我倒希望自己能学会那退着开溜的本事。

我们高雅的语言似乎生机尽失，蜕变成毫无意义的陈词滥调；我们的生活也背离了它的象征符号，隐喻和转义都来得那么牵强，客厅距离厨房和工场也那么遥远。吃饭沦为进食的寓言。好像只有野蛮人才最谙熟自然与真理，只有他们才能从其中化用比喻似的。而住在西北地区或马恩岛的专家们，又如何能明白厨房里的语言在说些什么呢？

但是在我所有的客人中，只有那么一两位有勇气跟我同食玉米糊；不过，一旦危险将临，他们就溜之大吉了，仿佛房屋顷刻就要倒塌似的。但是，我在它里面煮食了那么多玉米糊，它还是那样岿然不动地屹立着。

我是直到寒冬时节，才开始着手泥墙的。我划船去到湖对岸，运来洁白的细沙——只要有船，哪怕走更远些，我也觉得快乐。屋子的四围都钉满了木板，这真是生活中的一大乐事，我一锤一个准儿，每个钉子都被我敲得不偏不倚，这更增添了我的信心，只想赶紧把灰浆粉到墙上去。我又想起了一个牛皮哄哄的家伙，他总爱衣冠楚楚地在村里晃荡，对工人们指手画脚。有一天，他突然兴致大发，想以实干来代替往日的空谈，竟然挽起袖子，抓起一块木板就往上面抹灰浆，然后得意地瞧着头上的板条，没想到灰浆全部都脱落下来，掉在他那华贵的胸襟上，真是令他大出洋相。抹灰浆既便宜，又方便，既能御寒，又颇美观，这更增加了我对它的喜爱。让我吃惊的是，砖头竟然那么饥渴，表面还没抹平，灰浆中的水分就被吸干了，为了盖一个壁炉，我挑了好多桶水。去年冬天，我就用河里一种学名叫Unio fluviatilis 的贝壳烧制出一堆石灰，所以我已经知道该去何处取材了，只要我乐意，我能在两英里之内寻到优质的石灰岩，自己动手烧制石灰。

　　这个时候，背阴而浅层的湖面已经结起了冰，整个湖面结冰还得过几天，甚至几周。首次结成的冰很有意思，它坚硬、黝黑而透明，是观察浅水区湖底的好机会，你甚至可以躺在一英寸厚的冰面上，像一只滑行在水面的水黾那样，气定神闲地打量湖底，而湖底其实距你不过才两三英寸，仿佛玻璃中的镜像。此时的水面颇为平静。动物在水里游，留下许多沟槽在沙上，而残骸上则布满白石英凝成的石蚕壳。也许那些沟槽就是它们压成的，因为在沟槽里就发现一些石蚕壳，不过沟槽又太深、太宽，石蚕壳似乎难以做到。冰是最有意思的，你最好尽早去观察它。如果你在结冰后的早晨就去观察，你会发现，那些气泡初看似乎是飘在冰层中，其实却是顶在冰层下，在不断地从湖底往上冒。由于冰坚硬和暗黑，你甚至能透过冰层看到湖水。气泡的大小各异，有的直径约八分之一英寸，有的只有八十分之一英寸，它们透明而亮丽，你能从上面认出自己的脸庞。每平方英寸湖面分布有三四十个气泡。冰层里还有一些椭圆形的小气泡，半英寸长，也有顶朝湖面的圆锥形气泡，如果是刚结冰，你还能看见像珠串那样一个顶一个的圆气泡。不过在冰层中的气泡没有冰下面的气泡多，也不清晰。我总爱投石试试冰的承受力，那些破冰而入沉到水里的石子，由于携了空气下去而激起翻滚的白气泡来。有一次，我过了两天再去观察那个豁口，发现气泡依旧，尽管窟窿里早已结成一英寸厚的冰了，这一点我从一块冰的缝隙里看得分明。

可是随着气温的逐渐升高，在最后两天，冰层不再晶莹，透出一片暗绿；虽然冰本身厚了一倍，却不像以前那么坚硬了，因为温度的上升，使得气泡扩散凝成一体。它们秩序尽失，不是一个挨一个，而是像布袋里倒出的银币那样堆积一处，或者像薄片那样塞满了缝隙。冰的美感丧失殆尽，湖底也没法再观察了。我感到好奇，想知道大气泡在这些新冰中的位置，就挖出了一块有中等气泡的冰，将它的底朝天。气泡被夹在两块冰层间，形状扁平，宛如一面透镜；它的边缘很圆，有四分之一英寸深，四英寸宽。气泡下的冰层融得很有规则，像倒置的茶托，中间有八分之五英寸厚，将水面和气泡隔开，还不到八分之一英寸。很多隔开部位的气泡都朝下爆裂，但是一英寸大的气泡下很可能没有冰。也就是说，我最先在冰层下看见的那些小气泡，早已冻在里面，它们这些小气枪一样的东西，像凸透镜聚光那样，把冰消融了，发出连连的爆裂声。

我刚用水泥把屋子加固好，冬天就气势汹汹地赶来了，狂风在屋子周围怒号，仿佛忍了许久，终于可以痛快地呼吸了。许多个晚上，野鹅拍着翅膀，从黑暗中呼啸而来，有的停在瓦尔登湖，有的掠过森林落在美港，准备南迁至墨西哥。有好多回，在我夜里十点或十一点从村里回家的路上，听到他们在我屋后湖边的林子里觅食，等他们仓皇离开时，你几乎能听到领队的呼唤声。

一八四五年，瓦尔登湖首次结冻的时间点是十二月二十二日夤夜，而弗林特湖以及别的浅水湖区早在十几天以前就全部冻上了；一八四六年是十六日；一八四九年是三十一日；一八五〇年是十二月二十七日；一八五二年是一月五日；一八五三年是十二月三十一日。从十一月二十五日起，大地上就是白茫茫一片不见人影了，我突然陷入了白雪皑皑的冬日景光之中。我一个人躲进小屋，想在屋里和内心生一盆旺火。现在我去屋外，就是为了到林子里捡枯枝，然后抱或者背，有时也用两臂挟着拖回来。那棵夏季用作藩篱的松树，现在却拖得我大汗淋漓。我用它来祭火神，因为之前它们已经祭过土地神了。独自一人从森林中猎取甚至是偷取柴禾来做晚餐，是多么惬意啊！我的面包和熟肉都是香喷喷的。大部分村镇的林子里都长满了树木，可现如今它们却不能供人取暖，还有人认为它们阻碍幼苗的生长。湖面上漂满了木料。我曾在夏天时发现一艘油松做的木筏，是爱尔兰人修铁路时钉的，树皮都没有剥，我把其中的一部分拖上岸。它们先前在水里浸了两年多，后来又在高地上放了六个月，虽然水还未晒干，却是上好的木料。有一天，我把木头一根根地从湖里拖上来，以此自娱；我拖了一根木头有半英里远，它长十五英尺，一头搁在我肩上，另一头戳在冰上，像溜冰一样滑了过来。有时我用白桦树条将木料捆好，再用一根更长的尾部有钩子的白桦木或柽木将它们拖上湖。由于它们都吸足了水，自然沉重如铅，好在耐烧，而且火势旺。不，我甚至认为，湖水浸过的木料更好烧，恰似经水的松脂在灯里更耐燃。

吉尔平 ① 在他关于英格兰林中住户的著作里这样写道，"有人非法占据森林，还在林中盖房修栅"，"根据古老的森林法，这是一种纯粹的违法行为，必须按照侵吞公共财产的罪名加以严厉惩罚"，因为这会吓跑飞禽，毁坏林中生态。但是我比一般的猎人和樵夫更重视保护野生动物和林中植被，好比自己是守林人，如果有森林被烧，哪怕是我自己不慎点燃的，也会感到痛心不已，甚至比林子的主人更难受，更难恢复平静。哪怕树木是林子主人自己砍倒的，我也会心生哀痛。古罗马人为使神圣森林（lucum conlucare）多沐浴些阳光，想砍去一些树，但是又感到惶恐，因为森林是神灵的祭品，我真希望那些农夫在下斧之前也能有这样一颗敬畏之心。古罗马人先忏悔后祈祷：不论你是男神还是女神，都可以享用森林这片祭品，都希望你能赐福于我、我的家庭和子嗣等。

即使在今天这个时代，森林也要比黄金拥有更普遍更永久的价值，意识到这一点就无法不让人吃惊。尽管我们已有那么多发现和发明，但还是没有人能不被一堆木料而打动的。它们之

---

① 威廉·吉尔平（William Gilpin, 1724—1804），英国威作家、艺术家，下面引文出自其《浅谈森林风光和其他林地景观》（*Remarks on Forest Scenery，and Other Woodland Views*）。

于我们的珍贵，一如我们的撒克逊和诺曼祖先一样。他们用木料来做弓箭，我们则用它来做枪托。早在三十年前，植物学家米修就说过，纽约和费城木料的价格"接近于巴黎最好的木料价，有时甚至更高，可是这个大都市每年要三十万考德的木料，而附近三百英里的森林都被砍光了"。在我们的镇上，木料的价格一直在持续地往上涨，差别在于涨幅的多少。机械师和商人们到林子里去就是为了拍卖，他们甚至不惜出高价，好在樵夫离开后拾些零散的木料。多少年过去了，人们总是要到林中去寻找火炉和艺术灵感，新英格兰人，新荷兰人，巴黎人，凯尔特人，农夫，罗宾汉①，古迪·布莱克和哈里·吉尔②，世上的王子和农民，专家和蛮人，都少不了要到森林去寻些柴禾取暖做饭。即便是我，也离不开它。

看见自己的木材，谁心里都会欢喜的。我爱把木料堆于窗下，数量越多，就越能勾起那些愉快的记忆。我有一把被人废弃的旧斧头，冬天里常用它来劈那些从豆田里挖出的树根。正如耕地之马的主人所说，那些树根给了我两次温暖：劈它时和烧它时，再没有任何别的燃料可以提供这样的温暖。说起斧头，有人劝我拿到村里铁匠那里去重新淬炼一下，我却自己动手修理，还给安上一截核桃木斧柄。尽管还不够锋利，但毕竟是修

---

① 罗宾汉（Robin Hood），英国民间传说中的英雄人物，人称汉丁顿伯爵。他武艺出众、机智勇敢，仇视官吏和教士，是一位劫富济贫、行侠仗义的绿林英雄。传说他住在诺丁汉舍伍德森林（Sherwood Forest）。
② 古迪·布莱克（Goody Blake）和哈里·吉尔（Harry Gill）均为英国浪漫主义诗人威廉·华兹华斯（William Wordsworth）的诗作《布莱克老大娘和哈里·吉尔》中的人物。

好了。几块油质松木真是人间至宝，不知大地之腹中还藏有多少这样的燃料。一想到这些，我就在心里乐。几年前，我总爱到那片光秃秃的山坡上走动，那儿过去是一大片油松林，我在坡上挖到一些饱含油脂的松根，它们至少有三四十年的寿命了，但树心仍完好无损。木料的边缘早已烂掉，但厚实的树皮距树心四五英寸，隔出一层与地面齐平的保护膜。你可以用斧头或铁铲挖这座富矿，沿着黄如牛油、形如骨髓的矿藏前进，或者照金矿矿脉指示的那样深入到地底下去。不过我一般用枯叶引火，它们都是我在下雪前藏到棚子里去的。樵夫们在林中露营时，就把青翠的山核桃木劈碎拿来引火。有的时候，我也会预备一些这类木材。每当村民们在地平线处生火，我也会点上火，我屋顶的烟囱也会窜出一股浓烟，这样一来瓦尔登山谷中那些野性的邻居，自然也就明白我是醒着的了——

> 翅膀闪亮的青烟啊，伊卡洛斯之鸟，
>
> 你向上向上，羽翼消融，
>
> 沉静的云雀，黎明的天使，
>
> 盘旋于村子上空，那是你的家园，
>
> 那逝去的梦想，宛若精灵，
>
> 摩挲着自己的衣裙；
>
> 给夜空中的星披上薄绸，
>
> 在白昼遮住太阳，
>
> 去吧，我的熏衣香，
>
> 从炉火中飞扬，

请诸神宽恕这闪亮的火光。

与其他木料相比，我更偏爱刚劈的硬木。冬日午后，我一个人在林中散步，屋内燃着一堆旺火；过了三四个小时，我回到屋中，火还在哔剥作响，不过我的房子并非空无一人，它里面住着一位快乐的主妇，那就是我的火。我的主妇总是诚实可依的。但是，有一天我正在劈柴，突然就想到窗口去看看屋里是否着火，这是我仅有的一次担忧。只见一团火苗已经舔到床沿，烧掉巴掌大的一块儿了，我立即冲进去扑灭了。不过我的木屋采光好，日照足，屋脊也低，所以冬天里不论多冷的中午，我都不用生火取暖。

鼹鼠用我粉墙没用完的麻绳和牛皮纸，在我的地窖里筑窠，还吃掉我三分之一的土豆。哪怕是最野蛮的动物，也像人类一样依赖舒适和温暖，正是这种习性，帮助他们度过了寒冬。我有几个朋友说我迁居林中，就是为了冻自己。动物只要在栖息地有张床就可以靠体温来取暖，而人类却发现了火，把空气封闭在一个房间内以提高温度，把这房间用作卧室，即使冬天里也可以像夏天那样在里面跑来跑去而不冻坏；又因为窗户放入亮光，灯火把白昼拉长，这样人类就超越了他自身的本能，能省出些时间用于艺术创作了。每次我被狂风吹得全身麻木的时候，只要回到暖洋洋的木屋，立刻就能恢复先前的灵敏，生命又获得延续。从这个意义上说，无论多么豪华的房子也不值得夸耀，我们也不必忧心忡忡地预测什么世界末日。只要北风稍微凛冽一些，狂暴一些，就足以结束人类的性命。我们往往爱用寒冷的星期五或大雪来计算日期，可是，只要一个更寒冷的星期五或者一场更大的雪，就足以让人类彻底消失。

第二年冬天，为了节约，我改用小火炉，因为森林并不归我所有。可是小火炉不像壁炉那么热，煮饭已毫无诗意，只是单纯的化学反应。当火炉普及后，人们似乎早已遗忘，自己曾经也像印第安人那样在火灰里煨土豆。火炉占地宽，弄得满屋黑烟，火焰反而不容易看见，我感到失去了人生的伴侣。你常常能从明火中认出一张脸来。夜里，辛苦劳作的人盯着扑腾的火苗，白天各种混乱而浅薄的思绪，都能在瞬间得到升华。可我却再也不能端坐炉前凝视火焰沉思了，有位诗人写的句子让我重获新生——

> 明亮的火焰啊，永远别拒绝我，
> 你那美丽的生命倩影，亲昵之情。
> 除了希望，还有什么竟能如此闪耀？
> 除了命运，还有什么竟能如此暗黑？
> 你那么为人世所爱，
> 为何被逐出我们的炉台和大厅？
> 难道是因你太过耀眼，
> 不适宜扮演世人的灯？
> 难道你神秘的光不能与我们的心相通？
> 难道一切都是神秘的？
> 好了，我们舒适而强健。
> 因为我们坐在炉边，

黑影遁去了，
炉边没有忧愁，
只有一堆温暖我们的火，
我们还需要什么？
这团实用的烈焰，
使人们可以稳于座，安于枕，
哪怕魔鬼从黑暗中闪过也无须恐惧，
枯叶的火光正和我们热烈交谈。

从前的居民和冬日访客

　　我经历了几场暴风雪，在火炉边度过了一些愉快的冬夜，屋外落着大雪，猫头鹰的叫声也完全被湮没了。好几个星期，我出去散步时没碰上过任何人，除了那些来林中砍树、用雪橇运回木头的樵夫。不过，暴风雪教会我在林中积雪最厚的地方辟出一条小路来，因为每回我穿过林中时，暴风便把橡树叶吹进我的足迹里，它们躺在那里吸收阳光，融化积雪，这样我走过的路就显得分明，到了晚上，它宛如一条黑带，蜿蜒着为我引路。至于说社会交际，我不由得想起了过去林中的住户。在很多居民的记忆中，我的屋子边有条小径，上面经常回荡着欢声笑语。森林里也布满花园和小屋，不过那时候的森林要更茂密，马车从中间经过，两边的松树把车身刮得擦擦有声。那些单独去林肯郡的女人和小孩，对这段路害怕极了，大多是小跑着穿过其间的。尽管这段通往邻村的樵夫们走的路再平凡不过，但由于它曲曲弯弯，给行路者带去很多快乐，自然也就记忆深刻。村子和林子之间是一片空旷的原野，过去是一片槭树沼泽，地基下铺满原木，时至今日，那些原木肯定还伏卧在从斯特拉顿家也就是如今的艾尔姆斯豪斯农庄通往布里斯特山的尘土飞扬的公路下。

加图·英格拉哈姆就住在我的豆田东边，也就是在公路对面。他是康科德邓肯·英格拉哈姆老爷的奴隶，这位老爷给自己的奴隶盖了一间房子，还允许他住在瓦尔登林中。我这里所说的加图不是尤蒂卡的加图，而是康科德的加图。有人说他是一个几内亚黑人。有人还记得他曾有过一片胡桃林，预备拿来养老，后来却被一位年轻的白人投机家买去。他现在也住在一间逼仄的小屋里。加图那个快被封死的地窖还在，不过由于周围密布着松树，旅行者很难瞥见它，所以知道这个地窖存在的人寥寥无几。如今这里长满了漆树（Rhus glabra）和历史久远的黄色紫菀（Solidago stricta）。还有一位叫作济尔发的女黑人住在豆田拐角靠近小镇的地方，她在小屋里织布，一边织一边唱，由于歌声嘹亮，整个瓦尔登森林中都回荡着她的声音。后来，她的小屋连同屋内的猫、狗和母鸡，都在一八一二年战争中被一群英国士兵即假释的俘虏烧毁了。她的生活贫苦到几乎非人的地步。有一位从前常来这片林子的人还依稀记得，有天中午经过她的小屋时，听见她正对着水壶低语——"你们都是骨头，都是骨头啊！"我在橡树林中发现还有很多砖块。

顺着公路往下走，在右边的布里斯特山上，是布里斯特·弗里曼的家，他是一位机敏的黑人，曾经是卡明斯老爷的奴隶。布里斯特种植的苹果树还在那里，高大而茂盛，果实的甜味也不曾减弱。不久前，我在破败的林肯墓地里看到了他的墓，歪斜在几个从康科德撤退时战死的无名英军士兵墓旁。墓碑上写着"西皮奥·布里斯特"——他有资格被叫作"西比奥·阿非利加努斯"——"一个有色人种",好像他的黑色曾经褪去了一样。墓志铭上还刻有他去世的时间,这似乎是在暗示我,他曾经活过。他的边上躺着他的妻子,以算命为生,颇惹人喜爱,而且体格高大,黑胖黑胖的,几乎比黑夜的子嗣还黑,在康科德,这样一团黑肉球称得上"前无古人,后无来者"。

顺着山再往下,在左手边的林中古道上,还可以看见斯特拉顿家的废墟。从前他家的果园占满了整个布里斯特山,现在那些果树都被油松取代了,空留下些树根,有的老根上又滋生出一棵棵小树。

走到离镇子更近的地方,在公路另一边的森林边缘,也就是因魔鬼而出名的布里德,那个魔鬼至今尚未在神话中露面,但在我们新英格兰的日常生活中,却是一个非常突出的角色,就像其他传说人物一样,早晚会有作者给他写传记的。号称新英格兰烈酒的魔鬼会先扮成朋友或雇工来到你家,接着趁机洗劫一空,还把家眷杀得片甲不留。不过历史没必要把这里发生的悲剧细节和盘托出,还是交给时间来冲淡,给它们披上柔和的蔚蓝色外衣吧。据说这里曾开过一家酒馆,但这个说法其实很无稽。那口井还是老样子,井水给旅行者解渴,焕发他的活力。男人们在井边相互致意,谈东说西,然后又各自星散。

尽管如今布里德的小屋久不住人了,但是在十二年前,它还是完好无损的,跟我的小屋一般大。如果我没记错,那正是在总统选举之夜,有几个顽皮的孩子放火烧了小屋。当时我住在村子边，正饶有兴味地读着戴夫南特①的《龚迪伯特》，嗜睡病令我烦恼不堪——顺便提一下，我根本不知道这种病是否来自遗传，我的一位叔叔往往刮着胡子就睡着了，为了安息日那天头脑清醒，星期天他就在地窖里把马铃薯拔掉芽——也许是因为我太急于读完查尔姆斯的诗集了，真是读得我晕头转向。正当我埋头于书本时，火警响了，接着救火车就往失火现场赶，前面跑着一群大人和小孩，我第一个跨过小溪，跑在最前面。大家都以为起火的是森林南边，是谷仓，商店或者住房，其中的一个叫道："是贝克的谷仓。"马上又响起另一个喊声："是柯德曼的房子。"接着森林上空又升起一大团火花，似乎屋顶烧塌了。于是大家都齐声高喊："康科德人来救火了！"马车跑得飞快，上面人头攒动，也许其中还坐着某个保险公司代理人，不管多远，他都是非到场不可的。救火车的铃声却越来越微弱，响得越来越慢。后来有传言，跑在最后的那些人，一定是先放火再报警的人。

我们就这样一路狂奔，好像是一群真正的理想主义者，丝毫不顾路上的流言，直到来到一个三岔路口，猛听到火焰的噼啪声，才切实明白自己已置身于火灾现场。但是一走到火边，我们那高涨的热情登时就减弱不少。开始时我们还恨不得把一池子水都浇光，等后来意识到它已烧到尾声，再抢救也意义不大，

---

① 威廉·戴夫南特（Sir William Davenant，1606—1668），英国剧作家、戏剧制片人及诗人。曾得到莎士比亚的指导，首开使用彩画舞台布景和女歌唱演员之记录，创作出英国第一部公演歌剧《罗得岛之围》(1659)，1638年被指定为桂冠诗人。

就任其自然让它烧了。我们拥挤在救火车旁，通过大喇叭发表自己的意见，或者谈论着世上其他的火灾，包括马尔科姆商店的那次。不过我们还是认为，如果救火车能早点赶到现场，再有一池塘水的话，这场火灾就会转变为水灾。结果是我们什么也没做，就各回各家了——回家睡觉，读《龚迪伯特》。至于《龚迪伯特》，序言里有段关于机智是灵魂的粉饰的话——"大部分人不懂得机智，正如印第安人不懂得香粉。"对这个观点，我自然不敢苟同。

第二天晚上，也是在那个时候，我恰好经过原野，听到火场上传来呜咽声。我摸黑走近去一看，发现一个我的熟人，他是家里唯一的幸存者，继承了家庭的全部优缺点，只有他才真正理解这场火灾的意义。他趴在地上，一边朝地窖的墙望里面尚在闷燃的灰烬，一边喃喃自语。他每天都在河边草地上干活，一有空就朝祖屋这边跑，这是他从小生活的地方。他从各个角度和方位来回观察地窖，仿佛那石缝里藏着多少财宝似的，尽管上面只有一堆碎砖和余灰。房子烧空了，他痴痴地望着那些断壁残垣。我同情的举动，给他带去了安慰。他在夜色中指向一口盖好的井对我说，感谢上帝，没把井烧掉。他一直在井边搜寻父亲制造的木桶升降装置，以及那些系物的铁钩或铁环，他告诉我，这都是些特殊的装置。我摸了一下，后来每次散步到那儿，都要去摸一摸，因为它承载着一个家族的历史。

也是在左边，在可以看见井和墙边丁香花丛的位置，曾住着纳丁和莱格罗斯，现如今那里已变成开阔的原野，他们早就搬回林肯郡去了。

在比上面提到的地方都更远的森林中，小路靠近湖畔的地方，曾住着制陶匠魏曼。他专门给镇上人制作陶器，并把手艺传给了自己的孩子。他们的手头并不宽裕，只靠一块土地过活，治安官很少能从他们那里收到什么税，不过为了应付规定，还是扣留了一件廉价的物品。我看过他们的账目，真是毫无油水可捞。某个夏日，我正在锄地，一位运送陶器去市场的人问我小魏曼的情况。很久以前，他曾在小魏曼那里购置过一个陶器和陶轮，想知道他的近况。我在《圣经》中读到过陶器和陶轮，但从未料想到，我们今天所使用的陶器并不是古代陶器的仿真，也不像葫芦结在树上。听到我的邻居中竟然就有人精通制陶这门艺术，我感到很欣慰。

　　在我来木屋之前，这片森林里最后一位居民是一位叫休·夸尔的爱尔兰人（如果我把这个名字拼读得足够绕口的话），就住在魏曼的屋里。据说他参加过滑铁卢战役，人们因此称他为夸尔上校。假如他还活着，我一定要他把战役重述一遍。他在林中只是挖沟。拿破仑被流放到圣赫勒拿岛，夸尔迁居到瓦尔登森林。我所了解的关于他的事都特别悲惨。他举止优雅，谈吐不凡，似乎见过些世面，而且客气到令人吃惊的地步。因为患震颤性谵妄症，即使酷暑天，他也得披一件外套，脸色红如胭脂。我移居瓦尔登森林不久，他就死在布里斯特山麓，所以压根儿不记得有过这样一位邻居。他的同伴把他的房子视为"不吉利的城堡"，都唯恐避之不及；拆掉之前，我去看过一次。在那竖起的木床上架着他的旧衣服，就像他本人吊在上面。壁炉边放着一根破烟斗，而不是那只泉水边摔碎的碗。泉水根本不是他死亡的象征，因为他曾向我承认过，尽管早就听说过布里斯特泉，但自己从未见过；地上到处都是脏兮兮的纸牌，方块、黑桃和红桃K之类的铺了一地。还有一只没被收税官抓走的黑鸡，羽毛比黑夜还黑，静悄悄地趴在隔壁的房里，似乎在等着寓言中的列那狐来叼。屋后有一座花园，曾下过种子，可由于主人病情发作，无暇锄地，使苦艾和叫花草长得郁郁葱葱，果粒都沾到了我的衣上。屋后挂着一块土拨鼠皮，那是他最后一次滑铁卢战役的战利品，可惜他现在再也用不上温暖的帽子或手套了。

如今，似乎只有地上的凹坑还能证明房子原来存在过。地窖的石块深深地嵌入泥土，阳光照耀着草莓、树莓、糙莓、榛树丛和漆树。原来烟囱的位置，挺立着北美油松和多节的橡树，石阶那里则长出一棵芳香馥郁的黑桦木。偶尔也能看见井坑，那里过去泉水叮咚，现在杂草丛丛，也许是最后一个人离开时，从草地上搬来石板将井盖住，方便后人发现。居然把井盖起来——这是多么让人沮丧的事啊！这里也曾有过热闹的人间烟火，他们也会以某种方言和形式来讨论"命运，自由意志和绝对感知"，而现在空余下被遗弃的狐狸洞般的地窖。但是据我所知，他们由此得出的结论只是"加图和布里斯特拔过羊毛"，这几乎跟著名的哲学流派史所能给予人的启示一样丰赡。

门框、门楣和门槛早在二三十年前就化作尘土不知到哪里去了，但是丁香花依然绽放如初，春天里，它生机盎然，芳香扑鼻，引得无数游人前来采折。它们本来不过是家里的孩子随手种植在前院的，如今却在僻静的草地大放异彩，成为这个家族的最后一个品种，也是唯一的幸存者。想当初，那些"小黑鬼"在屋后栽下的只有两棵幼芽的细枝，竟然活了下来，而且比主人还长寿，甚至比遮阴的房子，比大人们的花园和果园还活得长久。他们长大、成熟又死去半个世纪之后，丁香还在向游人默默述说着他们的生命故事，还像第一个春天那样美丽芬芳，那样温和有礼。

可是这个小村子本来孕育更多的东西，为什么它衰败了而康科德却守住了地盘？难道它没有自然优势，难道享受不到绿水吗？啊！深邃的瓦尔登湖水，清凉的布里斯特泉——人们本可以放开喉咙尽情畅饮，它对身体有无穷的益处，可是人们却毫不吝惜，只用它来稀释杯中酒。他们都是口渴之徒。难道这里就不可以编篮子、做扫把、织席子、烤玉米、剪细麻布、制陶器，让荒芜的原野遍地开花，让子孙万代继承先人的土地？贫瘠的土地本来完全可以防止洼地沙化的。这里的居民竟然未能给自然的风景增添一分光彩，真是遗憾啊！或许大自然又打算让我来做那第一个居民，那么我去年春天盖的木屋将会成为村里最古老的建筑。

我不知道现在居住的地方，过去是否有人盖过房屋。不，我不愿意住在那样一个城市里，城市的下面是古城，新建城市的材料取自原来城市的废墟，原来城市的花园变成陵园。土地遭受了重创，如果不采取措施，大地眼看就要被摧毁。带着这样的念想，我又回到木屋，让自己沉沉地睡去。

这样的季节很少有客来访。大雪覆盖时，往往连续一个星期甚至半个月都没有人来，但我过得很舒服，像田鼠、牛和鸡一样，据说他们能长时间藏身雪堆，不进食也能活很久。本州萨顿镇的那户早期移民也是如此，一七一七年那场大雪把他的小屋团团封住了，当时他恰好出门在外，一个印第安人凭借烟囱里的气在雪地上融出的坑才发现小屋，救出他的家眷。然而，此刻却没有好心的印第安人来救我了，也无须他来，房子的主人就在家里。好大的雪啊！呼呼的风雪声是多么动听呀！农民们如果不能架着马车去森林和沼泽，就只好砍掉屋前的大树，等地面冻硬后，再去沼泽砍树，到来年春天一看，发现自己竟然是在离地十英寸的位置砍断树木的。

　　积雪最深时，我常走的那条从公路到木屋的大约半英里的小路，几乎可以用一条蜿蜒的虚线来标示，在两点之间有很宽的间隔。如果一周的气候连续不变，我每天都用同样的步数和姿势，像两脚规那样踩在自己的脚印里，它们盛满了天空的蔚蓝色。不过，无论什么天气，都不能阻止我外出散步；我经常于最深的雪地上，步行八到十英里，去跟山毛榉、黄白桦或是松林中的老友会面谈天，冰雪压弯了它们的枝头，凸出了它们的顶尖，把松树变成冷杉的模样。我踏着两英尺厚的雪，来到山顶，每走一步都要摇落头顶的雪花；有时手脚并用，一点一点爬向山顶，那时猎人们都窝在家里。有一天午后，有一只花斑猫头鹰栖息在五针松靠近树干的枯枝上，我站在离他一杆远的位置，兴致勃勃地观察起来。他能听见我在雪地上的动静，但却看不清。只要我发出声响，他就伸长脖颈，耸起羽毛，鼓圆眼睛，然后很快又垂下眼皮，打起盹来。半小时后，我也感到昏昏沉沉了。他安静地坐在那里眯着眼，像一只猫或者说长有翅膀的猫的兄弟。他的眼皮间只剩下一条细缝，透过这条缝跟我保持一种若即若离的关系，从梦里往外看，努力想认出我这个朦胧的东西，或许是他眼前的尘埃。后来，因为声响更大了，或者说我离得更近了，他变得有些烦躁，在枝上转了个身，似乎是对我打搅他好梦的行为深表不满。他飞向树林，翅膀张得很宽，却听不见一丝声音。他不是依赖视觉，而是靠自己对环境的敏感来牵引飞翔，或者说他是靠灵敏的羽翼在黄昏中寻路，最后终于觅得新枝，在那里静待黎明的曙光。

每次我经过那条贯穿草地的铁路堤道时，都要遭遇一阵凛冽刺骨的寒风，因为只有在那里，风才得以狂吹无碍。雪粒抽打到我左脸上，尽管我是异教徒，还是把右脸迎上去。[①]从布里斯特山下来的那条马车道也好不到哪里去。我仍然要像友好的印第安人那样进城去，大风把原野上的积雪都吹到瓦尔登湖畔两侧的墙里，不用半个小时就能把旅行者的足迹覆盖。我返回时又添了新的积雪，只得在雪堆中艰难地跋涉。性急的西北风把粉状的积雪堆在小路的拐角处，你看不见野兔的足迹，更别说田鼠的细爪印了。但是，即使在深冬最冷的时节，我也能看到温软的沼泽、青草和臭菘在那里吐绿，耐寒鸟在那里静候春光。

有时尽管雪很大，但在我散步回家的路上，还是会遇到一行直通屋门的深脚印，那是樵夫离开时踩出的。我还能在壁炉边看见他削好的碎木片，也能闻出他的烟斗味。或者在某个周日下午，如果我居家未出，就会听见一位长脸农民踏雪而来的声音；

---

① 参见《圣经·马太福音》5:39："只是我告诉你们：不要与恶人作对。有人打你的右脸，连左脸也转过来由他打。"

他自林中腹地而来，就是想和我聊聊天。他是仅有的几个以"务农为生"的人，不喜欢教授装，爱穿一身工作服。他讥讽教会和政府那些虚伪的言论，就像从自己家牛棚里起出一车粪那样信手拈来。我们谈及淳朴的原始时代，那时虽然天气寒冷，可人们围坐火炉，头脑清醒，精神振奋。没有点心可吃，人们就用牙去试狡猾的松鼠们遗弃的坚果，因为那些外壳最厚的坚果往往里面没有果仁。

冬雪最密集、暴风最烈的时候，有一位诗人访问了我的木屋。农民，猎人，士兵，记者，甚至哲学家都可能畏惧，只有这位诗人无所顾忌，因为他的事业只是追求纯粹的爱。谁能预见到他的行踪呢？为了创作，他随时都要外出听从灵感的召唤，甚至当医生在睡觉时也是如此。我们在小屋里时而放声大笑，时而轻声细语，充实了瓦尔登森林长久以来的寂静。与之相比，百老汇也显得荒凉不堪了。谈到会心处，或者即将转入会意时，我们俩都大笑不止。我们一边喝进稀粥，一边喝出了闪光的人生哲理；稀粥足以飨客，也能让人保持哲思所必要的清醒。

在我栖居瓦尔登湖的最后一个冬天，还接待了一位客人，我永远都不会忘记这件事情。有一次，他在深夜冒着雨雪来访，陪我共度了几个寒冬长夜。他是最后的哲学家之一——是康涅狄格州将他推向了外界——他最先是帮这个州推销产品，后来才开始推销自己的思想，也就是赞美上帝，贬低人类。只有思想才能结出果实，正如只有坚硬的外壳里才有果肉。我想他大概是世人中信仰最坚定的那一个。他的言语和态度，总是做得比常人习惯的更好。物换星移，只有他依然自信。目前他并没什么计划，尽管他现在看起来有些冷落，但只要等到属于他的时代到来，常人不能看出的规则就要发挥效力，主人和国君就要来听取他的意见——

　　　　"看不见宁静的人是多么盲目！"

　　他是人类真正的朋友，或许可以说是人类进步的唯一朋友。一位平凡的老人——或者说一位神灵，怀着永不停息的信念，把刻在人类心灵上的偶像逐个澄清。现如今，那些人类之神早已面目全非，沦为了一座座扭曲的纪念碑。他以极大的热情拥抱孩子、乞丐、疯子和学者，接受所有人的思想，又把这些思想推向更精湛的境地。我认为他应该在世界公路上开一家旅馆，把全世界的哲学家都接到那里住；旅馆的招牌上可以这样写："接待的是人，而非他的兽性。自在安逸、心境恬淡，真诚地追求真理的人，请进。"在我认识的人当中，他是最清醒、最纯洁的，昨天和明天对他毫无分别。当时我们一起散步闲谈，把世界抛在脑后，世上的任何制度都限制不到他，他生来自由。不论我们拐向哪条岔路，似乎都与天地融为一体，因为他为山水增色。一个穿蓝袍的人，最适合的屋顶便是天空，星空映衬出他的澄澈。我认为他将永生；自然永不会将他抛弃。

　　我们彼此坦露心声，好比把思想的木片端出来晒，再坐在一起把它们切削，检验我们的刀锋，并赞赏这些松木南瓜色的清澈纹理。我们虔诚地涉过小溪，或者安静地漫步溪畔，不会把思想的鱼儿从溪流中吓走，也不会畏惧蹲在岸边的垂钓之人。

我们来去自由，好比西天掠过的云彩，珍珠一样时聚时分。我们在那儿构思神话和寓言，建造空中楼阁，因为大地无法提供坚实的基座。伟大的观察家！伟大的预言家！跟他谈天，真是新英格兰的至乐。呵！我们谈论隐士和哲人，还有我已交代过的那个老者——我们三人——这些谈话挤爆了我的小屋。我不清楚在大气压之上，每一英寸圆弧要承载多少磅的重量，但是它裂开了缝隙，为防止泄露，必得用无量的废话来填塞——好在我已备足了那种麻絮。

还有一个人，不时来拜访我，我曾在他村里的房子度过一段充实的时光，也轻易不能够忘记。我的社交活动就到此为止。

如同在别处，有时我也期盼那永远不会到来的客人。《毗湿奴往世书》写道："黄昏时分，户主应站在院子里，等够挤完一头奶牛的时间，如果他乐意，也可以等更久些，看看是否会有客人来。"我谨遵此言，热情地等待着，可是等了足够挤完一群奶牛那么久，也不见有一人从镇上来。

冬天的动物

　　当这些湖面封冻以后，它们不仅提供了抵达许多地点的更新、更短的路径，还提供了观赏四周风景的新视角，如果不是站在冰封的湖面上，这些风景便早已为我们所熟识。当我横穿过被积雪覆盖的弗林茨湖时，尽管我常常在那里划桨、滑冰，但它出人意料的宽阔和怪异，除了巴芬湾，让我想不出其他的。一片雪野的尽头，林肯山在我面前升起，我不记得自己曾站在它面前过；距离莫测的远处，渔夫们牵着狼狗，在冰面上缓慢地移动着，酷似海豹捕猎者、爱斯基摩人，在多雾的天气里影影绰绰，像传说中的生物，我不知道他们究竟是巨人，还是侏儒。夜间去林肯听讲演时，我踏上这段路程，在我的小木屋和演讲室之间，没有现成的道路可走，也不会经过其他房屋。在我路经的鹅湖上，麝鼠殖民者们栖居于斯，在冰面上方高高地搭起屋巢，虽然当我横穿鹅湖时，一只在外面的也没见过。瓦尔登湖，正如其余几座湖一样，通常并不积雪，要么只是浅浅一层断续四散的残雪，它是我可以自由漫步的园地，而此时，别处的积雪总有将近两英尺厚，村民们被限制在他们的街道内。而此地，远离村中街道，远离雪橇叮咚的铃声，我滑着雪，滑着冰，仿佛置身于一座平整的麋鹿之苑，里面挂满了橡树和庄严的松树，它们不是被积雪压弯，就是垂下耸竖的冰柱。

在冬夜里，更多在冬日里，我听见鸣枭从无限远处传来凄美的音符；如此的声音，宛若一把合宜的琴弓拨动着冰封大地的心弦，这是瓦尔登森林中的方言①，我终于对他熟识起来，尽管当他鸣叫之时，我从未看见过他。我在冬夜里推开门，很少会听不见他；"胡，胡，胡，胡拉，胡"，声音响朗，前三个音节听起来像"你好"；或者有时只是"胡，胡"的声音。初冬的一个夜晚，在湖面封冻以前，大约九点钟，我惊诧于一群鹅的叫声，移步门边，当他们低低地飞过我的房屋时，我听见他们翅膀的响动如同森林中喧嚣的暴风雨。他们通过湖面，赶赴菲尔港，仿佛忌惮于我的灯光，他们的指挥官以有规律的节拍一路鸣叫。突然间，一定没错，一只猫头鹰离我非常近，以规律的间隔回应着这只鹅，那是我在这森林中所听过的最粗砺、巨大的叫声，仿佛下定决心要揭露和侮辱这来自哈德逊湾的入侵者，他展示了本地方言更宽的音域、更大的音量，"噗—胡"的叫声要把这只鹅驱逐出康科德的地平线。在这个于我而言如此神圣的夜晚时分，你惊醒整座城堡究竟是什么意思？你以为我被发现在这个时间入睡，就没有同你一样好的肺和喉咙吗？"噗—胡""噗—胡""噗—胡"！它是我所听到过的最惊悚的不和谐音之一。然

---

① 原文为拉丁文 lingua vernacular.

而，如果你有一双有辨别力的耳朵，就会听出其中元素性的和谐，在这些平原之上，我们既没看见过，也没听到过。

我还听见湖中冰块的咳动，湖是我在康科德此地巨大的床伴，仿佛它在床上动荡不安，为腹胀和多梦所扰，不得不辗转反侧；或者我会被雾中湖面的破裂声所惊醒，仿佛有人派遣一支队伍来到了我的门前，第二天清晨，将会发现，湖面上裂出一条四分之一英里长、三分之一英寸宽的裂痕。

有时候，我听见狐狸逡巡在冷硬雪地上的声音，在洒满月光的夜晚，寻找着山鹬，或做着其他游戏，如森林中的野狗一样，发出粗砺的、魔鬼般的吠叫，仿佛满载着焦虑，仿佛寻求着表达，又仿佛追求着光亮，或者想完全像野狗一样在街上自由奔跑；如果我们考虑一下年代，难道野兽不也和人一样，发展出了一种文明吗？他们对我来说好似初级的穴居人类，仍旧立足于防御，并等候着进化。有时候，一只狐狸走近我的窗子，被我的灯光所吸引，朝我吠叫一种诡异的诅咒，随后就撤退了。

通常，红松鼠（Sciurus Hudsonius）在黎明将我唤醒，在屋顶追逐，并沿着房屋的边缘上蹿下跳，仿佛他们从森林里出来，就是为了这个目的。在冬天里，为作消遣，我朝门口的硬雪地上抛下半蒲式耳尚未成熟的甜玉米穗，以观察各种动物受其引诱而做出的行为。在黄昏和夜晚，兔子如期而至，享用丰盛的一餐。红松鼠终日来来去去，他们的小伎俩带给我许多欢乐。一只松鼠会首先穿过橡树林，谨慎地靠近，像一片被风吹动的树叶，时断时续地奔跑在雪野上，此刻向这边跑了几步，速度惊人，体能也消耗很大，脚爪制造出不可思议的匆忙，仿佛他在赶赴一场赌约，现在又朝这边跑了许多步，但每次都不超过半杆远；然后突然停住，露出滑稽的表情，还会无缘由地翻个跟头，仿佛宇宙中所有的目光都聚焦于他——因为一只松鼠的所有动作，即使在森林中最荒芜隐秘的地方，也与一名舞女的舞姿拥有同样多的意义——他把更多时间花费在耽搁和谨慎中，而不是满足于径直跑过整个距离——我从未见过一只松鼠径直跑过——然后说时迟，那时快，他会蹿上一株小油松的顶端，浑身上紧发条，责骂所有想象中的观众，自言自语的同时，又与全宇宙交谈——我找不到其原因，我想，或许他自己也并未意识到。最终他到达玉米地那里，选取合适的一穗，沿着同样不确定的三角形路径，欢跃着跳上窗前，我的木垛的顶点，在这里他与我面对面，坐上几个小时，不时地取来新的一穗供给自己，一开始小口吞咽，随后将啃了一半的玉米棒到处乱扔；直到最后他变得更加挑剔，玩弄着食物，只尝尝玉米芯和玉米穗的瓤，玉米穗被一只爪子平衡地抓着，在他粗心的抓弄中滑落，跌到地面上，他以一种不确定的滑稽表情观看着它们，仿佛在怀疑它们是否有了生命，还没有下定决心是否去捡起它，或者拿一个新的，抑或离开；一会儿想想玉米，一会儿听听风中的声音。因此这没脑子的小家伙会在午前浪费掉许多玉米穗；直到最后，他抓着更长更饱满的玉米穗，比他的身体还大，然后技巧娴熟地平衡住它，他会带着它一起蹿上树林，就像一只老虎带着一头水牛，以相同的之字形路径和频繁的停顿，他抓着玉米，仿佛它太重了，总是要跌落，他让玉米保持在介乎垂直和水平之间的对角线下垂着，决定无论如何也要带着它——

一个轻浮、怪异的家伙——因此他会把玉米带到他住的地方，或许带它到四十或五十杆之外的一株松树的树顶，我随后会发现玉米穗须被散播在森林中的各个方向。

最后松鸡到来，他们不和谐的尖叫声很久以前就被听闻。他们从八分之一英里外谨慎地靠近，动作鬼鬼祟祟的，从一棵树飞过另一棵树，慢慢接近，捡起松鼠们掉下的玉米粒。然后，坐在一棵油松的粗枝上，他们试图匆忙吞咽一颗玉米粒，那对他们的喉咙来说太大了，卡住了他们；在经过巨大的努力后，终于吐出了卡住的玉米，然后花一个小时，用喙反复啄着，历尽辛苦终于把玉米粒啄碎了。他们是明显的小偷，我对他们并无多少敬意；但是松鼠们，尽管最初很羞涩，但拿过以后就很自如，仿佛在拿着自己的东西。

与此同时，成群的山雀也到来了，他们捡起松鼠掉下的碎屑，飞到最近的细枝上，把碎屑压在爪子下面，用小小的喙啄着，仿佛啄着树皮中的昆虫，直到碎屑小得足以咽下喉咙。一小群这样的山雀每天到来，从我的柴堆外捡食美餐，或者我门前的碎屑，他们发出的模糊不清的音符在空气中飞舞，仿佛草丛里冰锥的叮当声，或者带有"逮、逮、逮"的其他声音，或者更罕见的是，春天般的日子里，他们从树林边缘发出"菲一比"这样颇有夏意的弦音。最后我们都混得非常熟悉了，一只山雀落在我正搬运的有一抱之粗的木材上，肆无忌惮地啄着木头。还有一次，当我锄着一座村中花园时，一只麻雀在我肩上落了一会儿，这样的气氛让我觉得自己甚为高贵，佩戴任何肩章都无法与之相比。松鼠们最后也变得和我很熟悉，当我的鞋子占据最近的路线上时，他们总会在上面直接跑过。

当大地未被积雪完全覆盖，并再次临近冬季的尾声，当积雪在我的南山坡上和柴垛旁融化时，鹧鸪早早晚晚跑出森林前来觅食。无论你走进森林的哪一边，总有鹧鸪振翅飞走，震落高处的枯叶和细枝上的积雪，从阳光中洒落而下宛如金色的纤尘，这勇敢的鸟不会被冬季吓坏。他经常被翻涌的雪盖住，而且，据说，"有时候一头扎进柔软的雪中，在里面隐藏一到两天"。他们日落时分从森林中出来，啄食野苹果树的花蕾，在他们所在的野外开阔地上，我常常去惊吓他们。他们每晚有规律地来到特定的树上，狡猾的猎人正在那里等着他们，而且森林边的远处果园也会遭殃不少。然而无论如何，我很高兴这些鹧鸪觅得了食物。他是大自然自己拥有的鸟儿，啄食花蕾，饮水为生。

在冬日黑暗的清晨，或者冬日短暂的下午，我有时会听见一群猎犬咆哮长林，发出追捕的狂吠，他们无法遏制的追捕本能，间或传来的猎角之声，都表明有人在豢养他们。叫声在森林中再次响彻，没有狐狸奔跑到湖边开阔的平地上，也没有狗群追着他们的阿克特翁①。或许在夜里，我会看见猎人乘着雪橇归来，带着一条狐狸尾巴作为战利品，寻找着过夜的旅店。他们告诉我说，如果狐狸一直藏在冻土中会是安全的，或者如果他们直线奔跑，就没有猎犬追得上；但是，当追踪者被远远抛在后面，

---

① 阿克特翁（Actaeon），希腊神话中阿里斯塔俄斯和奥托诺耶的儿子，他是维奥蒂亚的英雄和猎人。据奥维德的《变形记》，他在基塞龙山上偶然看到女神阿耳忒弥斯(掌管野生动物、生长发育和分娩的女神)在沐浴，女神因而把他变成了鹿，这只鹿被他自己的50只猎狗追逐并撕成碎块。

他停下来休息，直到听见猎犬逼近了，然后绕个圈子回到之前出没之地时，猎人们便已在那里恭候了。然而有时候，他会在墙上跑过许多杆远的距离，然后远远地跳到墙的另一边，他会发现水并不能保留他的臊气。

　　一位猎人告诉我说，他曾看见一只被猎犬追捕的狐狸闯进瓦尔登湖，当时冰面上还覆盖着浅浅的水洼，他横穿过一段湖面，然后跑回到原来的湖滨。很快，猎犬追到了，但是他们在这儿丢失了狐狸的气味。有时候，一群猎犬就会经过我的门前，围着我的房子绕圈，吠叫、追逐，并不顾忌我的存在，仿佛被一种怪异的疯狂折磨着，因此一切都无法将他们从追捕中转移出来。于是，他们围着房子绕圈，直到发现狐狸最新的踪迹，一头聪明的猎犬可以放弃一切，唯独追捕狐狸不可以放弃。一天，一位猎人从列克星敦来到我的小屋，打听他那头追踪狐狸追踪了很远的猎犬，他已经找了一个星期。但是我恐怕他听了我的话后也不会变得更明智，因为每当我试图回答他的问题时，他总会打断我，以诸如此类的提问："你在这里做什么呢？"他丢了一条狗，却发现了一个人。

　　有一位老猎人，谈吐十分无聊，他过去每年在瓦尔登湖水最温暖的时候，来湖里洗一次澡，并借此机会来看望我，他告诉我说，许多年前的一个下午，他拿上枪，去瓦尔登森林里巡逻；当他走在维兰德路上时，他听见一群猎犬的叫声迫近，很快，一只狐狸从墙上跳到路上，随后又以难以置信的速度跳上另一堵墙，他迅疾的子弹都没有伤到那只狐狸。又走过一段路以后，一头老猎犬带着她的三头幼犬，按照自己的想法全力追捕着，并再次消失在森林中。下午晚些时候，当他在瓦尔登南部的密林中休息时，他听见猎犬远远的吠叫，他们依旧朝着菲尔港方向追踪着狐狸。当他们跑近时，他们追捕的咆哮声在森林中回荡着，越来越近，一会儿发自威尔草场，一会儿发自贝克农庄。他在那里静静地站了很久，听着他们的音乐，这对一个猎人的耳朵是多么甜美啊！突然，狐狸出现了，步态轻盈，穿过庄严的林间走廊，他的声音被树叶沙沙的回响所遮盖，迅疾而安静，绕着圈，把追捕者们远远抛在后面；随后，他跳上林间的一块岩石，直身坐着，听着，背对着猎人。怜悯之心也曾使后者犹豫片刻，但那注定是短暂的，思绪飞快地转换了回来，他把枪端平，"砰"的一声！——那只狐狸，从岩石上滚落，躺在地上死掉了。

那猎人仍然待在原处，听着猎犬的声音。一会儿他们追来了，此刻，附近的森林里回荡着树叶的沙沙声和他们魔鬼般的吠叫声。最后那头老猎犬出现在了视野中，她嗅着地面，狂咬着仿佛被捕获的空气，然后径直跑向了岩石；但是，发现了死去的狐狸，她突然停止了吠叫，仿佛被惊愕卡住了喉咙，然后沉默地绕着狐狸转了一圈又一圈；一个接一个地，她的幼犬赶来了，也和他们的母亲一样，全都被这神秘浇得警醒，陷入沉默。随后，那猎人走上前来，站在他们中间，神秘的谜底被揭晓了。当猎人剥着狐狸皮时，他们静静地等待着，跟着狐皮走了一会儿以后，最后又回转进了森林之中。那天夜里，一位威斯登的乡绅来到猎人的小木屋里，打听他猎犬的下落，并讲述了一周以来他们如何从威斯登森林出发，随己心意地追踪狐狸。那康科德的猎人讲出了自己所知道的一切，并以狐皮相赠；但是那乡绅辞谢了，并且离去。那天夜里，他没能找到他的猎犬，但第二天他得知，他们已经过了河，并在一所农舍里过了夜，在此处，他们被丰盛地喂了一顿后，就在一大清早踏上了归途。

给我讲这些故事的老猎人能够记起一个叫萨姆·纳丁的人，过去曾在菲尔港的岩层上猎熊，并在康科德的村庄里用熊皮换朗姆酒；这人曾告诉他，他甚至曾在那里见过一头麋鹿。纳丁有一头大名鼎鼎的猎狐犬，名叫布尔戈因——他发音为布矜——我的谈伴从前经常借用。镇上有一位老商人，也是队长、镇公务员和代表，我在他的"账本"中发现过如下的条目：一七四二到一七四三年一月十八日，"约翰·梅尔文，贷方，一条灰色狐狸，零元两角三分"；这样的事情现在看不到了；他的账册里还有：一七四三年二月七日，"赫茨齐亚·斯特拉顿贷款半只猫皮，零元一角四分半"；这当然是山猫皮，因为斯特拉顿在从前的法国战争中曾是一名中士，不会用不够高档的东西去贷款。鹿皮也可用来贷款，而且它们每天有售。一个人依旧保存着附近地区被猎杀的最后一头鹿的鹿角，另一个人还给我讲述过他叔叔曾参加的一次捕猎的细节。从前这里的猎人们有一个庞大而欢乐的团队。我清楚地记得，一位瘦削的宁录①从路边抓起一片树叶就能吹出音乐来，如果我的记忆可靠的话，那声音比任何猎角都更野性、更富有旋律。

夜半，天上挂着月亮，我有时会遇见猎犬们徘徊在森林里，

---

① 宁录（Nimrod）是《圣经》中一位勇敢的猎人，后来此名成了猎人的代称。

在路边潜伏着，像害怕我似的，在灌木丛中默默伫立，直到我走过。

松鼠和野鼠为我贮藏的坚果吵了起来。我房屋周围有二十多株油松，半径一英寸到四英寸，都被他们啃了，在上一个冬天——一个对他们来说是挪威一样的冬天，雪积得又深又厚，他们不得不将很大比例的松树皮混合到其他食物中。这些树在仲夏又复活了，又明显繁茂起来，它们中的许多都长高了一英尺多，尽管树皮被爬绕着啃下许多；但是又一冬过后，它们便都毫不意外地死去了。真是让人吃惊，一只小小的老鼠竟然能以一整株松树为餐，环绕着啃食，而不是上上下下；但为了让森林瘦身，或许这也是必要的，它通常太过密集了。

野兔（Lepus Americanus）也非常习见。整个冬天，一只置身于我的房屋下面，只有地板把我们隔开来，每天早晨，我开始行动，她都要以匆忙的离去惊吓我——哐当、哐当、哐当，她用头快速撞击着地板的木料。黄昏时分，他们经常环绕在我的房屋周围，咬食我扔出门外的马铃薯皮，他们和土地颜色如此相近，当他们静止时我几乎无法分辨。有时在暮色里，我时而看见，时而看不见，一只野兔无缘由地坐在我的窗下。当我在夜里打开门，他们会吱吱叫着、蹦跳着跑出门去。他们近在手边时，我看了会激起怜惜。一个夜晚，一只野兔坐在距我两步远的门边，起初害怕得发抖，但又不想挪动；这可怜的小东西，瘦骨嶙峋，有着锯齿状的耳朵和尖尖的鼻子，残破的尾巴和小爪子。看起来仿佛大自然不会再繁衍更高贵的血统了，只会站在她的小脚趾上。她的一双大眼睛看起来年轻而病态，近乎水肿。

我迈出一步，瞧着她，而她甩开飞毛腿，弹跳而起便穿过雪野，身体和腿伸展出优雅的长度，很快就跑到了森林的背面——这自由的野物，维护着大自然的活力与尊严。她的苗条并非没有缘由。这便是她的天性。（有人认为，学名 Lepus，源于 levipes，意为腿脚轻灵。）

　　一个没有野兔和鹧鸪的乡村会是什么样子呢？他们是最简单最本土的物种；古已有之的高贵世界成员，而今依然如故；与大自然分享着色彩和本质，与树叶和土地最亲密地结合——彼此间也亲密结合；要么长着翅膀，要么长着腿脚。当一只野兔或鹧鸪疾速跑过时，你看见的几乎不是一只野物，而是大自然的一部分，如同沙沙作响的树叶一般。无论发生什么样的变革，鹧鸪和野兔都一定会繁衍下去，就如这片土壤上真正的居民一样。假使森林被砍伐，嫩芽和灌木也会涌现，供他们藏身，他们会变得比以往更为数量庞大。一座容不下一只野兔的村庄真是座可怜的村庄。我们的森林里两者皆有，在每一片沼泽周围都能看见漫步的鹧鸪或野兔，他们为多细枝的篱笆和马鬃做的陷阱所苦，是一些牛仔在打理这些。

冬天的湖

一个寂静的冬夜过后，我醒来，还带着被某些问题所困扰的印象；在睡梦中，我所有试图回答的努力都归于徒劳：那是什么——如何——何时——何地？但是这黎明时分的大自然，万物各得其所，她看进我宽阔的窗，面容安详、满足，她的唇间没有疑问。我被一个已解答的疑问所唤醒，被大自然与日光所唤醒。积雪深深地躺仰在大地上，点缀着鲜活的小松林，我的房屋坐落在小山上，它舒缓的斜坡似乎在说："向前！"我们这些凡夫俗子的疑问，大自然既不会提出，也不会回答。很久以前她就给出了结论。"哦，王子，我们以赞佩之眼深思，目光传递着宇宙惊奇而多变的景观之魂。黑夜无疑遮掩了其中一部分光荣的创造，但是白昼的来临，则为我们揭开了其伟大劳作的整个面目，这些伟大劳作，从地球的一端，一直延伸到地球以外的寥廓里。"

然后我开始了清晨的劳作。首先我拿起一把斧子和一只提桶去找水，如果这不是在做梦的话。在一个寒冷的雪夜过后，或许需要一支潜水杆才能办到。平日里，这湖水和颤抖的湖面，敏感于每一阵呼吸，反射着每一道光影，可是每到冬季，结冰就变得坚固，会达到一英尺或一英尺半的厚度，能支撑起最沉重的车队，覆盖其上的雪也可能达到同样的厚度，人们从任何地平面上都难以辨别出它的所在。就像四周群山中的土拨鼠一样，它合上眼睑，休眠三个多月。站在积雪覆盖的平川上，宛如置身于群山之间的一处牧场，我第一次取径穿过一英尺厚的积雪，再穿过一英尺厚的冰面，我的脚下打开了一扇窗，并在此处跪下饮水，我的目光向下，看见了鱼儿们幽静的客厅，弥漫在一团柔和的光线之中，仿佛一扇地面上的玻璃窗，沙石闪烁的湖底与夏季相同；这里由一种经年无波的平静统治着，就像破晓时分琥珀色的天空，此地居民冷静、平和的品性与之相得益彰。天堂在我们脚下，也在我们的头顶。

　　清早，当一切事物都在霜冻中脆响，人们带着鱼线轴和简便的午餐到来，穿过雪野，放出鱼线，捕捉梭鱼和鲈鱼；这些化外之人，与城镇中人相比，本能地追随另一种风尚，相信其他的权威，然而也正是他们的来来往往，将城镇部分地缝合在一起，若换了别处，城镇则是彼此撕离的。他们缩进粗糙的毛呢布料里吃午餐，盘坐在湖滨干燥的橡树叶上，遵从自然造化的智慧与城市居民们遵从人造之法的智慧相同。他们从不求教于书本，沉默寡言但却敏于所行。他们所实践过的事情，往往并不为人所知。此处有一人，用大鲈鱼作饵来钓梭鱼。你向他的提桶中望去，充满惊奇，恍若望向夏日的湖，仿佛他一直把夏日锁在家中，或者他知晓她从何处撤退的。天啊，他是怎么在仲冬时节收获这一切的？哦，自从大地封冻以后，他就从朽木里获取蠕虫，因此渔获甚多。

他的生活本身就居于大自然的洞见里，比博物学家的钻研要高明得多，他本人就是博物学家的一个课题。后者用刀子轻轻挑起苔藓和树皮，寻找昆虫，而前者则用斧子砍开圆木的内核，苔藓和树皮四处飞溅。他以剥树皮为生。这样的人拥有捕鱼的权利，而且我乐于看见大自然在他身上显现。鲈鱼吞食幼虫，梭鱼吞食鲈鱼，渔夫再吞食梭鱼；如此，造物天平上的缝隙就都被填满了。

当我在薄雾天气里绕着湖闲逛时，有时会愉悦于一些粗鲁渔夫所养成的原始方式。他或许已经在冰面上凿了一些细孔，它们彼此之间相隔四五杆的距离，但都与湖边等距，然后把桤木枝横放在细孔上，钓鱼线的一端紧系在树枝上以防被鱼拉下水，而松弛的一端则绕过一根伸出冰面一尺多长的嫩枝，并将一片干燥的橡树叶系到上面，当鱼线被向下拉动时，它就会表示有鱼咬钩了。当你在环湖漫步的中途，这些嫩枝会以相同的间距，在雾中若隐若现。

啊，瓦尔登湖的梭鱼啊！当我看到他们躺在冰面上，或在渔夫所凿的、有一个小孔来引入活水的冰井中时，总是会惊奇于他们那罕见的美，仿佛他们是传说中的鱼类，对我们的街道来说如此陌异，甚至对我们的树林来说也如此陌异，就像阿拉伯对我们的和睦生活一样陌异。他们拥有一种相当炫目而超验的美，这将他们与在我们的街市上被吹捧出大名的白鳕鱼和黑线鳕远远区别开来。他们不似松树的青绿，不似石头的灰褐，也不似天空的蔚蓝；但是，在我眼里，他们确有罕见的色彩，好似鲜花与名贵宝石，宛若珍珠，宛若瓦尔登湖中动物化的原子核或水晶。他们，当然是全然无损的瓦尔登；在动物王国中也是小小的瓦尔登，瓦尔登教派^①！我惊异于他们在此处被捕获——这集金黄与祖母绿于一身的伟大鱼类，本来在幽深而宽阔的甘泉中，在旅经瓦尔登路上欢悦的队伍、马车和叮咚作响的雪橇之下畅游着。我从未有机会在任何市集中得见此类美鱼，否则他绝对会在那里成为众所瞩目的焦点。随着几下痉挛般的游转，很轻易地，他们就挣脱了自己在水中濡湿的幽灵，仿佛一个凡人在升入天堂那稀薄空气前的时刻里，挣脱了自己的肉身。

那是在一八四六年初，由于渴望重新发现瓦尔登湖那长久失落的湖底，我曾在湖面破冰以前，携带着罗盘、锁链和探测索，仔细地探查过它。关于这个湖底，有许多的传闻，比如说这个湖根本没有湖底，这些传闻本身自然是毫无依据的了。人们不去亲身探测，而能多少年来一直相信一个无底之湖的存在，这件事真的让人吃惊。我有一次在邻近地区的散步中就曾拜访过两个这样的无底之湖。许多人相信瓦尔登湖穿过地心，直抵地球的另一端。一些曾平躺在冰面上很久的人，俯视的目光穿透这迷幻的中介，或许还以湿润的眼眸论辩，然后出于对得肺炎的恐惧，就草率得出结论，称他们曾见过湖中巨大的洞穴，如果有人愿意填充的话，"满载的稻草可以被填充进去"，而这里确定无疑，正是冥河的源头和地狱的入口。另一些人从村里驾着一辆"56号"马车来，马车上载满了以英寸为刻度的绳索，

---

① 原文这一词为"Waldenses"，本来为一个罗马天主教内小的改革派别，由里昂商人皮特·瓦尔德（Peter Waldo）于12世纪晚期创立。但是梭罗使用这一词显然是想强调瓦尔登湖的梭鱼与瓦尔登的密切关联，甚至具有信仰的力量。

但是仍然未能探到湖底；因为当"56号"还在路边休憩时，他们就开始放出绳索，要找出奇迹的不可测度的深度，这样的尝试自然是无效的。但是我能跟我的读者保证，瓦尔登湖有一个合理的、紧实的湖底，以一种并非不合理、尽管非同寻常的深度。我用一根钓鱼线和一块重约一磅半的石头就轻而易举地测出了它的深度，这样能精确辨别出石头离开湖底的时刻，因为当湖水在石头下面托举它以前，向上拉动钓鱼线要困难得多。湖的最深处，精确来说是一百零二英尺；加上上浮的五英尺，就有一百零七英尺。对于这样小的一个湖，这样的深度是惊人的；然而没有一寸湖水是能够被想象力所闲置的。即使所有的湖都是很浅的，那又如何呢？难道它就不会映入人们的精神之中了吗？我很感谢这个湖，作为一个象征来说，它既幽深又清澈。如若人们信仰无限，那么一些湖就会被认为是无底的。

有一位工厂主，他听说了我测出的深度，认为那不可能是真的，因为，从他水坝建筑方面的知识来判断，沙石不可能保持在如此陡峭的角度上。但是就与所在地区的比例来讲，最深的湖也并不如大多数人们所想的那么深，而且，如果湖水被抽干，也不会留下一道醒目的峡谷。它们不像两山之间所夹的杯形谷地；对于瓦尔登湖来说，它与所在地区相比已经是不寻常的深了，它呈现为一个直角区域，但其最深的中心处也并不比一座浅滩更深。大多数的湖，如果被抽空，将会裸露出一片比我们寻常所见并不更加空旷的草场。威廉·吉尔平，这位关于风景所有方面知识都让人羡慕、也总是如此正确的人，站在苏格兰的洛克费恩峡谷顶端，将其描述为"一座咸水湾，六十或七十九英

寻深，四英里宽，"大约五十英里长，被群山环绕，据观察，"如
果这里爆发大洪水，或者随便什么大自然的灾变，能让我们立
即看到它在水流涌入以前的样子，它会呈现为一个多么骇人的
大裂谷啊！

> "多么高，如托举的肿胀山峦，多么低
> 下沉为一片湖底，宽阔而幽深，
> 无穷无尽水之床。"

　　但是，如果选取洛克费恩峡谷中最短的直径，我们把这些
比例应用到瓦尔登湖那里，众所周知，瓦尔登湖底呈直角的部
分仅仅像一个浅滩，然而前者却会比它再浅上四倍。而当河水
被抽空，洛克费恩大峡谷给人的惊骇就会放大许多。毫无疑问，
许多拥有着延绵的玉米地的微笑山谷，正是占据着这样的"惊
骇峡谷"，河水从峡谷中衰退了，尽管要让其中坚定不移的居民
信服这样的事实，需要地理学家内外兼修的视野。通常，一只
好奇之眼或许会从低矮的山丘中探测到一片原始湖泊的湖滨，
平地并未随后日渐抬升，隐藏起它们的历史。但是公路上的工
人们知道，在阵雨过后，要在一片泥湿中辨认出何处是低洼的
坑洞，是再简单不过的了。想象力给予人们哪怕最少的能量，
也要比大自然本身的运动下潜得更深、咆哮得更高。因此，与
其宽度比起来，大洋的深度或许会显得非常微不足道。
　　当我穿过冰层进行探测，我能以极大的精度确定湖底的形
状，这比探测没有封冻的港湾更具可能性，而且我惊讶于它整

体的规则程度。在最深处，有几英亩大小的地方比暴露在阳光、风吹、耕作之下的几乎任何土地都更平坦。譬如，在一次任意选址的放线测量中，测量三十杆，所得深度之间的差异不会超过一英尺；而且总体来说，我能估测出，以中间为基点，向外四周任意方向，每隔一百英尺，深度会变化三四英寸。有些人习惯于认为像这样安静的沙石湖底总会有深邃、危险的洞穴，然而湖水在此间的作用会抚平所有的差异。湖底如此规则，与湖滨以及邻近错落山丘的浑融是如此完美，一片辽阔的海湾在贯穿全湖的探测中出卖了自己，只要从对岸观测，它的方向就可以被确定。海岬变成了海湾，变成了平坦的浅滩，变成了深谷，变成了深入水底的海沟和隧道。

当我以十杆比一英寸的比例绘制瓦尔登湖的地图时，放下总数超过一百根的探测线，我观测到了这一惊人的巧合。由数字所暗示，注意到瓦尔登湖的最深处明显居于地图的中心后，我在地图上横着拉出一条线，再竖着拉出一条线，然后发现，让我吃惊的是，最大湖长和最大湖宽所在两条线的交汇处恰好就是瓦尔登湖最深处所在的那个点，尽管湖心如此平坦，但湖的轮廓却远不规则，最大的湖长和湖宽都是深入湖的内凹处测得的，而且我对自己说，天知道这样的线索会不会导向如下的事实呢：大洋最深的部分与湖泊和水洼是一致的？这一规律是否对山脉同样适用，与山谷相对？我们知道一座山的最狭窄处并不是其最高处。

在五个内凹处，其中三个，甚至所有被探测过的，都被发现有一个沙洲穿过其开口，并有湖水更深地灌入，因此这沙洲就成为湖水向陆地内部的扩张，不仅是水平的，还是垂直的，并形成一个盆地或独立的湖泊，两个岬角的方向显示了沙洲的扩张过程。无独有偶，海滩上的每一个港口在其入口处都有沙洲。从比例来讲，内凹处的开口比其长度更宽，沙洲之上的湖水比盆地内的湖水更深。那么，加上我们又已经测得了内凹处的长度和宽度，以及沿岸的特征，由此你就几乎获得了足够的素材来推出一个公式，一个放之四海而皆准的公式。

　　为了看看依靠这一经验，仅仅通过观察湖面的轮廓和湖岸的特点，我能够多么切近地猜到湖的最深点，我绘制了一幅关于白湖的图纸，它占地四十一英亩，并且与瓦尔登湖相似，湖中没有小岛，也没有任何可见的入口和出口；然而，当最长湖宽所在那条线距离最短湖宽那条线非常近时，此处两个相对的岬角彼此接近，两个相对的水湾却彼此远离，我冒险标出一个离后面那条线非常近，但仍然在最长湖宽所在那条线上的点为最深点。但事实证明，湖的最深点距此将近一百英尺远，而且距离我所倾向于的方位也很远，只是比我的猜测深了一英尺，即六十英尺。当然了，一条溪流经过，或者湖中再有一座小岛的话，就会使得问题更加复杂。

　　如果我们已知了大自然的所有法则，我们应该只需要一个事实，或者对于一个实际现象的描述，就能推断出与此相关的所有特殊结论。现在我们却只知道一部分法则，所以我们的结论是残损的，当然，这不是因为大自然的任何混乱和不规则，而是因为我们在推断中对诸多必要因素的失察。我们对法则与和谐的见解通常只限于那些我们已探明的特例；但是我们所未探明的真正的和谐一致，真正的法则，则依旧让人充满惊奇。那些特殊的法则就像我们的观点，就像对于旅人来说，每个脚步都会让高山改变形状，而且每座高山都有数量无限的外观，即使它是绝对内在于一种形式的。甚至劈开或者钻透，其完整面目也不能被理解。

我从这片湖中所观察到的，也未尝不是人伦的真实。它是平均律。两条直径的规则不仅能够引导我们朝向星系中的太阳和人体中的心脏，还划出直线，穿过一个人个体日常行为和生活波动的聚合，直抵其内凹处和入口，它们的交汇处就是他品性的高度和深度。或许只需要知道他河滩的趋向和毗邻的地区或气氛，我们就可以推断其深度和隐藏的底部。如果他被多山的氛围所环绕，或者一片坚毅的海滩，山顶被荫蔽并反映在他的胸怀中，那么这些都会暗示他也具有相应的深度。但是又低又滑的海滩则会同样证明他的浅薄。在我们的身体中，一个勇敢、高耸的额头也意味着一个同样深邃的思想。同样的，在我们每个内凹处的入口都有一个沙洲，或者特殊的倾向；每一个都是我们季节的港湾，身在其中，我们被扣留，被部分地幽禁于陆地。这些倾向通常都不是异想天开，它们的形式、尺寸及方向都被海滩的岬角所决定，被古代地质的鬼斧神工所决定。当这沙洲逐渐被风暴、潮汐或者洋流所扩大，或者水位沉降使它升至水面，它首先是海滩中的一个倾向，停泊其中的思想随之成为一片独立的湖泊，隔断了与海洋的关联，独处此地，思想保卫着自己的状况——变更，或许从咸水变成淡水，变成一片甜海、死海或者一片沼泽。当每一个体来到这世上，我们难道不会认为这正如沙洲在某处浮出水面吗？真的，我们只是可怜的航海家，我们的思想更多是驶离或者停靠在没有港口的海滩上，只是偶尔熟悉一些诗意的水湾，驶向公共港口的入口，或者进入科学的干涸的码头，在那里它们遭到改装以适应世界，不再有自然的潮流让它们始终如一、保持独立。

关于瓦尔登湖的入口或出口，除了雨水、降雪和雾气蒸腾外，我还并未发现，尽管使用温度计和测线，这样的地点或许会被找到，因为水流进湖的地方，可能会夏天最冷，冬天最热。一八四六到一八四七年间，采冰人在这里劳作，有一天，送到湖滨的冰块被在那里堆叠它们的人拒绝，它们不够厚，不能和其他冰块整齐排列；切割冰块的人由此发觉，从一个小地方采来的冰块比其他地方的冰块要薄两到三英寸，这使得他们认为那里是一个入口。他们还向我展示了另一个他们觉得是过滤孔的地方，通过这里，湖水过滤出去，流经一座山脚，进入一片邻近的草地，他们把我推上一块冰去观察它。它是一个小洞穴，在水下十英尺处；但是直到他们找到一个更糟糕的过滤孔，我都觉得自己可以认定，这片湖不必与外部联通。有人曾经暗示，如果这样的过滤孔能被找到，如果真的存在，那么它与草地的衔接处，一定会输送出一些有颜色的粉末或者木屑，随着水流，一些小颗粒一定会被带出来。

当我在做勘测的时候，十六英尺厚的冰层在微风中如水般波动。众所周知，水准仪不能在冰上使用。把水准仪放在陆地上，朝向冰层上的分度杆，以此方法，可测出离湖滨一杆之距的冰层最大波动值是四分之三英寸，尽管冰层看起来与湖滨坚固地封冻在一起。若在湖心，波动值可能会更大。假如我们的测量工具足够精密了，天知道我们可不可能探测到地壳的波动呢？当水准仪的两只脚放在陆地上，第三只在冰层上，视线随着后者而确定时，冰面一次几乎无穷小的升降波动值，透视到湖对岸的一棵树上，就是几英尺的长度。当我开始凿孔测量，湖水涌出三四英寸高，冰层被积雪覆盖并也因此下沉了同样的高度；然而湖水立即从冰孔涌出，深深流淌了两天，漫过了冰层的各个方位，其即使不是主要的也是巨大的贡献，便是使湖面变得干燥；因为涌出的湖水使冰层抬升并漂浮起来。这有些像在船底凿洞并让水灌入一样。当这些冰孔封冻起来，伴随着成功的降雨，最终，一次新的封冻会形成一片新鲜光滑的冰层，冰中斑驳，美丽地夹杂着深色的形体，仿佛一片蛛网，你或许也会称之为冰蔷薇，湖水从四周涌出，一股股流向湖心，恰好形成了如斯美景。有时候，当冰层上积着清浅的水洼，我可以看见两个自己的倒影，一个站在另一个头顶，一个踩在冰上，另一个，踩着树木和山坡的倒影。

此时仍是寒冷的一月，积雪与冰层深厚而坚硬，然而精明的地主却已从村中赶来，取走夏日冷饮所需的冰块；在一月里就预见了七月的炎热和口渴，这份智慧令人印象深刻又甚为可悲——穿戴着厚厚的大衣和连指手套！如此多的东西尚未被提供。或许他在此岸世界上还没有贮存起可供在彼岸消夏的财富。他砍开、锯开坚固的湖，取走鱼儿们的屋顶，夺走它们的必要元素和空气，像拉着缚紧的木头一样，他用绳索快速拉着冰块，穿过喜爱的冬日空气，抵达冬日的地窖，夏日就这样被贮存在下面。当远远地在街上拉动时，它看起来就像一小块固态的蓝天。这些采冰人是快乐的一族，酷爱笑话和运动，当我来到他们中间，他们习惯于邀请我一同锯开这"内凹的时尚"，而我正站在这时尚下面。

在一八四六到一八四七年的冬天，一个清晨，一百个出身极北苦寒地带的人向我们的湖猛扑而来，带着许多车笨拙的农具——雪橇、犁铧、钻孔架、剪草刀、铁锹、锯子、耙子，并且每人还装备了一柄双股叉，此物在《新英格兰农民》和《耕者》中都未曾描述过。我不知道他们是不是来这里播种冬天的黑麦的，或者新近从冰岛引进的其他作物。由于我没看见施肥，所以我判断他们会像我曾做过的一样，撇去土地的表层，认为土壤足够深厚，并且已休耕足够长的时间了。他们说幕后有一位绅士气的农场主，想让他的钱翻倍，按我的理解，这笔钱会达到五十万美元；但是，为了让每一个美元上再多出一个美元来，他脱去了瓦尔登湖仅有的外衣，呜呼！简直是剥去它自己的皮肤，在一个严冬的中段。他们立即开始了工作，犁地、搬运、旋转、挖沟，以让人羡慕的秩序，仿佛他们在努力把这里打造成一片模范农场；但是正当我目光如炬地去看他们要在犁沟里撒下什么种子时，身旁的一小伙人突然钩住那片处女地不放，以痉挛般的手段，深入土地之中，或者深入水中——因为那是一片弹性的沃土——实际上那里所有的土地都是——然后用犁拉它，我由此猜测，他们一定在从沼泽中挖掘泥炭。就这样，他们每天来来往往，带着火车头般怪异的叫声，某种意义上，这叫声来自极地，对我来说，活像一群极地的雪鸟。但有时候，瓦尔登这弱小女神也会复仇，有一个雇工，在队伍后走着，滑进了大地的裂缝，那是直通地狱的所在，此前曾如此勇敢的他，突然间成了被夺走魂魄的人，几乎散尽了所有的阳气，他很感激地在我的屋里避难，并且承认，火炉中的确有些美德；或者有时候，冻土从犁头上掰下一块铁，或者一只犁卡在犁沟里，不得不被砍断。

　　直率地讲，这是一百个爱尔兰人，随着美国佬监工，每天从剑桥赶来，取走冰块。他们以无须赘述的方法把冰分割成冰块，然后，这些被拖到湖滨的冰块立即被拉上一个放冰的平台，然后被由马匹拉动的铁爪、墩子、铲子抬升起来，堆叠在一起，宛如无数桶面粉般整齐，甚至行对准行、列对准列，仿佛它们构成了被设计来刺破云层的方尖碑的坚固基座。他们告诉我，在一个好天里，他们可以弄出一千吨，那是大约一英亩的产量。冰面上留下了深深的沟槽和摇晃的坑洞，就像在土地上一样，在与犁铧的轨迹重合的通道旁，那些马匹不免吃光了覆盖在冰垛上的燕麦，使它们像光秃秃的桶一般。他们在空气中垛起冰块，每一堆三十五英尺高，六七杆见方，在最外层铺上稻草来排除空气；因为，当风起时，即使空前凛冽，但只要找到一个进入的通道，它就会造成巨大的孔洞，冰垛只剩下轻微的支撑，或者只是几处相连，最终会倾圮。起初，它看起来像一座巨大的蓝色瓦尔哈拉圣殿；然而当他们开始往冰垛的缝隙中填充粗糙的牧草，并且冰垛上也覆盖了白霜和冰柱时，它看起来像一座长满苔藓的古老庄严的废墟，由天青色的大理石建造，这冬神的住所，这位我们在年历中得见的老人——他的小屋，仿佛他设计了这座冰屋，要和我们一同消夏。

　　他们估算，这些冰块只有不到百分之二十五能送达目的地，而且在车中也会损耗百分之二三。然而，这一堆中的很大一部分拥有了与原计划迥异的命运；因为，一方面，这些冰被发现并未保存得如预期那样好，里面包含了过多的空气，另一方面，出于某些原因，它们从未进入市场。这一大垛冰块，在一八四六到一八四七年的冬天制作出来，估计有一万吨，最终用稻草和木板覆盖了起来；尽管在接下来的七月它失去了顶棚，并且一部分还被搬走，剩下的就暴晒在阳光下，但是它依然屹立，越过了夏季和下一个冬季，直到一八四八年九月也并未完全融化。然而瓦尔登湖还是收回了其中的绝大部分。

　　和湖水相似，瓦尔登湖的冰，放在手边看，有浅绿的色泽，但是若隔开一段距离打量，则是美丽的蓝色，而且你可以从河中的白冰，或者从四分之一英里外的一些湖里仅呈绿色的冰中轻易地辨认出它来。有时候，这些巨大冰块中的一个会从采冰人回村的犁车上滑下来，如巨大的绿宝石一般躺在那里一个星期，成为让所有路人都兴味盎然的物体。我注意到，瓦尔登湖的一部分湖水，在水的形态下通常是绿色，冻结成冰以后，从相同视角看去则变成了蓝色。因此在冬季，湖边的小水洼有些时候充满了绿色的湖水，就像湖本身一样，但是隔一天就会冻成蓝色。或许湖水和冰的蓝色要归因于其中包含的光和空气，最透明的颜色也正是最蓝的颜色。冰，是引人冥思的有趣物质。他们告诉我说，在弗莱什湖的冰屋中，有贮藏了五年的冰块，它们完好如初。为什么一桶水会很快腐败，但是冻成冰就会永葆甘甜呢？通常，这被认为正像感情和智慧之间的区别。

因此，十六天来，我透过窗子看着一百个人像农夫一样劳碌，结成队伍，带着马匹和齐全的农事工具，这样的画面正如我们从年历的第一页之所见；每当我望向窗外，都会想起云雀和收割者的寓言，或者播种者的隐喻，诸如此类；然而现在他们都走了，或许已有三十多天了，我从同一扇窗子望向瓦尔登湖海青色的纯净湖水，倒映着云朵和树木，云蒸霞蔚，飘散到偏僻的远方，不再有蛛丝马迹表明有人曾站在那里。或许当一只潜鸟潜入水中或搔弄羽毛时，我能听见他孤寂的啼鸣，或者能看见渔夫独钓孤舟，如一叶飘零，凝视着自己水波中的绰影，不久前，那里曾有一百个人安全地劳作着。

由此表明，来自查尔斯顿和新奥尔良，来自马德拉斯、孟买和加尔各答的闷热的居民们，都在我的井中饮过水。清晨，我将智慧沐浴在浩大如宇宙般的《薄伽梵歌》的哲学之中，自它诞生以来，神的岁月都一一流逝，与之相比，我们的现代世界和文学都显得弱小而琐屑；我因而疑惑，这一哲学是否并不适用于先前的存在状态，它的庄严离我们的认知是如此遥远。我放下书，走到井边喝水，瞧啊！在这我遇见了婆罗门的仆人，梵天、毗湿奴和因陀罗的祭司，他们仍然坐在恒河的神庙中读着吠陀经，或者住在一棵树下，只有面包屑和水壶。我遇见他的仆人前来为主人汲水，我们的水桶在同一口井中摩擦作响。纯净的瓦尔登湖水与恒河里的圣水混合在了一起。随着喜人的风，它们飘过传说中亚特兰蒂斯和金苹果园所在的岛屿，飘过汉诺的航海笔记，飘过特尔纳特岛和蒂多雷岛①，飘过波斯湾的入口，融入印度洋上的热带狂风，在亚历山大大帝仅仅听过名字的港口里，最终登陆。

---

① 特尔纳特岛（Ternate）和蒂多雷岛（Tidore）均在印度尼西亚境内。

春天

　　采冰人的大面积开掘，会造成湖面破冰时间的普遍提前；因为湖水会被风吹拂，即使在很冷的天气里，也会销蚀掉四周的湖冰。但是今年，这对瓦尔登湖没起作用，因为它很快就得到一件新衣服，填补了原来的位置。鉴于瓦尔登湖有更大的深度，并且没有溪流穿过消融湖冰，所以它从不像邻近其他湖那样破冰如此之快。我从未听说它尚在冬天的进程里就敞开自己，除了一八五二到一八五三年的冬天，曾给过这片湖一次如此严峻的考验。它通常在大约四月一日破冰，比弗林茨湖和菲尔港要晚上一周至十天，开始在北部和更浅的地方融化，更浅的地方也是最早结冰的地方。它比这一带其他的湖都更好地提示着季节的精确进程，最少受到气温短暂变化的影响。三月里几日持续的严寒会严重阻碍其他湖的破冰时间，然而瓦尔登湖的升温却不会因之打断。一八四七年三月六日，一只温度计插入瓦尔登湖的湖心，温度是三十二度，或者冰点；湖滨附近则是三十三度；同一天，弗林茨湖的湖心是三十二度半；距湖滨六杆远的浅水，一英尺厚的冰层下，温度是三十六度。后者深水、浅水之间三度半的温差，以及相比之下其浅水区域所占的巨大比例，说明了它比瓦尔登湖破冰时间早这么多的原因。这个时节，最浅之处的冰层比湖心要薄几英寸。而在仲冬，湖心却最暖，冰层也就最薄。因此，每一个曾在夏日里到湖滨涉水的人都一定会记得，靠近湖滨的只有三四英寸深的湖水，要比远处的深水表层温暖许多，而深水的表层比湖底处也温暖很多。在春天，太阳不仅对空气和土地的温度升高施加了影响，而且它的热量也会穿透冰层一英尺多深，并被浅水处的水底所反射，因此也温暖了湖水，融化了冰层的底部，与此同时，它让冰层上部融化得更直接，让它变得不平坦，并使得其中藏着的气泡上下漫延，直至变成完全的蜂巢状，最终在一场春雨中突然消失。

冰与树木一样，都有纹理，当一块冰开始腐蚀或者"蜂巢化"，这就意味着，请设想蜂巢的外形，无论它处在什么位置，细胞般的气泡总是与水面保持着正确的角度。当一块岩石或者一根圆木上浮到水面附近，那么它上面的冰层会薄很多，并且经常被这些反射的热量所融化；有人告诉我说，一个完成于剑桥的、在一片林中浅湖里封冻湖水的实验里，虽然冷空气在水底循环，因此有路径抵达两边，但是湖底的阳光反射抵消了其优势后，仍有富余。当仲冬的一场暖雨融化了瓦尔登湖上的冰雪，并在湖心留下一片深黑或者透明的冰层后，湖滨附近会有一长条腐蚀坏的但却更厚的白冰，一杆多宽，被这反射的热量所创造。因此，正如我所说的那样，冰中的气泡就像取火的凸透镜一样工作，融化掉冰的底部。

一年四季的自然现象，每天都以细微的规模在湖中上演。每个清晨，总的来说，浅水都比深水更快地变暖，尽管它或许还没有足够温暖，但到了每个夜晚，它会以更快的速度冷却，直到天明。一天就是一年的缩影。夜晚是冬天，清晨和黄昏是春天和秋天，正午是夏天。冰的破裂和爆破暗示着气温的变化。一八五〇年二月二十四日，寒夜过后，一个愉悦的清晨，我打算去弗林茨湖度过一天，在那里，我吃惊地发现，当我的斧头卡在冰中，它像一张锣，在周围几杆远的范围里回响着，仿佛卡在了一张紧绷的鼓皮上。日出一小时以后，湖面的冰开始爆破，它接收到了从山的那边斜洒来的太阳射线的影响；伴随着不断增加的喧嚣声，它伸展自己，打着哈欠，像正在醒来的人，这持续了三四个小时。它在正午短暂地小憩了一会儿，就再次爆破，直到夜晚太阳撤走方才结束。在正常的气候状况下，一座湖会规律地鸣响其黄昏之枪。但是在正午，湖面布满裂痕，空气也变得稀松，它就完全失去了共鸣，或许鱼和麝鼠都不会被它的波动所震慑。渔夫说，"湖之雷霆"会吓住湖鱼，让它们无法咬钩。这座湖不会每晚都放出雷霆，而且我也不能准确说出何时才能等到雷霆；有时我虽未从天气中感到任何异样，但它却突然轰隆作响。谁会想到如此巨大、冰冷、厚皮肤之物竟会如此敏感呢？它的雷霆应当释放时自会释放，它遵守其法则，就像花蕾在春天自会绽放一样。大地到处供给乳汁，万物生机勃勃。即使最大的湖对气候变幻也同样敏感，仿佛汞柱中滚动的水银粒。

　　这片森林的迷人之处，是让前来生活于此的我拥有闲暇和机会去亲眼看见春日的到来。湖中长久凝结的冰面逐渐显露出如蜂巢般的裂纹，行走其上，都可以将鞋跟嵌在这深深的纹路中。重重雾气、雨水与不断升温的阳光日渐融化着积雪；白天的时光明显变长，我无需添加更多的木料来燃烧过冬，旺盛的火苗已没有必要。我时刻警觉地去发现春日来临的最初征兆，比如聆听那些已经到来的鸟儿偶然的鸣叫声，或听一听条纹松鼠间的窃窃私语，因为此刻他们储藏过冬的食物应该早已被消耗殆尽。再或者，去看看土拨鼠如何冒险逃出他们的冬眠之地。三月十三日这天，在我听到蓝鸲、歌雀和红翼鸫的鸣叫声后，冰面依旧有一英尺厚。随着天气变暖，冰层并没有明显地被水流溶化，也没有像在河水里一般碎裂后浮动着。尽管距离岸边半杆宽的冰面已经完全融化，可湖心却仅仅有些浸满水的裂纹而已，所以你可以在六英寸厚的地方将脚伸进里面。但是，到了第二天晚上，或者经历一场伴随雾气而来的温暖降雨，这些都将全然消失，一切都随着雾气消散离去。有一年，当我穿越湖心冰面仅仅五天后，这些冰层便完全消融了。一八四五年，瓦尔登湖第一次完全解冻是在四月一日这天，之后，它结束冰封期的时间分别出现在一八四六年三月二十五日、一八四七年四月八日、一八五一年三月二十八日、一八五二年四月十八日、一八五三年三月二十三日和一八五四年四月七日。

　　与河流、湖泊破冰以及天气变迁相关的每一件事情，对于我们这些生活在极端气候中的人来说都显得极其有趣。当温暖的日子来临，河边的居民们在夜晚听见冰面破裂的声音，那让人吃惊的声响如炮声一样巨大，仿佛这寒冰的束缚终于临近尾声，几日之内它们迅速消逝。短吻鳄从泥沼中钻出，伴随着大地的震颤。一位老人，一直是大自然的亲近观察者，对她的所有活动都一直充满智慧，仿佛自他孩提起，大自然就已被放进他的宝库，而且他也曾经帮忙放下她的龙骨——如今他已长成，假使再活到玛士撒拉①的年纪，他对大自然的知识也几乎不能增加更多了，他告诉我，而我吃惊地倾听他对大自然活动的所有让人惊叹的描述，仿佛他们之间从没有秘密——春季的一天里，他带上枪，放下小船，想去和鸭子们做些小小的游戏。草场上仍残留着冰，但河中的冰已了无踪迹了，于是他顺流而下，畅通无阻，从他居住的萨德伯里一路抵达了菲尔港湖，在那里他意外地发现，大部分湖面上仍覆盖着一层坚硬的冰盖。那天很温暖，所以他对这么大一片残留的冰感到吃惊。没有看见鸭子，他把船藏在湖中一座小岛的北面或背面，然后自己藏在南面的矮灌木丛中，等着他们。冰从距湖滨三四杆远的地方开始融化，那里有一片光滑、温暖的水域，湖底泥泞，正是鸭子所喜爱的，所以他认为很快就会有一些鸭子到来。在他安静地躺在那里大约一小时后，他听见一个低沉的又似乎非常远的声音，但是异常巨大和让人难忘，不同于任何他所听到过的声音，这声音逐渐膨胀、变大，似乎它会有一个普遍而让人铭记的结尾，一声愠怒的冲刺和咆哮，这声音让他立即想到是一只体型巨大

---

① 玛士撒拉（Methuselah），《圣经》里提到的一个非常长寿的人。《圣经·创世纪》5:27："玛士撒拉共活了九百六十九岁就死了。"他是亚当与夏娃在该隐之后所生的赛特的后裔，是以诺之子。

的水禽到来，他抓起枪，匆忙而兴奋地跳将出来；但是他吃惊地发现，当他躺着的时候，整块冰盖移动起来，漂向湖滨，他听见的声音正是冰盖撞上湖滨所发出的——最初轻轻地咬合、碰触，但是最终冲撞而起，碎冰四溅，沿着小岛溅到相当的高度后才落下，终归于平静。

终于，光照达到合适的角度。和煦的春风吹散薄雾和降雨，同时也融化了雪堤。太阳驱散迷雾，在那片散发着芳香的红褐色与白色烟雾交错而成的格纹景致中露出笑脸，而这也成为指引旅人们在岛群间觅得路径的参照。一千条溪流在为太阳欢呼，潺潺的流水奏响喝彩的乐章，而它们的血管中布满了从冬天积蓄来的血液。

很少有什么自然现象比这更让我兴奋了：在去村里的路上，我观察解冻的沙石和泥土流下铁路两旁深沟里的情形；尽管自铁路发明以来，新鲜裸露在河岸上的物质材料的数量已成倍增加，但这仍是一个不常大规模发生的自然现象。这物质材料便是囊括了不同细度和多种颜色的沙石，通常还会混合一点泥土。当春霜袭来，甚至在冬天解冻的日子里，沙石就开始如熔岩般流下斜坡，有时还会从积雪中喷薄而出，漫过以前从未见有沙石的地方。数不清的细小沙流互相重叠、交织，展现出一种混合产物，一半遵循着电流的法则，一半遵循着叶片的规律。当它流淌时，与纷乱的叶片或者藤蔓的情状相同，一堆堆泥浆喷射一英尺多深，然后又再聚拢起来，你低头，仿佛看见一些地衣的锯齿状、裂叶状和鳞片状的菌丝；或者你会想起珊瑚虫，会想起豹子的脚掌或鸟类的细足，会想起脑、肺或肠，还有各种排泄物。它呈现一种古怪之极的叶状，其形式和色泽酷似青铜，是一种比毛茛叶、菊苣、常春藤、葡萄藤或者各类植物叶片都更古老、更典型的极富建筑感的叶状；在某些环境下，它或许注定会成为未来地质学家们的困扰。整条深沟给我的印象酷似长着钟乳石的岩洞，横躺着，开口处朝向光源。单是沙石多变的幽影就丰富而让人愉悦，拥抱着不同的金属色泽：棕色，灰色，淡黄，淡红。当大量流沙到达河岸边的排水口时，它会散开，散成股股细流，分散的细流会丧失掉半圆柱的形体，逐渐变得扁平、宽阔，它们变得更潮湿的时候就会粘连在一起，直到形成一片平坦的沙层，依旧葆有多变而美丽的幽影，但你可以从中追索出叶状的原始形式；直到最后，它们浸入水中，转变成河岸的一部分，恰似形成于河口的沙洲，而其叶状的形式，却已遗失在水底的粼粼波光中了。

　　整个河岸，高约有二十到四十英尺，在河岸的一侧或两岸大约四分之一英里的地方，有时会被这种叶状的或干裂的沙块厚厚地覆盖着，这些都造化于春日的时光。是什么让这些叶状沙石如此引人注目？大概是它进入春天如此突然的缘故吧！因为太阳的光线首先照到了河岸的一侧，我望向植被迟滞的河岸一侧，接着又看到另一侧被茂密的枝叶覆盖着，这一个小时内完成的造物，让我深深触动，仿佛自己进入一种奇异的感觉中：我站在那伟大工匠的实验室里，他亲手制造了世界和我——来到了依旧在工作的地方，在这河岸上游戏，然后将剩余的精力投入到新的设计之中。我感觉自己仿佛离地球的命脉更近了，因为这些流沙的叶状形态，正如动物身体中的要害部位一般。

你从大量沙石中找到一种菜叶的感觉。难怪这地球用叶片的形式来进行外在的自我表达，而且它在内里也正是如此劳作着。原子已学会了这一法则，并由此孕育。高悬的叶片在这里看到了它的原型。"内在地"一词，无论是地球还是动物的体内，它都是一片潮湿厚重的肉叶（lobe），它是一个尤其适用于肝、肺和脂肪叶的词〔源于希腊词 λειβω，是 labor（劳动）的意思，而拉丁词 lapsus 则是流动或向下滑，一种流逝；希腊词 λοβος，相当于拉丁词 globus，兼有 globe（地球）和 lobe（叶片）之意；也衍生出 lap、flap 等许多其他词〕；而"外在地"一词，则是一片干燥轻薄的树叶（leaf），正如它发出的 f 音和 v 音都是压扁和风干的肉叶（lobe）中的 b 音。肉叶的词根是 lb，柔和的 b 音（小写的 b 是单叶，大写的 B 是双叶）被它身后液态的 l 音推到前面。在"地球"（globe）一词中，词根是 glb，喉音 g 将喉咙的容量增加到词的表意中。鸟类的羽毛和翅膀同样是更干燥更轻薄的树叶。因此，上天入地，从地底笨拙的蛆虫到空气中鼓动双翅的蝴蝶都同此理。我们的地球也在持续地超越自己、翻译自己，并在其轨道上展动翅膀。甚至冰也始于精微的水晶之叶，仿佛它是浇注进一种模具而成，一种按照水嫩植物的蕨叶花纹印成的水中宝镜。一整棵树自己也不过是一片叶子，而那些河流也依旧是更大的叶子，河中的泥土是其叶肉，而城镇与城市，则是其叶腋中的虫卵。

当太阳隐去，沙石也停止了流动，但是到了清晨，沙流会再次开始，一股接着一股，数量无限地混合在一起。在这里，你或许看见了血管是如何形成的。如果你近近地看，你首先会观察到从解冻之处流出一道向前的细软沙流，有一个水滴形的顶端，就像指尖一样，缓慢地感觉着路向，盲目地向下流淌，直到最终获得了更大的热量和湿度，当太阳升得更高，那流动性最强的部分，努力遵循着流动最迟滞部分也在遵循的法则，它从后者中分离，自己形成一条曲折的河道或者动脉，我们从中可见一道狭小的银流如闪电般烁动，沿着叶脉或枝杈状的路径挪移，一路如此，直到最后被吞没在沙石中。沙石在流动过程中自我组织的完美与迅疾真是让人惊叹，使用着它能提供的最好材料组成沙流的锋利尖端。这些都源自河流。河水中存储的含硅物质或许构成了其骨骼系统，而依旧柔软的泥土和有机物则是肉纤维和细胞膜。人为何物，还不是一团解冻的泥土？人的指尖也不过是一滴凝结的水滴。手指与脚趾从那一团解冻的身躯中延伸出去。谁知道若是在一个更和悦的天堂里，人的身体会扩张、流动成什么样子呢？手会不会变成一片开阔的棕榈叶，带有叶肉和叶脉？耳朵或许会被奇异地视作一朵名为 Umbilicaria① 的地衣，在头侧，长着肉叶和耳垂。嘴唇——拉丁文为 labium，或许词源是劳动（labor）——重叠（laps）在洞穴似的嘴巴上下，或者从此处丧失（lapses）。鼻子是一滴明显的水滴或钟乳石。下颏是一大颗安静的水滴，是面部流动的汇合。双颊则从眉毛下滑到脸的谷地上，并被颊骨对立、扩散起来。菜叶中每一块卷曲的叶肉，也同样是一颗厚重而闲荡的水滴，或大或小；叶肉是菜叶的手指；它有这么多的叶肉，因此就有这么多方向要去流淌，

---

① 拉丁文，意为"单胞锈菌"。

更多的热量或者其他适宜的影响因素会使它流淌得更远。

由此观之，似乎这座山坡就解释了大自然所有活动的法则。地球的造物主之专利不是其他，正是一片叶子。商博良^①会将这象形文字破解成什么样子，使得我们最终能翻开一片新叶？比起一片丰饶肥沃的葡萄园，这个自然现象能带给我更多的乐趣。诚然，它本质上是某种排泄物，成堆的肝脏、肺脏和大肠，没有止境，仿佛地球错把内脏翻到了外面；但是这至少暗示了大自然是有内脏的，它一再成为人类之母。这是来自地底的霜；这是春天。这春天领先于葱绿、含苞的春天，正如神话领先于习惯的诗歌。我知道，再没什么更能驱除冬日的蒸气和消化不良了。它使我相信地球仍处于襁褓之中，朝每一边伸出四根婴儿的手指。新生的卷发涌出光裸的额头。没有一物是无机的。这些叶状沙堆沿着河岸躺仰，像一座熔炉中的熔渣，展现了大自然内部的"充分燃爆"。大地不只是死去历史的碎片，地层压着地层像书上的页，主要等待地质学家和古文物学家的研究，它还是活着的诗，是树上的叶，先于花朵和果实而生——不是化石的土地，而是一片充满生机的土地；和它这伟大的生命中心相比，所有动物和植物都只是寄生的生命。它的剧痛将会从墓地中托举起我们的残骸。你或许能够熔化你的金属并把它们浇铸进最美的模具；但这从未像融化的泥土从地心流出一般使我兴奋。不仅如此，地球上一切制度也都是可塑的，仿佛制陶匠手中的黏土。

----

① 让-弗朗索瓦·商博良（Jean François Champollion，1790—1832），法国著名埃及学家。

很久以前，不仅是在这些河岸上，在每一个平原和山谷间，冰霜的降临就像刚刚从休眠中苏醒的四足动物，它离开洞穴，伴着乐曲去追寻海洋，或藏在云中迁往下一个地区。它的解冻之力，好似温柔的劝说，却比雷神之锤还要威力强大，因为它能融化物体之躯，而雷神之锤仅能碎裂其形。

　　当一部分大地从皑皑白雪中裸露出来，一些温暖的日子不觉间风干了其表面时，让人愉悦的事情便是将这呱呱坠地的新生之年中第一批柔嫩象征与挨过冬日的衰瑟植物的荒凉之美相比较——万年青、秋麒麟、北美岩蔷薇，以及优雅的野草，它们此时通常都比在夏日里更显著，更有趣，仿佛彼时它们还尚不成熟；甚至羊胡子草、狗尾草、毛蕊花、金丝桃、绣线菊，以及其他硬茎植物，那些愉悦着最早的鸟儿们的永不枯竭的谷仓——至少，是得体的野草，披在寡居的大自然身上。尤其吸引我的是蒴草那拱形束状的顶部；它将夏日带回到我们的冬天记忆中，也是艺术热衷于仿效的对象，而且，在植物王国中，它与人类思维中的天文学所具有的范式有着相同的关系。它是一种古老的风格，早于希腊的和埃及的。冬日里的诸多自然现象都暗示着某种难言的娇嫩和易碎的精美。人们习惯于听见这位国王被描述成一个残忍、狂躁的暴君，但是怀揣着恋人的柔情，他梳妆着夏日的长发。

　　春天临近了，当我在屋里静坐读书或写作的时候，竟有两只小红松鼠径直跑到我的脚旁，一会儿发出奇怪的吱吱声，一会儿发出短而尖的嘶嘶声，一会儿又发出如水冒泡般的咕咕声，这些叫声我从未听过。当我跺跺脚，谁料他们却叫得更加大声了，像一场没有丝毫害怕与敬畏的闹剧，公然向人类挑衅。小松鼠，你们可别再这般叫嚷啦。对于我的小小警告，他们不仅全然不理睬，倒好像觉得我小瞧了他们一般，叫骂得更加起劲了，弄得我手足无措。

春天的第一只麻雀！这一年始于更年轻的希望中，胜过往昔！穿过部分裸露的潮湿田野，银铃般的微弱鸟鸣被听见，它们来自蓝知更鸟、北美歌雀和红翼鸫，仿佛硕果仅存的冬季碎片般剥落的声响！在这样的时刻里，什么更称得上历史、年表、传统和所有书写的启示录？小溪为春天唱起颂歌和重唱。沼泽的鹰隼在草场上低低盘旋，已经开始寻找苏醒过来的第一个黏滑的生命。融雪沉默的声音在所有林间谷地中响起，冰迅速在湖中溶解。青草在山坡上返绿，如一场春焰——"et primitus oritur herba imbribus primoribus evocata"[①]——仿佛地球送出内部的热量来问候回返的太阳；由黄而青是火焰的颜色——草叶，这永恒年轻的象征，像一条碧绿的长绸，从草皮上流淌出来，流进夏季，也曾被寒霜考验过，但立即继续流淌，用下面崭新的生命举起去年枯草之矛。它稳定地生长，如溪流渗出地表。它们几乎完全相同，因为在六月渐长的白昼里，当溪流干涸，草叶就成了它们的河道，年复一年，牧群在这多年的青色溪流中啜饮，割草人也及时割草，准备过冬的供给。因此，即使死去，我们人类的生命也只是终结于根系之下，仍然会将碧绿的草叶推向永恒。

[①] 拉丁文，意为："新雨唤出的新绿正在生长"，出自瓦罗的《论农业》。

瓦尔登湖在迅速融化。沿着北边和西边，有一条运河，两杆宽，在东边的尽头则更宽。一块巨大如野的冰从其主体中破裂出来。我听见一只北美歌雀在河岸的灌木丛中歌唱——讴利，讴利，讴利——叱，叱，叱，掣，咤——掣，微嘶，微嘶，微嘶。他也在帮助冰块破裂。裂冰边沿的巨大曲线是多么英挺，与河岸几度应和，但是更加规则！由于近期严酷但短暂的寒冷，它不同寻常地坚硬，却到处闪着水光和波纹，宛如一座宫殿的地板。但是风向东吹动，徒劳地滑过它不透明的表面，直到抵达春水闪亮的远处。注视这条在阳光下熠熠发光的水质绶带是种荣耀，瓦尔登湖赤裸的面庞充满欢欣和年轻，好似讲述着水中的鱼之乐，湖滨的沙之乐——一种银色的光辉，好像来自一条雅罗鱼的鳞片，好像整座湖就是一条活跃的鱼。这正是冬季与春季之间的差别。瓦尔登湖死而复生。然而这个春天它的破冰更为从容，正如我在前面所云。

冬日的暴风雪过去了，天气又回归于静谧与温暖，漫漫黑夜变得轻快明朗起来，似乎所有的事物在宣告：变化即是至关重要的转机。看上去，一切都在一瞬间起了变化。忽然间，阳光洒满整个屋子，尽管夜幕将要降临，冬日的云团还未散去，雨、雪顺着屋檐嘀嘀嗒嗒地落下来。从窗外望去，快看！昨日还被灰冷的冰块覆盖，今日的湖面却明澈如镜，仿若夏夜，宁静而暗蕴希望。夜空澄澈无物，静静地躺在瓦尔登湖的怀中，仿佛沉静睿智且眼界开阔。听到知更鸟远远的鸣叫，我想，那声音好像有几千年没听到过了，可哪怕再过几千年，昔日里这甜美动人的歌声，我也永不忘怀。黄昏的知更鸟啊，歌唱着一个新英格兰夏日的尾声！如果我能找到他所伫立的枝头，没错，我说的是他！我所指的是那个枝头！至少他不是旅鸫①。房屋周围的油松和那低矮的橡树，无精打采了许久，现在忽然重获了生机，变得更加鲜亮、更加翠绿，也更加挺拔和富有生命力了，仿佛经历了雨水的洗礼和治愈。我知道，雨水已不再降临。看看森林里的任何枝蔓，看看那每一段干柴，你便可以知道冬天是否已经过去。夜色渐深，我被大雁的叫声惊醒，只见他们低低地飞过森林，像一群疲倦的旅行家，从南边的湖赶来，却发现为时已晚，于是陷入相互埋怨与安慰中。站在门前，我能感受到他们翅膀疾速地扇动；在离房屋更近一点的时候，发现了屋里的光亮，于是，嘈杂的啼鸣戛然而止，他们盘桓而去，停在湖上。我回到屋内，关上门，度过了我在森林中的第一个春夜。

清晨，我透过薄雾，从门口观望那些大雁，凫动在五十杆外的湖中央，如此庞大、骚乱，使瓦尔登湖看似一座供他们嬉戏的人工湖。但当我站在湖滨，他们在头雁的指引下立时惊起，翅膀剧烈扑扇，然而当他们排成队列，盘旋在我们头顶以后，这二十九只雁，随后径直飞向加拿大，头雁以规律的间隔啼唳，向同伴确认到泥泞的湖中享用早餐。一群肥硕的野鸭也同时惊起，被他们嘈杂的堂兄唤醒，取道向北。

一周以来，我听见一些失群的孤雁辗转徘徊、来回求索，在多雾的清晨里，寻找自己的同伴，并且发出响彻林间的叫声。四月，鸽子又回来了，小群小群迅速地飞着，而且我还适时地

---

① 又名美洲知更鸟，它和知更鸟不同属，没有亲缘关系。

听见紫崖燕在空地上方的啼啭，虽然此类在镇上似乎并没有多到可以赐予我一只，但我仍幻想他们是栖居在树洞中特别的古代物种，早于白人到来之前。在几乎任何气候下，乌龟和青蛙都是这个季节的先驱和信使，鸟类歌唱着飞，羽毛顾盼生辉，植物疯长，花朵随之绽放；春风吹拂，纠正着微微摆荡的两极，保持着大自然的平衡。

由于每个季节对我们来说都各有其美，所以春天的到来正如脱胎于混沌，宇宙的创造，黄金时代的到来——

"Eurus ad Auroram Nabathaeaque regna recessit,
Persidaque, et radiis juga subdita matutinis."

"东风离去，抵达了曙光女神和拿巴沙王国，
抵达了波斯，抵达了黎明朝霞勾勒的山之轮廓。
…………
人类的诞生，是否是万物的大制造者，
为了更好世界的始源，用神圣种子制作；
抑或是这土地，新近分离于那高高在上的
以太，仍保存了一些种子，从它同源的天国。"①

一场细雨过后，草地愈加翠绿欲滴。同样，不断注入新的

---

① 这几行诗引自古罗马诗人奥维德的代表作《变形记》（第一卷）。梭罗在此处给出了前面两行的拉丁文原文。

思想，对未来的希冀才能焕发光彩。如果我们能长久地生活在当下，如果我们能抓住每一次突如其来的机遇，如同再轻盈的露珠也能给小草以滋润一般，我们应该深感幸运。不要为了弥补已经错过的机遇而浪费光阴，这是我们在履行对自己的职责。我们徘徊于冬日，可春天早已悄悄降临。在一个愉快的春日清晨，所有人的罪行会得到宽恕，这一天将是邪恶的终结。如果太阳像这样持续地照射着，最十恶不赦的罪人也会回头。通过自身良知的觉醒，我们才能看到他人的圣洁。昨日，在你的印象中，你的邻居或许是一个小偷，一个酒鬼或一个色鬼，你也仅仅只是对他施以怜悯或给予蔑视，那你对这个世界也是绝望的。阳光照亮并温暖着春日的第一个清晨，也重构着这个世界。你看到他表面平静地工作，看到他那精疲力竭且堕落不堪的血管中慢慢溢满快乐与对全新一天的祈望，感受到春天带来的如婴孩般的纯真，那一刻，他所有的错误将被遗忘。他的周围不仅萦绕着善意的氛围，圣洁的气息也在探寻着显现的突破口，也许这一切是盲目的、徒劳的，但好像激活了新的本能，顷刻之间，向阳的南坡上便没有任何低俗的笑声回荡。你看到他那粗糙扭曲的外皮下，一些纯洁无瑕的嫩芽等待破土而出去迎接新生，犹如幼苗般鲜嫩与蓬勃。他甚至已经收获了上帝赐予的欢乐。可为什么狱卒不敞开牢狱之门？为什么审判官不撤销手中的案件？为什么布道人不遣散他的会众？是因为这些人没有服从上帝的暗示，不愿接受上帝自由地赐予所有人的宽恕。

　　"向善良的回归，发生在每天清晨安静、仁慈的气息中，因为出于对美德的热爱和对罪恶的憎恨，一个人就会更接近人的原始本性一点，正如已被伐倒的森林又发出新芽一般。同理，一个人每天间或做下的恶孽，也会阻碍美德之菌重新萌芽，直至它归于毁灭。

"当美德之菌的萌芽由此被多次阻碍之后，黄昏的仁慈气息就不足以再保存它了。一旦黄昏的仁慈气息无法长久保存美德，那么人的本性就与野蛮相去不远了。人们亲眼看见这个人的本性与那头野兽相似，就认为他从未拥有过理性的天赋之能。难道那些竟是人类真实、本质的情感吗？

> "黄金时代首先被创造，这里没有复仇
> 忠诚与公正之珍惜，皆出自然，无需律法。
> 没有惩罚与畏惧；恐吓之辞也不会镌刻
> 在高悬的黄铜上；也没有哀号的群众惧怕
> 他们执政官的呵斥；只有安宁，没有复仇。
> 松树尚未从山岗上砍倒，跌落进水流，
> 随着水流，它会得见一个异域的世界，
> 而生民们但知自己的海岸，不知其他。
> ⋯⋯⋯⋯⋯
> 这里永远是春天，和煦的西风送出暖浪
> 抚育无籽之花，皆出自自然的绽放。"①

四月二十九日，当我正在靠近九亩角桥的河沿上钓鱼，站在

---

① 这几行诗同样出自奥维德《变形记》第一卷。

飘拂的草地和柳树根上，那里麝鼠潜伏，我听见了一个奇异而活泼的声响，有些像男孩子们用手指玩弄木棍的声音，仰起头时，我看见了一只小巧优雅的鹰，像一只夜鹰，一会儿悠闲地飞着，一会儿翻旋一两杆远，不停反复，露出了翅膀的背面，如一匹绸缎在阳光下闪耀，或者如珍珠般闪亮的贝壳内部。这让我想起驯鹰术，以及与这项运动相关联的高贵和诗情。他似乎叫作灰背隼，但我并不在意他的名字。他做出了我所目击过的最轻灵的飞行。他并不像蝴蝶一样简单地扑扇翅膀，也不像更大的鹰那样飞翔，他带着骄傲的信心在天际遨游，一次次爬升，带着怪异的笑声，重复着自由而美丽的降落，一次次翻转，像一只风筝，随后从高傲的翻旋中恢复，仿佛他从未涉足于陆地上过。他看似在茫茫宇宙中没有伴侣——在那里独自飞翔——除了与他齐飞的晨曦和苍穹外，别无所需。他并不孤独，却让他身下的所有土地孤独。天空中，孵化了他的母亲在哪里？他的血亲，他的父亲呢？天空的过客，他与大地相关，但仅仅依靠有时在峭壁缝隙中孵化的鹰卵——抑或他的巢穴本就筑在云中一隅，编织着彩虹的斑斓与日落的霞光，连接着从地面聚拢的仲夏的柔软雾霭？他如今巢居在陡峭的云中。

除此之外，我还得到了一群罕见的有着金色、银色和亮铜色的鱼，他们看起来像一串珠宝。啊！我曾在许多早春的清晨穿过这些草场，从一座小丘跳到另一座小丘，从一条柳树根跳到另一条，此刻，野生的河谷和森林都沐浴在如此纯净、明媚的光芒中，这光芒仿佛要把死者唤醒，如果他们真的在坟墓中沉睡，就一定会在这光芒中醒来。对于不朽，已无需更有力量的证明。

天地万物必生活在如此的光芒中。哦死亡，你的刺痛在哪里？哦坟墓，你的胜利又在何处？

如果不是为了探寻附近围绕的森林和草场，我们的乡村生活将会陷入停滞。我们需要野性的滋补——有时去潜伏着麻鸭和草甸母鸡的沼泽散步，听鹬的叫声；呼吸飒飒沙草的气味，那里只有一些索居的野生鸟类筑巢，花貂爬行时，腹部紧贴着地面。与此同时，我们热衷于探索和学习一切事情，我们要求一切都是神秘的、未知的，陆地与海洋有无限的野性，难以考察，难以理解，因为它们深不可测。我们永远无法获悉足够的自然。我们一定会被不可耗尽的活力之眼刷新，被巨大如神灵的形象刷新，海滩携带着残骸，旷野携带着活着和腐烂着的树木，持续三周的雷电云和暴雨诱发了洪流。我们需要目睹自身疆界的限度，一些生命自由地游牧到我们从未履足之处。当我们观察秃鹫吞食腐肉的场景，会感到愉悦，这些食物让我们恶心和沮丧，却为他们带来健康与力量。在通往我家的路旁空穴里有一匹死马，尤其是在气压低沉的夜晚，他总会迫使我绕道而行，但他也使我确信，大自然食欲旺盛，其健康不可阻挡，这算是对我的补偿。我乐于看到大自然中生物丰盈，诸多物种皆可牺牲，皆可互相捕食；娇嫩的器官会被安静地挤扁，如浆果一般——蝌蚪被苍鹭啄食，乌龟与青蛙被压死在路上；有时，他们的血肉如雨水般模糊！至于这些事故的责任，我们必须明白，不需要对此介怀太多。宇宙在一位智者的印象中，总是清白的。毒药是无毒的，伤口也不是致命的。怜悯是一种非常站不住脚的立场。它必是转瞬即逝的。它的恳求是让人无法忍受的刻板。

五月伊始，橡树、核桃树、枫树和其他树种，刚刚在环湖的松树林中抽芽，为风景增添了一抹阳光般的亮色，尤其是在阴云天里，仿佛阳光冲破了迷雾，模糊地照射在山坡的各个角落。五月三日或四日，我在湖中看见一只潜鸟，这个月的第一周里，我听见了夜鹰、棕鸫、画眉、绿霸鹟、红眼鸟，以及其他鸟类的啼鸣。我很久以前曾听过画眉的叫声。小雀再次到来，透过门窗望向屋里，想看看我的房子是否足够她穴居，她的翅翼嗡鸣，爪子弯曲，仿佛当她调查眼前房屋时，被空气逮住。脂松的花粉宛如硫黄，迅速弥漫过沿岸的湖水、石块和朽木，因此你可以收集一大桶。这便是我们忍受的"硫黄浴"。甚至在迦梨陀娑的戏剧《沙恭达罗》中，我们也会读到"莲花的金色粉末把小河染成了黄色"。由此，季节滚滚向前，驶入夏季，当人们在日渐长高的草丛中漫溯时。

　　至此，我在森林中第一个年头的生活结束了；第二年与之相似。一八四七年十月六日，我最终离开了瓦尔登湖。

结束语

　　如若身体抱恙，医生就会明智地建议你改换一下空气和环境。谢天谢地，这里还并不是整个世界。新英格兰没有七叶树，蓝嘲鸫在这里也鲜有所闻。大雁比我们更像世界公民：他在加拿大用早点，午餐则转移到了俄亥俄，并在一个南方的海湾里，为了入夜而修理自己的羽毛。甚至北美野牛，也在一定程度上紧紧追随着科罗拉多牧场上四季收获的脚步，直到更绿更甜美的牧草在黄石等候着他。而且我们会想，如果拉倒铁篱笆，在农场上砌起石墙，那么从此以后，束缚就会困扰我们的生活，我们的命运也被决定了。如果你当选为城镇的公职人员，那么今夏你就不能去火地岛旅行了：但你可能因此陷入了地狱之火。宇宙远比我们看见的要广阔无涯。

　　　　"把你的目光引向内心，你会发现
　　　　有一千处领地，在你那里
　　　　尚未察觉。旅行其中吧，然后

成为家庭宇宙学的专家。"

　　非洲代表了什么——西方又代表了什么？难道图纸上的白色不正是我们内心的空白吗？当它们被发现，就变成深色的了，像海岸一样。我们将要去发现的，是不是尼罗河、尼日尔河与密西西比河的源头，以及美洲大陆西北部的走廊？这些是最值得人类关心的问题吗？富兰克林①是唯一的迷路之人吗，还要他妻子如此揪心地去找他？格林奈尔先生知道自己身在何处吗？与其效法门戈·帕克②，刘易斯③，克拉克④，弗罗比舍⑤，还不如去追寻你自己的溪流和海洋；探索你自己更高的纬度——如果必要，就带上一船船满载的腌肉来供给你；并把空罐子堆积到齐天之高，作为一个标志。腌肉被发明，仅仅是为了保存肉类吗？不，做一个哥伦布吧，把所有新大陆和新世界装在心里，打开新的海峡，不是为了贸易，而是为了思想。每个人都是一个王国的主人，与之相比，沙皇的帝国也不过是个弹丸小邦，冰雪遗下的小丘。还有些人没有自尊，却口谈爱国，他们牺牲更大的，为了更小的。他们热爱筑成自己坟墓的泥土，却对让他们身体灵动的精神缺乏共鸣。爱国主义在他们脑中都是空想。南

---

① 约翰·富兰克林（Sir John Franklin，1786—1847），英国船长及北极探险家，在搜寻西北航道之旅中失踪，他和其他队员的下落在其后十多年间成谜。他失踪以后，格林奈尔先生曾组织搜救队。
② 门戈·帕克（Mungo Park，1771—1806），苏格兰探险家。
③ 梅里韦瑟·刘易斯（Meriwether Lewis，1774—1809），美国探险家。
④ 威廉·克拉克（William Clark，1770—1838），美国探险家。
⑤ 马丁·弗罗比舍（Sir Martin Frobisher，1535—1594），英国航海冒险家。

海探险远征队的意义何在呢？以所有的排场和花费，不过间接地认识到这样一个事实：对于精神世界中的大陆和海洋来说，每个人都是一个地峡和入口，只是尚未探明；乘政府的大船，用五百名水手和男孩协助，行驶几千英里，穿越寒冷、风暴和食人族，比起探索私人之海，探索孤身一人的大西洋和太平洋，要容易得多。

"Erret et extremos alter scruetur Iberos.

Plus habet hic vitae, plus habet ille viae."

"让他们远行去考察那些化外的澳大利亚人。

我从上帝那里得到更多，他们更多的只是道路。"

不值得所有人环绕地球去数桑吉巴的猫有多少只。即使不能做更好的事，也不要这样做，最终你或许会在内心之中找到一些"希姆斯①之孔"。英格兰和法兰西，西班牙和葡萄牙，黄金海岸和奴隶海岸，都在这私人之海面前；虽然它们都可以直航印度，但却没有一个能脱离视线，驶向内心。如果你想学会说所有的语言，遵守所有国家的习俗，如果你想比所有旅人都走得更远，适应所有气候，这些智慧让斯芬克斯的头也会撞在石头上，那么遵从古代先哲的认知吧，去探索你自己。这需要眼

---

① 约翰·克莱夫斯·希姆斯（John Cleves Symmes，1779—1841），曾提出"地球是空心的"这一学说。

光和勇气。只有失败者和废物们才走向战争,懦夫才逃亡和参军。现在出发吧,踏上那条最远的西行之路,它既不停止于密西西比河与太平洋,也不通向千疮百孔的中国和日本,而是直接形成地球的一条切线,无论冬夏、日夜、日升、日落,最后地球也会沉降。

据说米拉波①曾尝试拦路抢劫,"为了弄清一个人把自己正式放置在社会神圣律法的对立面,究竟需要多大的决心。"他宣称"一个士兵在行伍间战斗所需的勇气不及一个拦路贼的一半"——"荣誉和宗教从来都与深思熟虑和坚定决心南辕北辙。"这是男子气概的,正如世界所趋向;但也是虚掷的,即使不是绝望的话。一个心智健全的人会发现他自己经常与所谓"最神圣社会律法"之间产生足够多的"正式对立",其实,通过遵守更多神圣律法,他也能够考验自己的决心,而不用脱离自己原来的路。这不需要一个人以敌对的态度面对社会,而是要他无论什么态度,都发现能够保持遵守自我行为的律法。对于一个公正的政府来说,这永远不会构成对立,如果他真碰巧遇到这样一个政府的话。

我有很好的理由离开这森林,正如我的到来一样。或许对我来说,还有更多种的人生要去经历,因此不能在这一种上再花费时间了。值得注意的是,我们会轻易而麻木地陷入一种特定的路线中,并走出一条疲惫的轨迹。双脚在家门口和湖畔之

---

① 奥诺雷·加百列·里克蒂,米拉波伯爵(Honoré-Gabriel Riqueti, comte de Mirabeau, 1754—1791),法国政治家,曾任法国国民议会议长。

间踏出一条小径之前，我未曾在这里生活过一周的时间；尽管这已过去五六年之久，但小径的痕迹依然清晰。这是真的，我害怕别人也陷入其中，才使它保持畅通。人们的双脚，让地球表面柔软而敏感；意识的旅途同样如此。多么破旧和脏污啊，这世上的公路，传统和习俗的车辙又是多么深！我不愿意待在船舱通道里，更愿意走在世界的桅杆和甲板之前，因为在那里，我能最好地看到群山之间的月光。我现在不想往下走了。

我的亲身实验，至少让我学到了这一点：如果一个人朝着他梦想的方向自信地前进，并且努力去过他想象中的生活，他会遇到通常时间里无法预料的成功。他会抛下一些东西，会越过不可见的边界；新的、普遍的、更自由的法律开始在他周围和体内完成；或者旧有的法律会扩展，按照他的意愿，以更自由的意志给予阐释，他会生活在一种更高存在秩序的契约中。当他合乎比例地化简自己的生活，宇宙的律法也会变得不那么复杂，孤独不再是孤独，贫穷不再是贫穷，脆弱也不再是脆弱。如果你在云中兴建了城堡，你的劳作不会付之东流，那是它们该在的地方。此刻，先在它们下面打好地基。

你必须说话，这样别人才能理解你，这是英格兰和美利坚提出的荒谬要求。人和毒菌都不是这样成长的。那好像显得很重要，似乎没有它们，你就不能得到足够多理解似的。好像大自然只能支持一种理解模式似的，不能既支持鸟类又支持四足动物，不能既支持飞禽又支持走兽，小声轻唤和大声质询，这些白丁都懂的东西，是最好的英语。好像安全只存在于愚蠢中似的。我唯恐自己的表达不够堂皇，走得不够远，不能超越我日常生活的狭窄界限，由此没能充分传达我所信服的真相。堂皇！这取决于你如何圈定自身。迁徙的水牛，在其他纬度寻找着新的牧场，不如在挤奶时间踢翻木桶、越出牛圈、追逐幼崽的奶牛。我渴望在没有束缚的地方说话；像一个人在清醒的时刻里，面对同样清醒的一群人那样；因为我相信，我根本不够夸张，甚至是为真正的表达铺垫基础时也是如此。谁会听到一种音乐后，就永远唯恐自己说话的方式不够堂皇呢？面对未来和可能，我们首先应该生活得随意、不固定，我们的轮廓不妨昏暗而模糊；我们的身影应该朝着太阳不知不觉地流出汗水。我们言辞中轻易挥发的真理，会不断暴露表达的残缺不全。真理是被不断翻译出来的；它自由的丰碑永远独存。传达我们信仰与虔诚的言语都不是绝对的；然而它们仍重要而馥郁，恰如乳香之于崇高的自然。

为什么我们的水准总是降低到最愚蠢的认识能力，却还称赞其为常识呢？最常见的常识是人们睡着了的意识，它们由鼾声表达。有时候我们倾向于用半个智慧来指称那些拥有它的人，因为我们仅仅欣赏他们智慧的三分之一。有些人只要起床够早，就会去找朝霞的麻烦。"他们伪称，"我听说，"卡比尔①的诗歌中有四种不同的意识；幻想，精神，智慧，以及《吠陀经》中开放的信条。"然而，在世界的这一边，如果一个人的写作允许多一种阐释方法，就会被视作责难的理由。既然英格兰致力于治愈马铃薯腐烂，为什么不能致力于治愈大脑腐烂呢？它流毒

---

① 卡比尔（Kabir，1440—1518），印度诗人。

更广、更致命。

我不是说自己已经多么高深了，但是如果这些纸页间所犯的错误不比瓦尔登湖的冰更多的话，我会感到骄傲的。南方的客人们反对它的蓝色，那是它纯净的证明，他们似乎觉得它很泥泞，因此更偏爱剑桥的冰，那是白色的，并且有青草味。人们所爱的纯净是封锁了地球的薄雾，而不是那辽远的湛蓝色晴空。

有些人总在我们耳边喋喋不休，说我们美国人，总的来说是现代美国人，与古代人或者伊丽莎白时代的人相比，只是智慧的侏儒。但这样比较的目的何在呢？一条活着的狗总好过一头死了的狮子。一个人应该跑去上吊吗，因为他属于侏儒族，但却不是侏儒中最高的那个？让每一个头脑自我管理吧，努力去成为他想成为的样子。

为什么我们要如此急迫地冲向成功，如此急迫地工作进取？如果一个人没有跟随同伴的步伐，或许是因为他听见了别样的鼓点。让他走向他所听到的音乐吧，无论切近抑或遥远。他应该像一棵苹果树或橡树那样快地成熟吗？这并不重要。他必须把自己由春天转入夏天吗？如果我们倾力以求的境况尚不如意，那么任何用来替补的现实又有什么意义？我们不愿成为废弃现实中的船骸。我们应该忍痛去建造一座天堂吗，蓝色玻璃在我们头顶，即便竣工时，我们仍要凝视那高高在上的幽魅天堂，就仿佛前者从未被建造过？

科洛城中曾有一位艺术家，生性力求完美。一天，他冒出了一个制作一根手杖的想法。考虑到在一件不完美的作品中，时间是原材料之一，而在一件完美的作品中，时间并不会进入，他对自己说，它必须十全十美，即使我穷尽余生，不再做别的事情。于是他马上跑到森林中寻找木料，决心找到最适合的那根；他寻找、拒绝了一根又一根，朋友们都渐渐离他而去，因为他们在自己的工作中渐渐衰老和死去，但他却一刻也没有变老。他单纯的目标和决心，以及崇高的虔诚，不知不觉赋予他永恒的青春。由于他不向时间妥协，时间也就远离了他，只能远远兴叹，因为它无法突破他。在他找到那根合适的木料之前，科洛城就已化作古老的废墟，于是他坐在一座坟堆上削起木料。他削出准确的形状以前，坎大哈王朝也已走到尽头，他用手杖的尖端在沙上写下那民族最后一人的名字，然后又继续工作了。等到他将手杖打磨光滑了，卡尔帕已不再是北极星；在他给手杖装上金箍，在杖头镶上宝石以前，梵天已经醒来又睡去好几次了。我为什么要停下来提这些事情呢？当最后的花纹画上手杖，它突然在吃惊的艺术家眼前变大，成为梵天所有造物中最美的一个。在制作手杖的过程中，他创造出一个新的系统，一个丰盈而比例完美的世界；在其中，虽然古老的城邦和王朝都已远去，但更完美、更荣耀的城邦和王朝取代了它们的位置。此刻，他看见脚下成堆的刨花依然新鲜，这意味着，对于他和他的劳作来说，此前消逝的时光都沦为一种幻象，这只是梵天脑中闪出的一道火花，并点燃了一个凡人脑中的绒线，时间从未流逝过。材料如此纯净，所以他的艺术也纯净；除了神奇和完美，它还会有什么其他结果呢？

我们在事情中给出的假面，没有一个能如真理那般，让我们始终如此稳固。它坚若磐石。大多数情况下，我们并不在我们所在的地方，只是处于一个虚假的位置。透过无限多的本质，我们假设了一个情境，并把自己放了进去，此后我们就同时处在真实和假设的两个情境中，要想摆脱出来，就会有双倍的困难。在理智的时刻，我们只关注真实，即真实的情境。说你想说的话，而不是你该说的话。任何真理都比虚伪要好。当补锅匠汤姆·海德站在绞刑架上，被询问是否还有话说时，"告诉裁缝们，"他说，"缝第一针之前，记得先在线上打个结。"他同伴的祈祷文被遗忘了。

不论你的生命多么卑微，与之相遇，活在其中；不要逃避它，并且恶言相向。它并不比你更糟糕。你最富有的时候，看起来最贫穷。喜欢找茬的人，即使在天堂里也找得到错误。热爱你的生活，安贫乐道。即使在一座贫民窟里，你也可能获得一些愉悦、战栗、荣耀的时刻。救济院窗子上反射的落日余晖，和反射在富人豪宅上的一样明媚；门前的积雪，也都在早春同时消融。我坚信一个安静的头脑，住在这里也一样满意，一样会产生振奋人心的思想，恰如在宫殿里一样。在我眼里，城镇中的穷人经常过着比任何人都独立的生活。或许他们足够伟大，接受施舍而无需不安。大多数人认为他们超然物外，没有被城镇供养，但通常是，他们并未超越自身，总是靠着不诚实的手段供养自己，这理应更为不堪。视贫穷如待园中香草吧，像个圣人一样培育。不要在获取新事物上麻烦自己太多，无论是衣服还是朋友。转向旧的；返回它们中间。事物并未改变，改变的是我们自己。卖掉你的衣服，留住你的思想。上帝会看到，你不需要社会。假使我被终日拘禁在阁楼的一角，像一只蜘蛛那样，只要我还携带着思想，那么世界对我来说就依然足够广大。先贤有云："三军可夺帅也，匹夫不可夺志也。"不要急功近利地寻求发展，并屈服于因此而施加给你的影响；它们都会对你构成消耗。谦逊像从天堂照进黑暗的光芒。贫穷与卑微的阴影聚拢在我们周围，"可是看啊，创造拓宽了我们的视野。"我们经常被提醒，即使赐予我们克里萨斯王①的财富，我们的目标依然要保持不变，我们的方法也必须依然如故。况且，如果你被限制在贫穷的樊笼里，如果你甚至没钱买书籍和报纸，那么你只是被拘禁在意义最为重大的经验之中了；你会被迫去处理产生最多糖和淀粉的事物。离骨头最近的生命是最甜的。你不会变成一个游手好闲的人。上层人的慷慨不会让下层人再失去什么了。过剩的财富只能买过剩的物品。一个人对灵魂的需求，用金钱是买不到的。

我居住在一堵铅墙的角落里，砌建它的时候，少量铸钟用的合金被浇铸其中。当我在正午休憩时，经常会有恼人的铃铛声钻进耳中。它是我同时代人的喧嚣。我的邻居们给我讲述他们与士绅名媛的巧遇，告诉我在餐桌上碰见的达官显贵；然而我对这些事情的兴趣，并不比对《每日时报》的目录更多。趣味与谈资主要都是关于服饰和礼仪；然而笨鹅始终是笨鹅，无论你如何装扮它。他们告诉我加利福尼亚和得克萨斯，告诉我英格兰和印度，告诉我佐治亚和马萨诸塞的尊贵先生，都不过是过眼云烟，我几乎准备好从他们的庭院里逃走了，就像马穆鲁克省长那样。

---

① 克里萨斯王（Croesus），吕底亚国最后一位国王，以富有著称。

我愿意走出自己的轨迹——不想走在盛典和游行的队伍里，走在炫耀的地方，而是愿与宇宙的大创造者通路而行，如果我能——不想生活在这动荡、喧嚣、熙攘、琐碎的十九世纪，只想充满思想地站着或坐着，任凭它的流逝。人们在庆祝什么？他们都参加了一个筹备委员会，时时期待着某些人的演讲。上帝才是这里的总统，韦伯斯特是他的发言人。我喜欢去衡量、确定、投向那些最强烈而正当地吸引着我的东西——绝不拽住天秤的秤杆，以求减少读数——绝不假设一个情境，而是进入必然的情境；旅行在唯有我能走的路线上，投身其中，没有任何力量能抵抗我。在打下坚实地基前就贩卖给春天一座拱门，不会带给我任何满足感。我们不要玩那些小把戏了。任何地方都有着坚实的基础。我们读到，一位旅人询问男孩面前的沼泽是否有坚硬的底部。那男孩回答说有。但是不久，那旅人的马就陷到肚脐的深度了，他对男孩说，"我以为你说这沼泽有坚硬的底部。""它确实有，"后者答道，"但是你还没到它的一半深呢。"社会也同样充满泥沼和流沙；但他是一个老练到能知晓这些的男孩。只有当所想、所言、所行明确达成某种罕见的巧合时，情况才最佳。我不想成为一个傻到用手把钉子摁进板条和灰泥中的人，这样的行为会让我夜里失眠。给我一把锤子，让我摸一摸那板条。不要忽略上面涂的油灰。在家里钉一枚钉子，并且真诚地将它钉牢，这会让你在半夜醒来，带着满足感回味自己的劳作——你不会因它惊动了缪斯而感到羞愧。若是如此，也只有如此，上帝才会帮你。每一枚被钉下的钉子都是宇宙机器中的一个零件，而你正从事着这项工作。

别给我爱，别给我金钱，别给我名誉，给我真理吧。我坐在摆满珍馐美馔的餐桌前，谄媚和奉承纷纷出席，但诚挚和真理却并未现身；我充满饥饿地离开这冷淡的宴席。这里的好客便是冷若冰霜。我觉得都不必用冰来形容它们了。他们对我谈论酒的年份和葡萄的美名；但我想要一种更古老、更新鲜、更纯净的酒，酿自一种更荣耀的葡萄，他们没有，也买不到。这里的风情、屋宇、园地和"娱乐"对我来说毫无意义。我去求见国王，但他让我在大厅里等待，表现得像一个待人接物完全无能的人。在我的邻里中，有一个人住在树洞里。他的仪态才是真正的皇家。假如我去求见他，情况会好得多。

我们还要坐在门廊下练习这些怠惰、发霉的德行多久，既然它们与任何工作都扯不上关系？这就好像一个人终日苦修，但还得雇一个人去帮他锄土豆地；而且下午还要带着事先想好的善心出去修行基督徒的驯顺和慈爱！想想中国的骄矜和人类停滞的自满吧。这一代人倾向于自诩为神圣血脉的最后一代；在波士顿、伦敦、巴黎、罗马，人们想着自己悠久的血统，带着满足地谈起艺术、科学和文学所取得的进步。有哲学社团的记录，还有公共场合对伟大人类的歌颂！那是至善的亚当在凝思自己的美德。"是的，我们已创造了伟大的事业，唱出了神圣的歌，它们都永垂不朽"——只要我们能记住它们。亚述 ① 的博学社团

---

① 亚述（Assyria），古代西亚奴隶制国家，位于底格里斯河中游。公元前19到前18世纪发展成为王国，版图南及阿卡德，西达地中海。公元前612年，为新巴比伦和米底联军灭亡。

和伟人们啊——他们在哪里？我们是多么年轻的哲学家和实验家啊！我的读者中，还没有一人曾经历过完整的人生。这些也许只是人类生命中的几个春季。如果我们只是忍受了七年的疥疮，那么我们就还没遭遇康科德十七年的蝗灾。我们只习得了我们所生活的地球的一层薄膜。大多数人从未钻入地表下面六尺，也没跳起过同样的高度。我们并不知道我们身在何处。而且，我们有几乎一半的时间在睡眠中度过。然而，我们敬畏我们自己的智慧，也在世界的表层建立了秩序。真的，我们是深邃的思想者，我们是雄心勃勃的灵魂！当我站在林中，看见一只昆虫爬到林地上纷乱的松针中，还努力将自己隐藏在我的目光之外时，我问自己，它为什么要葆有这么鄙陋的想法，还把头避开我，我这个他可能的救主，我这个能为他的族类带去好消息的人。我想到了那高高在上的大救世主和大智慧者，在他们俯视的目光中，我们人类也不过是一群虫豸。

新颖之物不停地涌入这个世界，我们却仍忍受着难以置信的愚蠢。对此，我只需暗示在最开化的国度里，还听着怎样的布道声。我们有诸如愉悦和悲戚这样的词，但它们只是颂歌的负担，被用鼻音哼唱着，让我们信仰了平庸和卑微。我们认为我们只能换换衣服。人们说大英帝国庞大而让人尊敬，美利坚合众国是一等强国。但没人相信那能卷起、抛下每一个人的潮汐，会唯独让大英帝国像块木片一样安然漂浮，只要这念头还停泊在潮汐的脑海中。谁知道下次还会有怎样的十七年蝗灾喷出地表？我生活于斯的世界的政府，并不是晚宴过后，喝着酒聊着天就建立起来的，就像大不列颠那样。

我们体内的生命，就像河流中的水。它今年的水位，可能升高到前人所无法想象，并漫上焦渴的高地；甚至，这一年也可能是多事之秋，冲走了我们所有的麝鼠。我们所栖居的地方并不总是干燥的大地。我从深居内陆的河岸中看到古代溪流的奔涌，远在科学开始记录它的汛期之前。每个人都听说过这个流传在新英格兰的故事：一只强壮、美丽的小虫爬出一张苹果木旧餐桌的叠层，这张餐桌已经在一位农夫的厨房里待了六十年了，先在康涅狄克，后在马萨诸塞——其实此前，它的卵在还活着的苹果树里已经生活了许多年，我们数数上面的年轮就可得知这一点；可能是被一只摆上餐桌的瓮的热力孵化了，听说它啃噬木头花了几周时间，才最终钻了出来。谁听了这个故事，不会强烈地感受到它对复活与不朽的信仰呢？又有谁会知道，何等美丽的、长着翅膀的生灵，它的卵已经埋葬在木头的年轮中，进入生如死灰般的人类社会好多年了，先是封存在苍翠鲜活的树木中，后来这树木渐渐变成了它枯冢的外壳——当一家人围坐在节日的餐桌旁，它持续多年的啃噬声，碰巧被这家中的人听见——会出人意料地从这社会中最不起眼、随手转卖的家具中飞出来，终于享受到它完美的盛夏！

我并不是说约翰或者乔纳森①都能意识到所有这些；但这正是那个明天的特性：仅仅时光流转，也不一定带来它的黎明。那扑灭我们眼眸的光明，对我们仅仅意味着黑暗。而只有那一天的黎明才能将我们真正唤醒。更多的日子将被黎明照亮。太阳也是一颗晨星，如是而已。

---

① 约翰（John）、乔纳森（Jonathan）均为常见的名字，这里泛指平常的人。

译者 | 王家新

　　著名诗人、批评家、翻译家。现为中国
人民大学文学院教授，博士生导师。

　　先后出版有诗集、诗歌批评、诗论随笔、
译诗集及其他译著二三十种，并编选出版有多
部中外现当代诗选、诗论及随笔选集。

　　作品被译成多种文字，在德国、英国、
美国、克罗地亚出版有多种个人诗选。曾获包
括韩国 KC 国际诗文学奖在内等多种国内外文
学奖。

译著年表

诗集

1985 年　诗集《纪念》
1993 年　英译诗集《楼梯》(有声读物)
1997 年　诗集《游动悬崖》
2001 年　诗集《王家新的诗》
2007 年　诗集《未完成的诗》
2011 年　德译诗集《哥特兰的黄昏》
2013 年　诗集《塔可夫斯基的树》
2016 年　英译诗选《变暗的镜子》
2017 年　克罗地亚文诗选《夜行火车》
2017 年　德译诗选《晚来的献诗》
2017 年　诗选《重写一首旧诗》

诗论随笔集

1989 年　《人与世界的相遇》
1997 年　《夜莺在它自己的时代》
1998 年　《对隐秘的热情》
2002 年　《没有英雄的诗》
2003 年　《坐矮板凳的天使》
2007 年　《取道斯德哥尔摩》
2008 年　《为凤凰找寻栖所——现代诗歌论集》
2010 年　《雪的款待》
2012 年　《在一颗名叫哈姆莱特的星下》
2013 年　《在你的晚脸前》
2015 年　《黄昏或黎明的诗人》
2017 年　《教我灵魂歌唱的大师》

翻译集

2002 年　《保罗·策兰诗文选》(合译)
2013 年　《心的岁月：策兰、巴赫曼书信集》(合译)
2014 年　《带着来自塔露萨的书：王家新译诗集》
2014 年　《新年问候：茨维塔耶娃诗选》
2016 年　《我的世纪，我的野兽：曼德尔施塔姆诗选》
2016 年　《死于黎明：洛尔迦诗选》

2017 年《瓦尔登湖》(合译)

编著

1987 年　《中国当代实验诗选》(合编)
1989 年　《当代欧美诗选》(合编)
1993 年　《二十世纪外国重要诗人如是说》(合编)
1995 年　《最明亮与最黑暗的：二十家诺贝尔奖获奖诗人作品新译》(合编)
1997 年　《钟的秘密心脏：二十家诺贝尔奖获奖作家随笔精选》(合编)
1996 年　《叶芝文集》(三卷本)
2000 年　《中国诗歌：九十年代备忘录》(合编)
2003 年　《现代欧美诗歌流派诗选》(三卷本)
2012 年　《中外现代诗歌导读》
2014 年　"二十一世纪中国文学大系·翻译文学卷"主编

译者 | 李昕

南开大学外国语学院硕士，中国人民大学文学院在读博士，长春师范大学外语学院副教授，硕士生导师。至今已发表学术论文十余篇，翻译文字约二十余万字。代表译作包括《身份、权力和向"我们的遣返女神"的祈祷——论翻译和诗歌创作》（载《上海文化》）、《沃罗涅日的乌鸦和刀——曼德尔施塔姆的沃罗涅日流放时期》（合译，载《上海文化》）等。

来自作家榜®的礼物

"读经典名著，认准作家榜经典文库"
—— 闭着眼睛买，本本都经典 ——

亲爱的读者，感谢您选择大星®文化出品的作家榜经典文库。

享誉全国的"作家榜经典文库®"，精选经典中的经典，全部由顶级诗人、作家倾心译注，只为您和您的孩子，提供值得反复阅读和激发心灵成长的全球至高经典。

作家榜经典文库在高端读者群中口碑相传，创造了一本又一本的畅销奇迹，成为精品经典的标杆品牌，赢得无数家长、老师、读者赞誉："读经典名著，认准作家榜经典文库，闭着眼睛买，本本都经典！"越来越多有经验的爱书人，书架必备作家榜经典；越来越多的孩子们，因为作家榜经典爱上阅读名著。

为给您提供更好的增值服务，作家榜母公司大星文化重磅推出永久免费的电子书阅读平台"作家榜阅读APP"，作家榜经典文库所有已出版作品，您均可下载免费阅读电子书。

下载作家榜APP
百部经典免费读

天猫作家榜旗舰店
扫码关注就送5元

策 划
出 品 大星

出 品 人 | 吴怀尧　周公度　邵　飞

版权所有 | 大星文化
封面设计 | 大星文化
产品经理 | 谌　毓
产品监制 | 陈　俊
内文插图 | 梁昌正
美术编辑 | 陈　芮

投稿邮箱 | dxwh@vip.126.com
渠道合作 | 021-60839180
官方微博 | @大星文化　@中国作家富豪榜

作家榜官方网站 | www.zuojiabang.cn
作家榜官方微博 | @中国作家富豪榜（每天都在免费送经典好书）
作家榜公众号　当当旗舰店　京东旗舰店

图书在版编目（CIP）数据

瓦尔登湖 /（美）亨利·戴维·梭罗著；王家新，
李昕译 . -- 北京：中信出版社，2019.4
（作家榜经典文库）
ISBN 978-7-5217-0169-2

Ⅰ . ①瓦… Ⅱ . ①亨… ②王… ③李… Ⅲ . ①散文集
- 美国 - 近代 Ⅳ . ① I712.64

中国版本图书馆 CIP 数据核字 (2019) 第 041229 号

瓦尔登湖

著　者：[美]亨利·戴维·梭罗
译　者：王家新　李昕
出版发行：中信出版集团股份有限公司
（北京市朝阳区惠新东街甲 4 号富盛大厦 2 座　邮编　100029）
承 印 者：河北鹏润印刷有限公司

开　本：889mm×1194mm　1/32　　印　张：11.75　　字　数：244 千字
版　次：2019 年 4 月第 1 版　　印　次：2019 年 4 月第 1 次印刷
广告经营许可证：京朝工商广字第 8087 号
书　号：ISBN 978-7-5217-0169-2
定　价：39.80 元